Les amants de l'été

SUSAN WIGGS

Les amants de l'été

Jade

Titre original :
SUMMER BY THE SEA
publié par MIRA®

Traduction française de ELISA MARTREUIL

Jade® est une marque déposée par le groupe Harlequin

Photo de couverture
Coquillage : © ROYALTY FREE / JUPITER IMAGES

83-85, boulevard Vincent-Auriol 75646 PARIS CEDEX 13.
ISBN 978-2-2808-3371-4 — ISSN 1773-7192

PREMIÈRE PARTIE

1

C'était enfin le grand soir et Rosa Capoletti le savait. Jason Aspoll allait se déclarer et poser la question inévitable. Le cadre qu'il avait élu était idéal pour la circonstance : soirée d'été dans un restaurant chic du bord de mer, doux cliquetis de cristal par-dessus le murmure paisible des conversations… A la demande de Jason, le trio de musiciens, qui officiait ici tous les vendredis, jouait *Lovetown*, et quelques couples, les yeux dans les yeux, évoluaient langoureusement au rythme de cette mélodie nostalgique.

La flamme des bougies par-dessus les flûtes de champagne à moitié vides faisait danser des ombres sur le visage de Jason, dont l'expression trahissait tour à tour exaltation et appréhension. Il était soumis à une tension si forte que de fines gouttes de sueur perlaient à son front.

« Il tient tellement à ce que tout soit parfait ! » songea Rosa en l'observant.

Elle avait l'impression d'entendre les questions qui se pressaient dans sa tête : *Je lui prends la main par-dessus la table ou je mets un genou à terre ? Non, la deuxième solution risque d'être un peu ridicule...*

« Allons, lance-toi, Jason ! l'exhorta-t-elle silencieusement. Le véritable amour n'est jamais ridicule. »

Elle savait déjà ce qu'il cachait dans la poche intérieure de son smoking : un petit écrin de velours noir.

« Courage, Jason ! N'aie pas peur. »

Elle s'était déjà faite à l'idée qu'il ne se passerait rien ce soir quand, soudain, elle le vit tomber à genoux, sous l'œil attendri des clients qui dînaient aux tables voisines.

Il glissa la main dans sa veste, et Rosa retint son souffle, tandis que la musique s'amplifiait et qu'il sortait la petite boîte de sa poche.

Sa main tremblait un peu. De toute évidence, il craignait un refus.

« Quel idiot ! » songea Rosa. Comment pouvait-il douter de la réponse qu'il allait recevoir...

— La table sept renvoie le risotto aux cuisines ! annonça brusquement un serveur en posant devant Rosa un gros saladier en faïence.

— Bon sang, Leo ! s'insurgea la jeune femme en tendant le cou pour ne pas perdre Jason de vue. Je suis occupée, là !

Elle écarta le garçon d'une main impatiente au moment même où Linda Lipschitz, sa meilleure amie, se levait de sa chaise pour se précipiter dans les bras de Jason en déclarant :

— Oui, j'accepte sans hésitation de devenir ta femme !

« C'est bien, ma chérie ! » songea Rosa, les yeux humides.

Leo suivit la direction de son regard, et contempla le couple enlacé.

— Très touchant, vraiment ! dit-il. Mais qu'est-ce que je fais de mon risotto ?

— Rapporte-le en cuisine, répondit Rosa. Je savais bien que cette recette au chutney et à la mangue n'était pas une bonne idée. Dis-le à Butch de ma part.

Elle abandonna Leo à sa tâche et traversa la salle à manger pour rejoindre Linda qui, le visage radieux et baigné de larmes, se blottissait contre un Jason vacillant de bonheur.

— Rosa, tu ne vas pas croire ce qui m'arrive !

— Oh si, ma chérie ! répondit Rosa en se tamponnant les yeux avec un mouchoir.

Linda tendit alors la main vers elle pour lui montrer son annulaire où étincelait un diamant marquise serti dans des griffes en or.

Rosa prit Linda dans ses bras, puis embrassa Jason sur la joue.

— Mes félicitations à tous les deux. Je suis tellement heureuse pour vous !

C'était Rosa qui avait aidé Jason à choisir la bague de fiançailles. Elle avait également composé le menu, sélectionné la musique et commandé les fleurs préférées de Linda pour décorer la table. Rosa était la femme des grandes occasions : elle savait comment rendre mémorables les moments importants de la vie… des autres.

En pleine euphorie, Linda faisait déjà des projets pour les jours à venir.

— Dimanche, nous irons dans la famille de Jason pour décider d'une date tous ensemble…

— Du calme, ma belle ! l'interrompit Rosa dans un éclat de rire indulgent. Tu ne veux pas danser avec ton fiancé, d'abord ?

— Mon fiancé… Que ce mot est doux à entendre !

Rosa poussa gentiment le couple vers la piste de danse. Tout en prenant Linda dans ses bras, Jason articula par-dessus son épaule un « merci » muet à Rosa qui lui répondit par un clin d'œil de connivence, avant de prendre la direction de la cuisine où le devoir l'appelait.

Elle souriait pour elle-même en poussant les portes battantes, cette frontière qui séparait l'espace élégant et calme dédié au public du chaos organisé autour des fourneaux.

Eclairés par la lumière crue des plafonniers et par le rougeoiement des grils, une armée de marmitons, de gâte-sauces et de maîtres queux s'affairaient, allant et venant entre des paillasses en acier. Les serveurs tapaient impatiemment du pied tout en guettant l'arrivée de leurs commandes d'un œil exercé, prêts à franchir les portes matelassées qui préservaient la sérénité de la salle à manger des cris des employés et des bruits de vaisselle.

Même si elle évoluait dans un environnement essentiellement masculin, Rosa savait très bien imposer son autorité. Elle se faufila avec aisance dans ce ballet incessant d'hommes en tablier, armés d'énormes couteaux ou chargés de bassines d'eau bouillante. Là, un tuyau projetait avec fracas un jet d'eau puissant contre les parois métalliques de l'évier ; ici, un gigantesque gril, réglé avec précision à une température de 540 °C, crachait, tel un dragon, des bouffées d'air brûlant.

— Attendez ! lança-t-elle à un commis qui passait près d'elle chargé d'une assiette où un steak avait été généreusement assaisonné de poivre vert, blanc et noir.

— Oui ?

L'employé, récemment recruté à Newport, s'arrêta devant le comptoir.

— Nous servons la viande nature, ici.

— Pardon ?

— Nous ne proposons que de la viande de premier choix. C'est notre image de marque. Pas question d'en altérer le goût avec une débauche d'épices.

— Je m'en souviendrai, répondit-il en posant l'assiette sur le comptoir à l'intention d'un serveur.

Rosa se posta devant lui.

— Remportez ce steak et préparez-en un autre comme je vous l'ai indiqué, s'il vous plaît.

— Mais…

Elle le fusilla du regard.

« Tiens bon ! se dit-elle. Ne baisse pas les yeux. »

— C'est comme si c'était fait, dit-il finalement en retournant vers son plan de travail.

— Alors ? Tes protégés ?

Rosa se tourna vers Lorenzo Buchello, dit « Butch », le chef-cuisinier dont la renommée, en matière de cuisine italienne, s'étendait jusqu'à New York et Boston.

— C'est bon, lui répondit-elle avec un sourire tout en choisissant un couteau à dents de scie parmi la collection impressionnante accrochée au mur. Jason s'est mis à genoux devant elle, exactement comme dans un film.

Ni l'un ni l'autre n'avaient interrompu leur travail pendant la conversation. Lui continuait la préparation d'un dessert, tandis qu'elle disposait dans une corbeille des tranches de pain de campagne à la mie aérée.

— Je suis content pour eux, déclara Butch.

— Ils sont vraiment amoureux. J'avais la gorge serrée en les regardant, avoua Rosa.

— Incurable romantique ! commenta Butch tout en versant une ganache au chocolat sur des profiteroles.

— Non, Rosa n'est pas incurable ! intervint Shelly Warren qui se faufilait derrière eux pour attraper sa commande. Il existe un remède adapté à son cas.

— Toi, tu vas encore me parler mariage ! lança Rosa en accompagnant ces mots d'une grimace de dérision.

Shelly lui tapa dans la main d'un air complice. Elle était mariée depuis dix ans, et affirmait qu'elle avait choisi ce travail de serveuse en soirée pour échapper aux retransmissions de matchs de golf dont son mari raffolait.

— Ne crache pas dans la soupe sans savoir de quoi

elle est faite, Rosa ! Au fait, qu'est-il advenu de ce type avec qui tu sortais ? Dean, je crois...

— Figure-toi qu'il voulait se marier...

— Ah ! Tu vois ! s'exclama Butch avec un sourire ravi.

— Mais pas avec moi.

— Excuse-moi, dit Butch avec un air penaud. Je n'étais pas au courant.

— C'est sans importance. Il a trouvé sa place dans une longue liste de prétendants qui, de mon point de vue, ne pouvaient prétendre à rien.

— Je crois deviner ta tactique, dit Butch tout en fouettant énergiquement un bol de crème anglaise afin de préparer un sabayon au marsala, l'une de ses spécialités. Tu les fais fuir, et ensuite tu affirmes qu'ils n'étaient pas faits pour toi.

— Ce n'est pas le moment, Butch ! lança Rosa en remplissant sa dernière corbeille de pain. C'est la soirée de Linda. Fais-leur servir un tiramisu accompagné de tes félicitations. D'accord ?

Sur ces mots, elle regagna la salle à manger et s'installa près de la caisse, située en face de l'entrée principale de Chez Celesta. En ce vendredi soir, tout était parfait. Dans la salle à manger à plusieurs niveaux, les tables étaient disposées de façon à permettre aux clients de profiter de la vue sur la mer, tandis que les bouquets de fleurs fraîches, les nappes amidonnées et l'éclat des cristaux et de l'argenterie offraient le plaisir d'un luxe délicat.

Le rêve que Rosa avait entretenu du temps où le

restaurant n'était encore qu'une pizzéria miteuse était devenu réalité. Des couples dansaient lentement sur la piste, épousant les pulsations sensuelles d'un air de blues rythmé par les coups assourdis de cymbales dont les vibrations enfiévraient l'atmosphère. Sur la terrasse, caressés par une douce brise, des clients se laissaient envoûter par le ressac des vagues qui venaient mourir sur la plage en faisant danser les reflets de myriades d'étoiles.

Pour la troisième année consécutive, Chez Celesta avait été élu par *Coast Magazine* le « Paradis des Fiancés », et la soirée offrait un exemple admirable de tous les charmes du lieu.

— Tu as pleuré ?

Vince avait surgi près d'elle. Linda, Rosa et lui se connaissaient depuis l'enfance. Dès l'école, ils avaient formé un trio inséparable. Grand, svelte, impeccable dans son costume Armani et ses chaussures Gucci, Vince était maintenant le maître d'hôtel le plus séduisant de tout le South County. Ses lunettes sans monture mettaient en valeur ses yeux sombres, frangés de longs cils noirs serrés.

— Bien sûr que j'ai pleuré ! répondit Rosa. Pas toi ?

— Si, peut-être, reconnut-il avec un regard affectueux vers Linda. Quelques larmes. Ça me fait tellement plaisir de la voir heureuse.

— Et à moi, donc !

— Bon, eh bien, de nous trois, il ne reste plus que toi.

— Ah ! non. Tu ne vas pas t'y mettre, toi aussi !

— Butch a déjà abordé la question ?

— Dis donc, c'est à ça que vous passez vos nuits, tous les deux ? A parler de ma vie amoureuse ?

— Non, ma chère. De son *absence*.

— Fiche-moi la paix, tu veux ? lança Rosa en adressant un large sourire à un groupe de clients qui partait.

Ils étaient tous deux passés maîtres dans l'art de se chamailler en arborant un masque de parfaite amabilité.

— Nous espérons vous revoir, dit Vince d'un ton si chaleureux que les deux femmes marquèrent un temps d'arrêt.

Vince jeta un coup d'œil furtif sur l'écran de l'ordinateur dissimulé sous la caisse afin de vérifier que leur addition avait été réglée. « Trois bouteilles d'Antinori », nota-t-il pour lui-même, avec satisfaction.

— Certains soirs, j'aime vraiment beaucoup ce travail, soupira béatement Rosa.

— A mon humble avis, tu l'aimes presque trop.

— Je ne t'ai pas choisi comme psychanalyste, Vince. Souviens-t'en.

— *Ringrazi il cielo*, tu n'aurais pas de quoi régler mes honoraires !

— Sympa, vraiment !

— Je plaisante, tu le sais bien, Rosa… Bonne nuit, messieurs dames, lança-t-il à un couple. Merci de votre visite.

Malgré sa fatigue, Rosa parcourut son territoire avec

des yeux débordant de fierté. Si les gens choisissaient son restaurant pour leurs dîners d'amoureux, l'endroit était pour elle aussi une source d'émotions. C'était Chez Celesta qui structurait ses jours, ses semaines, ses années. Elle avait consacré toute son énergie à créer ce lieu où se célébraient les moments qui marquent une vie : fiançailles, succès aux examens, bar-mitsva, anniversaires de mariage, promotions… Les clients venaient y fuir le rythme épuisant et les difficultés du quotidien sans jamais se douter que chaque détail, des abat-jour en albâtre aux coussins en tapisserie importés de l'autre bout du monde, avait été minutieusement pensé pour créer à leur intention un climat luxueux et chaleureux.

Rosa avait conscience que son souci presque maladif du moindre détail, allié à la cuisine incomparable de Butch, avait fait de son établissement le meilleur du comté, voire de l'Etat tout entier du Rhode Island. La pièce maîtresse du lieu, un comptoir en acier martelé dont les bords cannelés rappelaient le mouvement des vagues, avait été commandée à un artisan du coin. Sur le mur, derrière, une étagère de verre bleu, éclairée par en dessous, offrait aux regards une coquille de nautile. Les clients étaient fascinés par la mystérieuse irisation de ses spirales et de ses cavités que créaient les mouvements de la lumière. Ils demandaient souvent d'où venait ce coquillage et s'il était authentique. Rosa avait beau connaître la réponse, elle la gardait secrète.

Elle consulta subrepticement l'heure sur l'ordinateur. Les serveurs ne portaient pas de montre, et elle n'avait pas voulu de pendule dans la salle car les gens venaient ici pour se détendre… Il était 10 heures. Il n'y aurait plus d'arrivées, sauf peut-être quelques clients pour le bar.

Un coup d'œil circulaire à la salle lui suffit pour savoir que la recette de la soirée serait faramineuse.

— Je suis franchement contente que ce soit l'été, dit-elle à Vince.

— Ouais… Pour les gens normaux, l'été représente le moment des vacances. Pour nous, c'est le bagne qui commence.

— C'est normal.

Le travail n'avait jamais effrayé Rosa. Le restaurant était son univers. Bien sûr, il y avait aussi Pop, son père, farouchement attaché à son indépendance et qui lui reprochait de trop le dorloter. Son frère Robert, enrôlé dans la marine, se trouvait actuellement en poste à l'étranger avec sa famille. Quant à Sal, son autre frère, il était également dans la marine, mais comme aumônier.

Son père, ses frères, ses neveux et ses nièces, c'était sa famille. Le restaurant, lui, c'était sa vie.

Quand elle glissa un regard vers Linda et Jason, elle eut l'impression de voir leurs yeux littéralement crépiter de passion. Il lui arrivait parfois, devant un couple d'amoureux, de sentir son cœur se serrer, bien que, plus ou moins consciemment, elle se contraignît à n'y accorder aucune importance.

— Tu as deux mois de congé par an, fit-elle remarquer à Vince. Il me semble que je suis plutôt généreuse.

— Tu parles ! Janvier et février.

— C'est la meilleure saison, à Miami ! A moins que Butch et toi n'ayez l'intention de vendre l'appartement que vous avez là-bas ?

— Tu as raison, comme d'habitude. Pour rien au monde je ne changerais…

Ils furent interrompus par des claquements de portières suivis de joyeux éclats de voix. Il était 10 h 15, constata Rosa en s'effaçant derrière Vince, qui arbora son célèbre sourire, tout en murmurant :

— Adieu l'espoir de fermer de bonne heure !

Puis il lança avec enthousiasme, comme si l'arrivée de ces retardataires lui procurait un immense plaisir :

— Bienvenue chez Celesta !

Rosa était capable de déterminer au premier coup d'œil dans quelle catégorie sociale classer ses clients. Et, manifestement, ceux qui venaient d'entrer étaient de riches citadins venus passer l'été sur la côte. Le maintien et la beauté des femmes disaient sans équivoque qu'elles appartenaient aux plus hautes sphères. La plus élancée d'entre elles portait ses cheveux blond doré impeccablement maintenus par un serre-tête. De sa jupe noire, de son chemisier de soie et de ses chaussures plates en agneau émanait l'élégance subtile des vêtements de haute couture. Ses deux amies, avec leurs cheveux brillants et parfaitement disciplinés, leur maquillage discret, leurs manches soigneusement retroussées, lui ressemblaient en tout point. Leur allure à toutes les trois confirmait sans le moindre doute leurs origines aristocratiques.

Tous les étés depuis leur plus tendre enfance, Rosa

et Vince avaient côtoyé ces gens-là. Pour ces estivants, comme pour leurs ancêtres, les autochtones n'existaient que pour les servir dans leurs imposantes vieilles demeures qu'ils occupaient depuis toujours sur la côte immaculée et vierge du comté. Leurs galas de charité faisaient la couverture de *Town and Country Magazine*, tandis que leurs mariages étaient annoncés dans le *New York Times*, et ils n'avaient pas la moindre idée des problèmes de la bonne qui changeait leurs draps, du pêcheur qui leur fournissait du poisson, des blanchisseuses qui repassaient leurs chemises achetées sur la Cinquième Avenue.

Vince poussa discrètement Rosa du coude.

— Directement débarqués de leur yacht, je parie ! chuchota-t-il. Ils ont certainement mouillé devant Bailey's Beach, la seule plage jugée fréquentable pour ce genre de personnes.

Rosa pouvait difficilement contester.

— N'oublie pas d'être aimable ! lui recommanda-t-elle.

— L'amabilité, c'est ma seconde nature, répliqua-t-il.

La porte s'ouvrit de nouveau, et les femmes furent rejointes par leurs compagnons. Rosa leur adressait son sourire de bienvenue quand, soudain, son cœur s'arrêta de battre. Son regard venait de se poser sur un homme de haute taille, aux cheveux blond-roux. « Mon Dieu ! Faites que ce ne soit pas lui ! »

Hélas…

Elle tenta de se reprendre, mais elle avait du mal à

respirer. « De toute façon, je l'aurais forcément croisé un jour ou l'autre », songea-t-elle dans un effort pour relativiser l'importance de la situation.

— Attention ! lança Vince tout bas, avec une animosité mal contenue et un geste protecteur en direction de Rosa. Voilà le clan des Montaigu. Roméo est de retour !

Rosa lutta contre la panique. Elle était en proie à un flot d'émotions si violent qu'il lui sembla avoir de nouveau dix-huit ans, quand elle avait été submergée de douleur et de désespoir à cause du garçon qui venait de lui briser le cœur.

— Je vais leur dire que nous fermons, déclara Vince.

— C'est hors de question ! rétorqua Rosa, les lèvres serrées.

— Alors, je propose de le défier en combat singulier et de lui flanquer une peignée dont il se souviendra toute sa vie…

— Propose-leur notre meilleure table, s'il te plaît.

Rosa se redressa, prête cette fois à affronter l'homme qu'elle n'avait pas croisé depuis dix ans et qu'elle avait espéré ne jamais revoir…

2

— Comme tu voudras, dit Vince en retrouvant instantanément son sourire le plus charmant pour accueillir les derniers clients. Soyez les bienvenus ! Avez-vous réservé ?

— Non. On vient juste boire un verre, répondit l'un des hommes.

Sa réplique déclencha aussitôt un ricanement hystérique chez ses compagnons, comme s'il s'était agi d'une plaisanterie absolument irrésistible.

— Je vous en prie, dit Vince en leur indiquant le chemin du bar. Installez-vous.

Rosa pensa au nautile qu'elle exposait comme une authentique pièce de musée. Le reconnaîtrait-il ?

Mais était-ce si important, après tout ?

Au moment où elle pensait avoir survécu au choc de cette rencontre, elle remarqua qu'il était resté à l'écart du groupe et qu'il l'observait avec une intensité bouleversante.

Allons ! Il suffisait qu'elle joue l'indifférence, voilà tout ! Mais c'était facile à dire, alors qu'elle avait toutes les peines du monde à dissimuler son trouble.

Depuis bien longtemps, elle s'était résignée à s'accepter telle qu'elle était : une Italienne-type, aux cheveux bouclés, à la poitrine opulente et au tempérament bouillonnant. Mais, pour le moment, l'essentiel consistait à afficher un masque froid et serein, car la vie lui avait enseigné que le contraire de l'amour était l'indifférence, pas la haine.

— Bonjour, Alex.

— Bonsoir, Rosa, répondit-il avec un sourire énigmatique.

Il avait bu, c'était évident. Elle avait tout de suite remarqué ses cheveux en bataille et la moue enfantine qui semblait contredire la virilité nouvelle de ses traits. Quant à ses yeux bleu océan, rivés aux siens, ils suscitaient en elle le même émoi qu'autrefois.

Il arborait une tenue à la fois chic et négligée : chemise oxford, pantalon ample en lin et ses chaussures bateau... Tout cela était soigneusement étudié.

Le revoir était un vrai supplice. Elle n'était pourtant pas censée se montrer aussi vulnérable ! N'avait-elle pas été élue « restauratrice de l'année » par Condé Nast ? N'avait-elle pas réussi au-delà de ses espérances ? Ne possédait-elle pas tout ce qu'on peut désirer : une affaire florissante, des amis merveilleux, une famille aimante ? Forte et indépendante, appréciée et admirée, elle jouissait même d'un certain pouvoir puisque les membres de la chambre de commerce de Winslow l'avaient désignée pour diriger leur comité.

Mais Rosa détenait un encombrant secret enfoui au

plus profond d'elle-même : elle n'avait jamais réussi à oublier Alexander Montgomery.

— Parmi tous les bars qui existent dans le vaste monde, il a fallu qu'il choisisse le mien ! s'exclama-t-elle d'un ton guilleret.

Bravo ! Elle avait réussi à s'en sortir par l'humour !

— Vous vous connaissez, tous les deux ?

La blonde aux cheveux de star était revenue sur ses pas pour entraîner Alex.

Mais il ne quittait pas Rosa des yeux, et elle soutint son regard. Pour rien au monde elle n'aurait cédé la première.

— Oui, répondit-il. On s'est fréquentés, il y a longtemps.

La tension était intolérable. Pourtant, Rosa parvint à donner le change.

— Je vous souhaite une agréable soirée, dit-elle avec l'amabilité impersonnelle de la parfaite hôtesse.

Alex la dévisagea encore quelques instants, puis il la remercia et gagna le bar.

Elle conserva son masque de maîtresse de maison pendant qu'il prenait place avec ses amis sur une banquette capitonnée. Les femmes découvraient le décor d'un œil surpris et admiratif. Rien d'étonnant à cela puisque les autres restaurants du coin n'étaient, pour la plupart, que des paillotes qui servaient de la friture dans un décor marin banal et kitsch.

Alex s'assit en bout de table. Sa compagne se colla à lui en imprimant à sa chevelure des mouvements étudiés.

Sans le vouloir vraiment, Rosa avait suivi les pérégrinations qui jalonnaient la vie d'Alex. Il lui aurait été difficile de faire autrement, tant il était courant de voir son sourire radieux s'étaler sur les pages des magazines. « La proie idéale d'une femme intelligente », avait écrit un chroniqueur mondain. « Il conduit des voitures de Formule un et parle couramment japonais »... Il fréquentait des milliardaires, avait ses entrées dans la sphère politique, s'investissait dans les œuvres de charité. Il s'était fiancé, aussi...

Les observateurs avaient présenté Portia van Deusen, riche héritière de la firme pharmaceutique du même nom, comme l'épouse idéale pour Alexander Montgomery. Bien qu'un peu honteuse de jouer les voyeuses, Rosa avait dévoré les chroniques mondaines qui encensaient le couple. Dans le monde hippique, on aurait dit d'eux qu'ils pouvaient s'enorgueillir d'un pedigree de pur-sang. Leur mariage devait évidemment constituer l'événement de la saison...

Seulement, voilà... Du jour au lendemain, la presse avait cessé de parler d'eux. Leurs fiançailles n'avaient plus été à l'ordre du jour, et le commun des mortels n'avait rien su des motifs de leur rupture. Comme Portia s'était très vite affichée au bras d'un autre homme, plus vieux, plus riche peut-être, le bruit s'était répandu qu'elle avait quitté Alex pour évoluer sous des cieux encore plus bleus.

— Vince m'a dit qu'il s'était proposé pour lui flanquer une raclée ! lança Shelly en passant avec un plateau de desserts et de cafés qu'elle portait à bout de bras au-dessus de sa tête.

« Les nouvelles vont vite ! » songea Rosa.

— Comme s'il était prêt à courir le risque d'être décoiffé ! ajouta Shelly d'un ton moqueur.

Rosa ne put s'empêcher de sourire en imaginant Vince en train de se battre. Mais son intention n'en était pas moins touchante. Il essayait de la protéger. Et il y avait fort à parier qu'il ne serait pas le seul.

— Ça va ? demanda Shelly.

— Oui, très bien. Tu peux le dire à tous ceux que la question intéresse.

— Ça va faire du monde !

— Mais nom d'un chien, nous avons rompu depuis des siècles ! s'insurgea Rosa. Je suis une grande fille, maintenant. Je peux revoir un ancien petit ami sans m'effondrer.

— Tant mieux. Au fait, il vient de commander une bouteille de champagne.

Du coin de l'œil, Rosa vit le sommelier faire sauter le bouchon de la bouteille, affichée à 300 dollars sur le menu. Tandis qu'Alex goûtait le breuvage hors de prix, sa voisine se serra contre lui en riant sottement. Puis il fit signe à Felix qu'il pouvait remplir leurs verres, et les six compères firent tinter leurs coupes.

Rosa se détourna un instant pour saluer un couple qui partait.

— J'espère que vous avez passé une agréable soirée.

— Oh ! oui, assura la jeune femme. J'avais envie de

venir depuis que j'avais lu un article sur vous dans la section « Escapades » du *New York Times*. Mon attente a été comblée au-delà de mes espérances.

— Merci, dit Rosa en bénissant silencieusement l'auteur de l'article en question.

Les chroniqueurs touristiques et gastronomiques se montraient dans l'ensemble très difficiles. Mais sa cuisine emportait chaque fois tous les suffrages.

— C'est vous, Celesta ? demanda la cliente en s'enveloppant dans un châle de coton léger.

— Non.

Rosa sentit les battements de son cœur s'accélérer imperceptiblement, tandis qu'elle désignait derrière la caisse, à côté des innombrables prix décernés à son établissement, un portrait éclairé par un spot. Auréolée de son cadre doré, Celesta, dont le peintre avait su représenter la beauté et la douceur, posait sur le monde un regard bienveillant.

— C'était ma mère.

— Ah ! En tout cas, cet endroit est merveilleux. Nous reviendrons certainement, conclut la dame avec gentillesse.

— Nous serons toujours ravis de vous recevoir.

Quand Rosa se retourna pour regagner la caisse, elle dut faire appel à toute sa volonté pour résister à l'envie d'espionner Alex Montgomery. Elle sentait son regard posé sur elle, comme s'il la caressait sans retenue.

Ils s'étaient dit adieu bien des années auparavant. Pourquoi faisait-il de nouveau irruption dans sa vie ?

— M'accorderez-vous cette danse ?

Jason Aspoll lui tendait la main. Rosa sourit. Il était de notoriété publique qu'à l'approche de la fermeture, Rosa ne rechignait pas à se lancer sur la piste. Et, au-delà de l'aspect commercial du geste, elle le faisait parce qu'elle adorait danser.

En revanche, elle appréhendait de rentrer chez elle. Non pas que sa maison lui déplût, mais elle manquait de vie à son goût.

— Avec plaisir, répondit-elle en se glissant avec souplesse dans les bras de Jason.

Les musiciens entamèrent « La Danza », et le couple se laissa guider par la musique, un sourire béat aux lèvres.

— Alors, tu as fini par te décider, espèce d'idiot !

— Sans toi, je n'y serais jamais arrivé, Rosa.

— Oui, oui, je sais ! dit-elle en prenant des grands airs. Plus sérieusement, Jason, je suis flattée que tu m'aies demandé de t'aider.

— Ecoute, je suis très impressionné par ce que tu as fait. Tout était parfait. Tu as pensé au moindre détail. Son plat préféré était au menu du jour, les musiciens n'ont joué que des chansons qu'elle adore... Jusqu'aux fleurs sur la table que tu avais choisies spécialement. J'ignorais que le muguet était sa fleur fétiche.

— Dorénavant, tu vas devoir apprendre à connaître ses goûts.

Rosa était souvent surprise de voir que certaines personnes ignoraient pratiquement tout des goûts de leurs amis. Une fois, elle était sortie avec un pilote de ligne. Au bout de six mois, il ne savait toujours pas quelles étaient ses préférences en matière de café. A bien y réfléchir, d'ailleurs, aucun homme ne s'était jamais intéressé à la question. A part…

— Comment Linda prend-elle son café ? demanda-t-elle brusquement à Jason.

— Avec les mains.

— Très drôle. Non, sérieusement.

— Linda boit du thé. Avec du miel et du citron.

Rosa s'effondra contre Jason en surjouant le soulagement.

— Dieu soit loué ! Tu as réussi le test.

Sans y réfléchir, de façon totalement involontaire, Rosa lança alors un coup d'œil vers Alex, et s'aperçut qu'il la regardait fixement, sans essayer de se cacher.

« Grand bien lui fasse ! » se dit-elle.

— Tu avais prévu des tests pour moi ? Je n'étais pas au courant, murmura Jason.

— La vie est semée de tests, répliqua Rosa. N'oublie jamais ça.

Quand la musique s'arrêta, l'assistance applaudit poliment, et Linda rejoignit ses amis sur la piste de danse.

— Je suis venue récupérer mon amour, annonça-t-elle en glissant sa main dans celle de son fiancé.

— Il est à toi, dit Rosa en la prenant dans ses bras pour une rapide accolade. Félicitations, mes chéris. Je vous souhaite tout le bonheur du monde.

D'un mouvement de tête, Linda indiqua la table d'Alex.

— Qu'est-ce qu'il fiche ici, celui-là ?

— Il boit une bouteille de champagne à 300 dollars. Je n'ai rien à ajouter sur le sujet, prévint-elle en levant le bras pour couper court à toute autre remarque. C'est votre soirée, à toi et Jason.

— N'oublie pas qu'on a rendez-vous demain pour boire un café. Et là, tu auras intérêt à cracher le morceau.

— Très bien. On se voit au Pégase. En attendant, rentrez vite, tous les deux.

— D'accord, acquiesça Linda. Rosa, je sais tout ce que tu as fait pour que cette soirée soit inoubliable. Je ne pourrai jamais te remercier comme il le faudrait.

Rosa était aux anges. Le bonheur de Linda était le plus beau des cadeaux. Elle répondit néanmoins :

— Vous pourrez appeler votre premier bébé Rosa.

— Seulement si c'est une fille !

Quand le couple fut parti, la musique reprit, et Rosa se remit au travail en affectant de ne pas voir Alex proposer une danse à sa compagne.

Ce petit jeu était absurde, songea-t-elle. Elle était parfaitement en droit d'aller le trouver, là, maintenant, et d'exiger des explications sur sa présence dans son établissement. Mieux encore, elle pouvait exiger qu'il lui dise ce qu'il avait fait depuis ce jour où il lui avait souhaité « une belle vie » avant de s'éloigner dans la lumière du soleil couchant.

Quant à sa vie à lui, était-elle belle ?

En tout cas, elle avait les apparences de la réussite. Il semblait à l'aise avec ses amis... A moins que ce ne fût l'effet du champagne ? Cette élégance décontractée, sans rien d'affecté, lui seyait à merveille...

Quand ils s'étaient rencontrés, ils n'étaient que des gamins. Et pourtant il affichait déjà une assurance naturelle. Tout comme ses parents et sa sœur. Rosa l'avait immédiatement remarqué.

Il ne s'agissait pas d'une attitude dédaigneuse, de celles que Rosa ne connaissait malheureusement que trop bien. Non. Les Montgomery avaient tout bonnement un sens inné de la place qu'ils occupaient dans le monde. C'était comme ça et personne n'y pouvait rien : ils étaient *au-dessus des autres*.

Sauf quand il s'agissait d'amour. Là, Alex était carrément nul.

Mais peut-être avait-il changé ? En tout cas, sa compagne n'avait pas perdu espoir si l'on se fiait à la façon dont elle ondulait des hanches et se collait à lui en dansant.

— Tu veux que je lui mette les rotules en bouillie ? demanda une voix grave derrière Rosa.

— Non, pas ce soir, Teddy, répondit-elle avec un sourire.

Teddy était le responsable de la sécurité. Pour exercer son métier, il devait posséder des connaissances pointues sur les systèmes électroniques de surveillance et d'alarme, mais ce qu'il attendait impatiemment, c'était le jour où il pourrait utiliser ses poings de géant pour défendre Rosa.

— J'ai enregistré de longues séquences sur lui avec les caméras de sécurité, dit-il. Tu pourras les visionner si ça te dit.

— Mais ça ne me dit rien du tout, répliqua la jeune femme avec vivacité, alors même qu'elle s'imaginait déjà en train de se passer la cassette en boucle. Si je comprends bien, tout le personnel sait que le type qui m'a larguée est ici ce soir ?

— Oui, bien sûr, confirma Teddy sans manifester la moindre gêne. On s'est réunis pour en parler. On s'en fiche que ça remonte à loin. Tout ce qu'on voit, nous, c'est qu'il a été odieux avec toi, ce salaud !

— On était des gamins…

— Qui se préparaient à entrer en fac ? Moi, j'appelle ça des adultes.

Rosa n'était pas allée à l'université, finalement. Le personnel de son restaurant devait aussi avoir beaucoup de remarques à formuler à ce sujet…

— C'est un client, rien de plus, déclara-t-elle. Inutile de faire toute une histoire parce qu'il est là ce soir… Et puis je n'apprécie pas du tout qu'on discute de mes affaires personnelles.

Teddy lui posa doucement la main sur l'épaule.

— On ne veut pas t'ennuyer, Rosa. Si on discute de tes affaires, c'est par pure amitié.

— D'accord. Mais rassurez-vous : je vais bien. Je vais même *très* bien.

Cette dernière phrase devint son mantra pour le reste de la soirée qui, d'ailleurs, tirait à sa fin. Le barman signala qu'il prenait les dernières commandes tandis que les musiciens faisaient leurs adieux à leur manière en entamant, comme d'habitude, un arrangement mélancolique de *As Time Goes by.*

Les couples firent un dernier tour de piste avant de s'égayer dans la nuit, uniquement préoccupés d'eux-mêmes et indifférents au reste du monde. Rosa n'avait pas fait le compte des couples qui s'étaient formés au cours d'un dîner dans son restaurant, mais ils étaient nombreux.

« Alors, Mamma, comment je me débrouille ? »

Celesta, disparue depuis vingt ans, aurait sans aucun doute applaudi sa fille…

Rosa fit semblant de ne pas remarquer qu'Alex et sa troupe s'en allaient. Mais lorsque la porte se fut refermée sur eux, elle laissa échapper un long soupir. Au départ du dernier client, la magie des lieux s'évanouit, elle aussi. Avec la lumière maintenant à pleine puissance, apparurent les nappes souillées et couvertes de miettes, le noir de fumée sur les verres de lampe, les serviettes et les couverts qui jonchaient le sol. Maintenant que la musique s'était tue et que les portes battantes étaient bloquées en position ouverte, le vacarme de la cuisine envahissait tout le bâtiment.

— Jackpot ! annonça Vince, tandis qu'il imprimait le récapitulatif des recettes de la soirée. C'est la plus grosse rentrée d'argent de l'année.

Il hésita avant d'ajouter :

— Ton crétin d'ex-petit ami a laissé un énorme pourboire.

— Il est mon ex-rien-du-tout, répliqua la jeune femme. Il fait partie de la préhistoire, point final.

— Peut-être, mais à mon avis, c'est toujours un crétin !

— Qu'est-ce que tu veux que j'en sache ? Il est devenu un parfait étranger pour moi. J'aimerais que vous vous enfonciez ça dans le crâne, tous autant que vous êtes !

— Tu ne comprends donc rien à rien, Rosa ? Tu ne vois pas qu'on manque cruellement de ragots, ici ?

— Trouvez quelqu'un d'autre pour vos commérages.

— Figure-toi qu'on l'a tous épié sur les nouvelles caméras de surveillance, poursuivit Vince sans tenir compte des injonctions de sa patronne. Teddy peut zoomer sur ce qu'il veut.

— Tu m'en vois ravie.

Elle commençait à sentir pointer une belle migraine et, instinctivement, elle se massa les tempes.

— Compris, mon chou ! dit Vince en voyant son geste. Je me charge de fermer.

— Merci, dit-elle avec un sourire las.

Elle s'apprêtait à lui rappeler de bien verrouiller la chambre froide, de veiller aux ratons laveurs dans le local à poubelles, mais elle se retint. Elle travaillait depuis quelque temps à refréner sa tendance impulsive à vouloir tout contrôler.

En quittant le restaurant, Rosa regretta de ne pas

avoir pris un pull. L'après-midi avait été chaud mais, maintenant, bras nus dans l'air de la nuit, elle avait la chair de poule.

La ville avait été déblayée des débris qui l'avaient encombrée après la violente tempête de la semaine précédente. Il restait cependant des arbres abattus et des branchages autour du parking. Heureusement, les caméras de surveillance n'avaient pas été endommagées.

Le bruit régulier des talons de ses chaussures sur le trottoir résonnait dans la nuit, tandis qu'elle se dirigeait vers sa voiture, une splendide Alfa Romeo Spider rouge. Au moment où elle commandait à distance l'ouverture des portières, elle vit une silhouette se profiler en ombre chinoise et la dépasser…

Elle s'arrêta et leva la tête. Ce fut sans véritable surprise qu'elle découvrit Alex, qui s'était immobilisé devant elle dans la lueur blafarde du réverbère.

— Ça alors ! Tu m'as suivie ?

— C'est ce que tu crois ? Qu'est-ce que tu vas imaginer ?

— Tu te fiches de moi, Alex ? Tu surgis dans le noir, derrière moi, en plein milieu d'un parking désert, et tu voudrais que je trouve ça normal, que je ne crève pas de peur ?

— Admettons que j'aie été maladroit…

— Tu devrais entendre ce qu'on dit de toi, au restaurant.

— Quoi, par exemple ?

— Oh ! Toutes sortes de gentillesses. Que tu es le pire

des salauds, par exemple. Ce soir, deux de mes collaborateurs brûlaient d'envie de te réduire les rotules en bouillie. Par contre, ils ont apprécié ton pourboire.

Il lui adressa ce fameux sourire devant lequel, autrefois, son cœur s'arrêtait de battre.

— Je suis content de voir que tu as su t'entourer de gens compétents et dévoués.

Elle fit un signe en direction de la caméra de surveillance attachée au poteau d'un réverbère.

— Qu'est-ce que tu fabriques ? demanda Alex.

— J'essaye de faire comprendre à ces gens compétents et dévoués que je n'ai pas besoin qu'ils viennent me secourir.

Il était tard. A quoi bon continuer cet échange futile ? Elle était épuisée, et le numéro de désinvolture qu'elle se forçait à jouer achevait de la vider de ses forces.

— Qu'est-ce que tu fais ici, Alex ?

Il lui montra le téléphone portable qu'il tenait à la main.

— J'appelais un taxi. Ils sont toujours aussi rares dans le coin ?

— Oh, que oui ! Tu ferais mieux de faire du stop.

— C'est dangereux, le stop. Et je sais que pour rien au monde tu ne voudrais qu'il arrive malheur à l'un de tes clients.

— Et tes amis, où sont-ils ?

— Ils sont retournés à Newport.

— Et toi, tu vas… ?

— A la maison d'Ocean Road.

Cela faisait douze ans qu'aucun membre de la famille d'Alex n'y avait mis les pieds. On aurait dit une demeure hantée, posée au bord de l'océan, abandonnée comme une coquille vide. Qu'est-ce qui avait bien pu inciter Alex à revenir après toutes ces années ? se demanda Rosa, soudain parcourue de frissons.

Elle n'eut pas le temps de comprendre ce qui lui arrivait que, déjà, il lui avait posé sa veste sur les épaules. Elle se dégagea.

— Non, je n'en ai pas besoin.

— Prends-la, voyons !

Elle sentit aussitôt la chaleur de son corps que le vêtement avait conservée, et s'efforça de dissimuler le trouble que ce détail faisait naître en elle.

— Tes amis n'ont pas pu t'accompagner ?

— Je n'ai pas voulu. Je t'attendais, Rosa.

— Quoi ? Pour que je te serve de chauffeur ? demanda-t-elle d'une voix dont le timbre dérapa dans les aigus.

Elle ne savait plus que penser.

— Merci. J'accepte volontiers ta proposition.

Et il se dirigea vers l'Alfa Spider.

Immobile dans le halo orangé d'un lampadaire, Rosa hésitait. Elle était tentée de le planter là sans autre forme de procès. Mais non ! C'eût été puéril et mesquin. Il y avait toujours la solution de demander à l'un de ses employés de conduire Alex à Ocean Road, mais vu leur hostilité à son égard, ce n'était certainement pas une bonne idée. Et puis, elle devait se l'avouer, sa curiosité était piquée au vif.

Sans ajouter un mot, elle déverrouilla la portière côté passager, et adressa un signe d'au revoir à la caméra. Puis, quand ils furent tous deux installés, elle démarra.

— Merci, Rosa.

Comme s'il lui avait laissé le choix ! songea-t-elle en filant à vive allure.

Il n'y avait pas un chat sur la route, pas même un opossum ou un daim. Les patrouilles de police étaient assez rares par ici et, de toute façon, étant donné ses rapports avec le shérif de South County, Sean Costello, elle ne craignait guère d'être verbalisée pour excès de vitesse.

Un côté de la route était bordé par des haies d'églantiers qui se déployaient vers les dunes et la mer, tandis que l'autre consistait en une zone marécageuse protégée, que la main de l'homme avait épargnée.

— Je suppose que tu te demandes pourquoi je suis revenu.

Bien sûr qu'elle mourait d'envie de le savoir !

— Non, ça m'est complètement égal.

— Je savais que Chez Celesta t'appartenait. Je voulais te voir.

Rosa fut prise au dépourvu par la franchise de cet aveu. Mais elle se rappela qu'Alex avait toujours été d'une honnêteté scrupuleuse. Du moins, jusqu'à ce jour où il était parti sans se retourner.

— Pour quoi faire ? demanda-t-elle.

— Je pense toujours à toi, Rosa.

— C'est de l'histoire ancienne !

Elle ne devait pas oublier qu'il avait bu…

— Peut-être, mais moi j'ai l'impression que c'était hier.

— Pas moi ! affirma-t-elle, parfaitement consciente que c'était un mensonge.

— Tu sortais avec ce policier, Costa !

— Il s'appelle Costello. Sean Costello. Il est shérif, maintenant.

— Et toi, tu es toujours célibataire.

— Ce ne sont pas tes affaires.

— Et si j'ai envie qu'elles le deviennent…

Rosa accéléra encore.

— Tu as mis tout le monde mal à l'aise en surgissant comme ça, à l'improviste.

— Je m'en doute, mais au moins, ça nous permet de parler tous les deux. C'est un début.

— Il n'est pas question de débuter quoi que ce soit, Alex.

— Je te l'ai demandé ?

Elle s'engagea dans l'allée en gravillon et en maërl de la demeure Montgomery. Le terrain était entretenu et la maison repeinte tous les cinq ans. C'était un fleuron de l'architecture victorienne « Carpenter Gothic », comme l'attestait la plaque en cuivre apposée par l'association pour la préservation des sites et des monuments historiques du South County.

— Non, c'est vrai, admit-elle en se mettant au point mort. Tu m'as juste demandé de te conduire ici. Voilà, c'est fait. Bonne nuit, Alex.

Elle songea un instant à ajouter : « Dis bonjour à ta mère de ma part », mais elle ne put s'y résoudre.

Il se tourna lentement vers elle.

— Rosa, j'ai plein de choses à te confier.

— Je ne veux pas les entendre.

— D'accord. Pas maintenant, tu as raison. Je suis soûl. Et, pour ce que je veux te dire, je dois être en pleine possession de mes moyens.

3

Le lendemain matin, Rosa se rendit au Pégase, un café qu'elle appréciait pour ses banquettes confortables et son éblouissante variété de biscotti. On pouvait s'y installer pour lire le *New York Times,* le *Boston Globe,* le *Providence Journal Bulletin* ou un journal local. Rosa s'était liée d'amitié avec la patronne, Millie, qui faisait des espressos divins. Originaire de Seattle, elle affectionnait, comme c'était la mode là-bas, les vêtements larges et les chaussures allemandes confortables.

Tout en préparant un double café au lait à la vanille dans un grand verre étroit, Millie jeta un regard interrogateur à la pile de cahiers et de manuels que Rosa avait posés sur la table.

— Alors, on étudie quoi en ce moment ? demanda-t-elle en inclinant la tête pour lire les titres sur le dos des livres. « Applications pratiques de la programmation neurolinguistique au développement créatif ». Un peu de lecture pour te détendre, c'est ça ?

— C'est un sujet passionnant, tu sais ?

Rosa avait dû crier pour couvrir le bruit du robinet à vapeur avec lequel Millie faisait mousser le lait.

Millie posa le verre sur le comptoir.

— Je n'en doute pas, mais c'est trop pointu pour moi, Einstein. Avec quelle fac tu fais ça ?

— Berkeley. Le professeur m'a même proposé de lire ma dissertation si je la lui envoie par courriel.

Millie regarda son amie avec une admiration sincère.

— Franchement, tu bénéficies de la meilleure formation qu'on peut avoir sans rien payer.

— En tout cas, ça m'occupe l'esprit.

Tout en restant chez elle, Rosa avait réussi, au cours des années, à profiter des enseignements les plus prestigieux. Elle avait étudié la génétique à MIT, l'architecture rococo à l'université de Milan, le droit médiéval à Oxford et la théorie du chaos à Harvard. Les premières années, elle s'était débrouillée pour obtenir les programmes et les listes de lecture en téléphonant à des professeurs d'université. Jusqu'à l'arrivée d'Internet qui lui avait largement facilité la tâche. Désormais, en quelques clics de souris, elle avait accès aux polycopiés et aux exercices. Les seuls frais à assumer correspondaient à l'achat des livres.

— Tu es dingue ! lança Millie avec un sourire. Tout le monde est de cet avis.

— Dingue, mais savante.

— Exact. Tu ne regrettes jamais de ne pas assister aux cours normalement, dans une salle de classe ?

A une époque, Rosa en avait rêvé, effectivement. Hélas, au moment où ses désirs auraient pu se réaliser, elle avait plongé au cœur d'une épouvantable tragédie qui avait changé radicalement le cours de sa vie.

— Bien sûr que si ! dit-elle d'un ton exagérément détaché. Remarque, tout n'est pas perdu. Un de ces jours, quand j'aurai le temps, sait-on jamais…

— Pour commencer, tu pourrais engager un gérant qui s'occuperait du restaurant.

— Difficile. J'arrive déjà à peine à me payer moi-même.

Sur cette remarque, Rosa s'assit et se concentra sur un article consacré à la grammaire transformationnelle de Noam Chomsky.

Linda arriva peu après, vêtue d'un T-shirt où figurait un couplet d'une comptine. Au comptoir, elle commanda sa consommation habituelle : une théière de Lady Grey avec du miel et une rondelle de citron à côté.

— Désolée d'être en retard, dit-elle à Rosa. J'étais coincée au téléphone avec ma mère qui pleurait de joie.

— C'est touchant.

— Oui, sans doute. Elle avait tellement peur que je ne trouve pas de mari… Ce qui aurait représenté un véritable drame pour la famille Lipschitz. Du coup, le fait que Jason soit catholique est passé comme une lettre à la poste.

Elle tendit la main vers Rosa, en prenant soin de faire scintiller le diamant de sa bague de fiançailles sous les rayons du soleil.

— Elle est encore plus belle en plein jour, tu ne trouves pas ?

— Si. Elle est magnifique.

Linda, la mine rayonnante, leva les yeux vers son amie.

— J'ai hâte de m'appeler Mme Aspoll.

— Tu vas prendre son nom ?

— Figure-toi que c'est une promotion pour moi. Tout le monde ne peut pas naître, comme toi, avec l'identité d'un héros de Puccini : Mlle Rosina Angelica Capoletti.

Linda fit couler quelques gouttes de miel dans son thé.

— Oh ! Et puis j'ai une autre nouvelle à t'annoncer, reprit-elle. Il faut que le mariage ait lieu en août, parce que Jason va être muté à Boise, et le déménagement est prévu début septembre, juste après Labor Day.

Rosa sourit devant l'enthousiasme de son amie. Pourtant, quand Jason lui avait annoncé cet impératif de date, elle avait eu envie de lui tordre le cou.

— Ce qui nous laisse moins de douze semaines pour tout organiser. C'est peut-être aussi pour ça que ta mère pleurait.

— Non ! Elle est aux anges. Elle quitte la Floride la semaine prochaine et elle débarque ici. Maman est une organisatrice hors pair. Ça va aller, tu verras !

Elle semblait remarquablement calme, songea Rosa. Elle n'avait sans doute pas encore complètement conscience du fait qu'elle allait se marier et quitter définitivement Winslow.

Linda leva sa tasse.

— Alors, et toi, comment ça va, mademoiselle Rosa ?

Tu es remise de cette rencontre avec M. Bonjour-Au-Revoir ?

Rosa, qui saupoudrait son café de sucre, semblait totalement absorbée par cette tâche.

— Je ne vois pas de quoi je devrais me remettre, répondit-elle finalement. Il s'est pointé au restaurant. Et alors ? Sa famille possède encore la propriété d'Ocean Road. C'était inévitable que je tombe sur lui un jour ou l'autre. Je suis même étonnée que ça ne soit pas arrivé plus tôt. Mais, de toute façon, ce n'est pas une affaire…

— Je te signale que tu viens de verser quatre paquets de sucre dans ton café.

— N'importe quoi…

Rosa s'arrêta net, les yeux rivés sur les quatre petits sachets déchirés qui gisaient sur la table.

— Et zut ! s'exclama-t-elle.

— Ma pauvre Rosa ! dit Linda en lui tapotant la main.

— Ça m'a fait drôle, c'est tout. C'était bizarre de constater que ce type qui avait été tout pour moi était devenu un étranger. Et puis j'ai bien été forcée d'imaginer sa vie. Quand on était gamins, je ne me posais pas ce genre de questions. Il partait à la fin de l'été, et jamais je ne me demandais ce qu'il faisait en ville. Quand il revenait, l'année suivante, on reprenait exactement là où on en était restés. L'idée même qu'il puisse avoir une existence en dehors de ces trois mois que nous passions ensemble ne m'effleurait pas. Mais là… je sais qu'il a existé sans moi pendant douze ans… Oh ! En fait, c'est sans importance.

— Voyons, Rosa, bien sûr que si, c'est important ! C'est peut-être regrettable, mais c'est comme ça.

— On était des gamins. On venait juste de terminer le lycée.

— Tu l'aimais.

Rosa goûta son café et grimaça. Imbuvable avec tout ce sucre.

— A dix-huit ans, tout le monde est amoureux. Tout le monde se fait larguer.

— Et chacun continue quand même sa vie. Sauf toi.

— Linda…

— C'est la vérité ! Depuis Alex, tu ne t'es véritablement attachée à personne.

— Il y a plein d'hommes dans ma vie.

— Tu sais très bien ce que je veux dire.

— Je suis sortie avec Greg Fortner pendant six mois ! objecta Rosa en repoussant sa tasse.

— Il était dans la marine. Il a été absent cinq mois sur les six !

— C'est peut-être pour ça qu'on s'entendait si bien… Bon, d'accord, mais avec Derek Gunn, ça a duré presque un an.

— C'est vrai. Et je trouve ça dommage que tu ne sois pas restée avec lui. C'était quelqu'un de vraiment bien.

— Sauf qu'il avait un défaut rédhibitoire, marmonna Rosa.

— Ah oui ? Lequel ?

— Tu vas me trouver mesquine.

— On verra bien. De toute façon, je ne te lâcherai pas tant que tu ne seras pas passée aux aveux.

— Il était ennuyeux, confessa Rosa avec un soupir. Je n'ai rien d'autre à ajouter.

Linda alla chercher une tasse et partagea son café avec Rosa.

— Il a une maison au bord de l'eau, à Newport.

— Une maison *ennuyeuse*. Un bord de mer *ennuyeux*. Pire encore, sa famille tout entière est *ennuyeuse*. Quand j'étais avec eux, j'avais l'impression de regarder de la peinture en train de sécher. Je sais que ce n'est pas très charitable…

— Il vaut mieux savoir ce qu'on attend d'une relation avant de se lancer dans quelque chose de sérieux avec un homme.

— Toi, tu regardes trop les émissions du Dr Phil. Je n'ai pas d'attentes particulières.

— Arrête ! Tu vas me faire avaler mon thé de travers !

— Bon, alors dis-moi. Quelles seraient mes exigences, selon toi ?

— Hou la ! Je ne me risquerai pas à répondre à ça. Je ne tiens pas à me fâcher avec toi, surtout que je veux absolument que tu sois ma première demoiselle d'honneur. D'ailleurs, c'est pour en parler qu'on devait se voir aujourd'hui. Le sujet du jour, c'est mon mariage. Evidemment, c'est loin d'être aussi intéressant que ta relation avec Alex Montgomery.

— Je n'ai aucune relation avec Alex Montgomery, déclara Rosa d'une voix ferme. Le sujet est clos. Parlons plutôt de mon rôle de demoiselle d'honneur !

Linda prit une profonde inspiration et adressa un sourire radieux à Rosa.

— D'accord. Tu es ma plus vieille et ma plus précieuse amie, Rosa. J'aimerais que tu sois à mes côtés le jour de mon mariage. Est-ce que tu acceptes ?

— Comment peux-tu en douter ? s'étonna Rosa en serrant brièvement la main de Linda dans la sienne. Je suis flattée.

Rosa adorait les mariages, et elle avait été six fois demoiselle d'honneur. Elle était sûre de ce chiffre parce qu'elle avait gardé au fond de son armoire les six robes, toutes aussi affreuses les unes que les autres, avec des couleurs impossibles. N'empêche qu'elle les avait toutes portées avec une immense fierté et un sens profond de sa mission. Elle avait dansé, porté des toasts et même réussi, à une ou deux reprises, à attraper le bouquet de la mariée. Après chaque cérémonie, elle était rentrée chez elle toute seule avec, à la main, ses fleurs fanées et ses chaussures assorties à sa robe.

— … dès que nous aurons fixé la date, conclut Linda.

— Excuse-moi. Que disais-tu ?

— Ça y est ? Tu es revenue sur terre ? Je te disais de réserver le 21 et le 28 août. D'accord ?

— Oui, naturellement.

Linda termina son thé.

— Il vaut mieux que je te libère. Il y a l'affaire Alex Montgomery dont tu dois t'occuper.

— Qu'est-ce que tu racontes ? Il n'y a pas d'affaire Alex Montgomery.

— Je ne crois pas que tu aies le choix, ma chère.

— C'est ridicule. Bien sûr que j'ai le choix ! Ce n'est pas parce qu'il est revenu que je dois impérativement changer quelque chose à ma vie !

— Tu as les cartes en main, Rosa. Ne laisse pas filer ta chance.

Rosa semblait absolument déconcertée.

— A quelle chance fais-tu allusion ? demanda-t-elle en se penchant vers son amie. Je ne comprends rien à ce que tu racontes.

— La chance de t'en sortir, enfin !

— Pardon ?

— Tu n'as pas bougé d'un pouce depuis qu'Alex t'a quittée. Ni dans ta tête ni géographiquement.

— N'importe quoi ! J'ai réussi ce que j'ai entrepris. De plus, je n'ai jamais voulu vivre ailleurs qu'ici.

— Ce n'est pas de ça que je te parle. Ce que je veux dire, c'est qu'affectivement, tu es au point mort. Tu ne t'es jamais remise de votre rupture, et tu continues à te sentir trahie. Voilà pourquoi tu n'as pas pu progresser dans ta vie amoureuse. Maintenant qu'il est de retour, c'est le moment de tout mettre à plat et de le chasser une bonne fois pour toutes de ton cœur et de ta mémoire.

— Il n'est pas dans mon cœur, tu entends ? Ni nulle part ailleurs.

— D'accord, d'accord, concéda Linda en tapotant le bras de son amie. Mais parle avec lui, Rosa. Tu me remercieras un jour d'avoir insisté. Tu sais, ça ne doit pas être facile pour lui depuis que sa mère…

— Qu'est-ce qu'elle a, sa mère ?

Rosa n'avait pas entendu parler d'Emily Montgomery depuis une éternité, ce qui n'avait rien d'étonnant puisqu'elle n'était pas revenue dans la région pendant tout ce temps.

— Quoi ? Tu n'es pas au courant ?

— Au courant de quoi, bon sang ?

— J'étais certaine que tu avais appris la nouvelle.

Linda se leva d'un bond pour aller fouiller dans une pile de journaux. Elle revint quelques instants plus tard avec un numéro du *Journal Bulletin* plié de façon à mettre en évidence l'article qu'elle voulait montrer à son amie.

Rosa se figea en découvrant le portrait de la belle et hautaine Emily Montgomery, qui posait d'un air serein pour la caméra.

— Oh, mon Dieu !

Après avoir repoussé le quotidien d'un mouvement instinctif, elle le récupéra pour lire l'article.

« La femme du monde Emily Wright Montgomery, épouse du financier Alexander Montgomery III, s'est éteinte mercredi dans sa résidence de Providence… »

Rosa posa le journal et fixa sur son amie un regard brouillé.

— Elle n'avait que cinquante-cinq ans. Je me demande ce qui s'est passé.

Rosa revit Alex tel qu'il lui était apparu, la veille au soir : un peu éméché, dragueur. Son comportement vis-à-vis d'elle méritait peut-être d'être interprété sous un autre jour. Il venait de perdre sa mère, et elle, Rosa, l'avait abandonné dans cette maison vide.

Linda la regarda droit dans les yeux.

— Tu devrais lui poser la question.

4

Rosa, au volant de sa voiture, suivit Prospect Street pour regagner la maison où elle avait grandi. Le quartier n'avait pas beaucoup changé, hormis le nom des résidents et les couleurs acidulées de leurs méchantes maisons de bois. Des allées bétonnées, truffées de nids-de-poule, menaient à des garages encombrés, au toit affaissé. La rue était ombragée par de majestueux érables dont la grâce contrastait avec la simplicité des maisons.

C'était un lieu agréable où il faisait bon vivre, songea Rosa. On s'y sentait en sécurité. Les habitants continuaient, comme autrefois, à cultiver avec amour leurs pivoines et leurs hortensias, leurs roses et leurs mufliers ; les femmes étendaient toujours leur linge au soleil dans les cours situées à l'arrière des bâtiments, et les gamins faisaient du vélo sur le trottoir quand ils n'escaladaient pas l'énorme pommier dans le jardin des Lipschitz. Encore maintenant, Rosa parlait du « jardin des Lipschitz », alors que les parents de Linda avaient pris leur retraite à Vero Beach, en Floride, bien des années auparavant.

Elle se gara devant le numéro 115, qui correspondait à celui d'une maison en forme de cube dont le jardin était si magnifiquement entretenu qu'il n'était pas rare que des passants ralentissent pour l'admirer. Une haie bien taillée entourait des massifs de roses dont la floraison durait du printemps jusqu'en hiver. Chaque rosier avait été baptisé d'un nom qui n'avait rien de scientifique. Ainsi, les rosiers Salvatore, Roberto ou Rosina avaient marqué la première communion des enfants. D'autres célébraient la mémoire de parents restés en Italie et que Rosa n'avait jamais vus, comme « la Donna », un chef-d'œuvre écarlate, ou bien une autre merveille couleur corail dont elle avait oublié le nom.

Quant au vigoureux rosier à fleurs blanches, situé à côté du perron, il portait le nom de « Celesta », bien sûr. A quelques pas de là s'élevait celui que Rosa, alors âgée de six ans et folle du rose bonbon, avait choisi elle-même. Sa mère l'avait regardée avec tant d'amour, ce jour-là ! C'était l'un des souvenirs qu'elle chérissait le plus ; il était gravé avec précision dans son cœur et sa mémoire. Elle aurait voulu se remémorer ainsi tout son passé, avec la même netteté et le même bonheur, mais elle savait aujourd'hui qu'il s'agissait là d'un souhait bien candide.

Elle ouvrit la porte avec la vieille clé que Pop lui avait donnée quand elle avait neuf ans et qu'elle n'avait jamais perdue. Dans le vestibule, elle alluma et éteignit la lumière plusieurs fois de suite. Par habitude, elle héla son père, bien qu'elle sût qu'il ne pouvait plus l'entendre.

Aussitôt, une odeur âcre de caoutchouc brûlé et la sonnerie d'une alarme lui parvinrent de la cuisine.

— Zut ! s'écria-t-elle en traversant la maison au pas de course.

Sur la paillasse, elle découvrit un mixer dont le moteur, en train de rendre l'âme, crachait un flot de fumée. Elle en saisit le cordon électrique brûlant et l'arracha de la prise murale. Dans le bol de l'appareil, un jus de fruit tiède clapotait. Au plafond, les alarmes antifumée clignotaient. A quoi servaient-elles si Pop ne les surveillait pas ?

— Seigneur ! Il va finir par se tuer, un de ces jours ! pesta Rosa en tentant de chasser de la main la fumée qui s'était accumulée dans la pièce.

Par la fenêtre, elle chercha son père des yeux et le découvrit en train de bricoler dans le jardin, inconscient du danger qu'il avait couru.

Sur la table de la cuisine, elle vit le journal ouvert à la page où était annoncée la mort d'Emily Montgomery. Pop avait dû tomber sur l'article en feuilletant le quotidien pendant son petit déjeuner. Quelle épreuve pour lui ! Peut-être avait-il décidé d'aller y réfléchir dehors ?

Rosa ouvrit les fenêtres et, tout en réparant les dégâts, elle se sentit submergée par une vague de nostalgie au souvenir de sa mère, dans sa cuisine étincelante de propreté, en train de préparer des spaghettis ou des tagliatelles…

Les relents de caoutchouc brûlé constituaient un véritable sacrilège dans cet univers jadis immaculé. Quand Mamma cuisinait un *ciambellone*, les voisines, attirées par l'odeur, accouraient en tablier et s'asseyaient sous la véranda pour déguster une part de gâteau parfumé au citron dès sa sortie du four.

Et son pain… Les tartines à la mie fondante et serrée héritées de Celesta étaient les vedettes incontestables des brunchs servis au restaurant. Pour en préparer la pâte, Butch n'utilisait ni saladier ni cuillère. Il opérait à même le plan de travail, comme Celesta avant lui. Rosa appréciait beaucoup les talents culinaires de Butch, mais il manquait à son pain ce petit quelque chose à la fois essentiel et subtil, d'après Rosa.

Elle sortit pour aller retrouver son père. Dans le jardin à l'arrière de la maison, il y avait un long potager rectangulaire, un royaume créé par Mamma, et sur lequel Pop régnait, désormais. Tomates, poivrons, haricots et herbes aromatiques… il passait de longues heures de recueillement en ce lieu où sa jeune épouse s'était sentie si heureuse.

Il fumait la pipe tranquillement, assis sous un prunier. Autour de lui, quelques branches, victimes de la récente tempête, gisaient au sol. Il leva les yeux quand l'ombre de sa fille l'atteignit.

— Bonjour, Pop.

— Rosa ! dit-il en posant sa pipe et en se levant pour enlacer sa fille.

Elle lui rendit son étreinte et déposa un baiser affectueux sur sa joue. Comme elle aimait respirer son odeur si familière de mousse à raser et de tabac ! Puis elle s'écarta de lui et, après s'être assurée qu'il la regardait bien en face, de façon à pouvoir lire sur ses lèvres, elle lui décrivit l'incident du mixer.

— J'ai dû oublier de l'arrêter.

— Tu aurais pu mettre le feu à la maison, Pop !

— Je vais faire attention maintenant.

Voilà toujours ce qu'il répondait quand Rosa s'inquiétait pour lui. Ses mises en garde ne servaient à rien. Impossible de lui faire entendre raison !

Rosa dévisagea son père et devina que quelque chose l'avait bouleversé.

— Tu as appris pour Mme Montgomery ?

— Oui, bien sûr, répondit-il. Tous les journaux en parlent.

Pop avait toujours été un fervent lecteur de la presse. Il consommait au moins deux journaux par jour. Et c'est ainsi que Rosa avait appris à lire, assise sur les genoux de son père…

Il lui prit la main avec douceur, comme s'il craignait de lui faire mal. Elle adorait ses mains calleuses et puissantes.

— Tu veux du café, Pop ?

— Non, merci.

Elle prit place à côté de lui à l'ombre du prunier.

En l'observant, elle le trouva changé. Plus distrait qu'à l'ordinaire, comme s'il avait vieilli d'un seul coup.

— Tu te sens bien, Pop ?

— Mais oui, très bien, assura-t-il en chassant d'un geste de la main l'inquiétude de sa fille, comme s'il éloignait une mouche importune.

Ce n'était certainement pas la première fois qu'un de ses clients mourait, depuis qu'il avait émigré d'Italie, une quarantaine d'années auparavant. Mais aujourd'hui il en paraissait particulièrement affecté.

— Elle n'était pas si vieille, dit Rosa, un peu maladroitement.

— Non, c'est vrai, acquiesça Pop, le regard perdu dans le vague. Elle venait de se marier, la première fois que je l'ai vue. C'était une gamine.

Rosa essaya, sans y parvenir, de se représenter la mère d'Alex en jeune mariée. Pour elle, Mme Montgomery avait toujours été une femme à l'air sévère, impeccable dans ses tenues blanches, les cheveux soigneusement tirés en queue-de-cheval. Elle ne portait quasiment pas de bijoux, comme il convient à une femme de la meilleure société. Seuls les nouveaux riches étalaient leurs richesses.

Mme Montgomery avait vécu dans la terreur que quelque chose de fâcheux n'arrivât à son fils dont la santé fragile avait constitué pour elle un souci permanent. Et, de son point de vue, Rosa avait représenté un authentique danger pour Alex.

— Je me demande de quoi elle est morte, dit Rosa à son père. Ils le disent dans le journal ?

— Non. Il n'y a rien.

Rosa observa une coccinelle qui escaladait péniblement un brin d'herbe.

— Tu comptes assister à l'office ?

— Non, voyons ! Ce n'est pas la place du jardinier.

Quant à envoyer des fleurs… elles seraient perdues dans la multitude.

Rosa se leva et se mit à aller et venir nerveusement. Elle marcha jusqu'aux pieds de tomates, le joyau de leur splendide potager. Elle revit sa mère, un tablier à fleurs noué à la taille, ses pieds nus dans des tennis décolorées, et coiffée d'un large chapeau de paille. Mamma prenait toujours son temps quand elle était au jardin. Elle soupesait et tâtait chaque tomate pour en déterminer le degré de maturité ; elle humait le parfum des piments — les *pepperoncini*, comme elle disait —, mordillait une feuille de persil ou de menthe pour en goûter les saveurs. Mamma ne cueillait pour la cuisine que les produits parfaitement à point.

Rosa se pencha pour arracher une mauvaise herbe et, en se redressant, elle aperçut son père qui l'observait. Elle lui sourit tendrement. Même si sa surdité lui brisait le cœur, elle devait reconnaître que cette infirmité les avait rapprochés. Il était devenu incroyablement attentif, et décryptait avec une précision presque effrayante le moindre mouvement de son visage, le moindre de ses gestes. Il avait également appris à lire sur les lèvres, et il faisait preuve d'une remarquable maîtrise dans ce domaine.

Il la connaissait tellement bien…

— Alex est venu au restaurant hier soir, annonça-t-elle d'une voix un peu hésitante.

Il fronça les sourcils, mais ne se livra à aucun commentaire. C'était inutile. A l'époque, il trouvait déjà qu'Alex n'était pas assez bien pour sa fille, et il n'avait probablement pas changé d'avis.

— Il n'a pas soufflé mot du décès de sa mère, poursuivit-elle.

A cette idée, son cœur se serra. Seule la souffrance avait pu conduire Alex à boire, la veille au soir. Ses compagnons n'avaient pu l'ignorer. Dès lors, pourquoi l'avaient-ils laissé seul ? Et, surtout, pourquoi Alex ne s'entourait-il pas d'amis plus fiables ?

« Mais tout ça ne me concerne pas ! » se dit brusquement la jeune femme.

— Bon, dit Pop en se levant. Il faut que j'aille travailler. Les Camden veulent que je taille leurs haies avant leur tournoi de croquet.

Rosa souleva la casquette plate en tissu noir de son père pour plaquer un baiser sur son crâne de plus en plus dégarni.

— Viens donc dîner au restaurant, ce soir. Butch a prévu du poisson à la plancha.

— Je vais grossir si je mange tout le temps chez toi.

Elle lui donna une petite tape amicale.

— A plus tard, Pop.

— D'accord, ma chérie.

Quand elle eut franchi le portail, Rosa se retourna pour adresser à son père un dernier salut, et fut saisie par l'expression de son visage.

— Pop, tu es sûr que ça va ?

Il ne répondit pas directement à sa question.

— Ce n'est pas parce que ce type est revenu que tu dois renouer avec lui. Ce serait une mauvaise idée.

— Qui te dit que je souhaite renouer avec lui ?

— J'aimerais bien me tromper, je t'assure.

— Ne t'inquiète pas pour moi, Pop. Je suis une grande fille, à présent.

— Je m'inquiète toujours pour toi. Sinon, quelle autre raison aurais-je d'être encore sur terre ?

Rosa porta la main à son cœur, puis leva le bras dans un geste qui signifiait : « Je t'aime. »

Pop avait appris le langage des signes après l'accident au cours duquel il avait perdu l'ouïe (dont il avait en partie recouvré l'usage depuis), mais il l'utilisait rarement en public car il n'aimait pas attirer l'attention. Là, personne ne les regardait. Alors il s'en servit pour dire à sa fille : « Je t'aime, moi aussi. Plus que tout. »

Tout en s'éloignant de la maison, elle tourna et retourna dans sa tête l'avertissement de son père : *Ce n'est pas parce que ce type est revenu que tu dois renouer avec lui. Ce serait une mauvaise idée.*

« On verra ça ! » se dit-elle.

Et elle s'engagea dans Ocean Road, en direction de la propriété des Montgomery.

DEUXIÈME PARTIE

5

Eté 1983

A l'âge de neuf ans, Rosa Capoletti reçut deux leçons essentielles de la vie. Premièrement, ce n'était pas parce que sa mère était morte qu'elle ne devait pas lui parler quotidiennement. Deuxièmement, il ne fallait jamais attacher une balançoire dans un arbre où un essaim d'abeilles a élu domicile.

Bien sûr, elle ignorait la présence de la ruche lorsqu'elle s'était lancée à l'assaut de l'orme majestueux du jardin des Montgomery, planté non loin du bassin où évoluaient des poissons rares du Japon. Pop lui avait bien recommandé de ne pas déranger ces poissons qui faisaient la joie et la fierté de Mme Montgomery. Elle devait veiller à ne pas s'attirer d'ennuis. Et pendant qu'il emmenait Mme Montgomery visiter la pépinière, il lui était interdit de quitter le jardin.

Depuis que sa mère était morte et que ses frères s'étaient engagés dans la marine, il n'y avait plus personne pour garder Rosa pendant les vacances d'été. Voilà pourquoi elle accompagnait son père au travail. Chaque matin, il l'emmenait dans son vieux pick-up, un Dodge Power Wagon, où tous ses outils de jardinage étaient rangés sur la plate-forme arrière. Pendant la belle saison, il travaillait de l'aube au crépuscule en six endroits différents — un pour chaque jour de la semaine. Il tondait, élaguait, creusait et taillait dans les jardins des vastes propriétés du bord de mer.

Rosa ne s'était pas encore rendue chez les Montgomery. Ce jour-là constituait sa première visite à l'imposante demeure qui offrait de multiples trésors à explorer, surtout sur l'immense terrain à la végétation luxuriante qui descendait jusqu'à une crique isolée.

Pourtant, la fillette s'ennuyait ferme et brûlait d'envie d'aller à la plage, de sortir le petit canot et de partir à l'aventure avec ses amies. Mais elle était condamnée à rester à proximité de la maison.

Et puis, soudain, elle découvrit une balançoire, et elle s'en empara joyeusement, tout en chantant à tue-tête *Stray Cat Strut*, une chanson à la mode que la radio diffusait au moins une fois par jour et dont son grand frère Sal lui avait appris les paroles — qu'elle ne comprenait pas toutes, d'ailleurs.

Au plus haut de sa course, elle apercevait la plage déserte de l'autre côté du parc et, au plus bas, elle frôlait le doux tapis d'herbe drue parfaitement tondue. Le ciel était plus bleu encore qu'au paradis, aurait dit Mamma. A perte de vue, des pâquerettes délicates et d'exotiques lobélies violettes oscillaient dans la brise légère. Des mouettes, semblables à des cerfs-volants, dessinaient des traînées blanches étincelantes à la crête des vagues, évoquant pour Rosa l'exultation de la liberté.

L'été était enfin là et, comme chaque année, la petite ville de Winslow se métamorphosait. Elle s'animait du spectacle de décapotables qui roulaient à vive allure sur la route côtière. Pop en bougonnait d'exaspération, parce que le prix de l'essence et de la nourriture grimpait en flèche, et que la pizzéria de Mario — le cousin de Mamma — était bondée, le vendredi soir.

Afin de casser sa vitesse en vue de son atterrissage, Rosa visa de son pied nu la fourche de l'arbre, et heurta quelque chose de sec et parcheminé qui tomba sous le choc. Aussitôt, elle entendit un bourdonnement qui se mêlait au bruissement des feuilles agitées par la brise. Et, soudain, ce fut comme si son pied s'embrasait.

Un instant plus tard, un nuage noir surgit de l'arbre, et le léger bourdonnement se mua en un vrombissement furieux.

Dès qu'elle eut touché le sol, la fillette se mit à courir en hurlant de frayeur. Un hurlement qui redoublait d'intensité à chaque nouvelle piqûre.

Elle se précipita droit vers la mare et y plongea, sans réfléchir. C'était une urgence. Elle avait l'impression d'être une torche vive.

La fraîcheur de l'eau soulagea la sensation de brûlure, et la vase onctueuse du fond apaisa instantanément la douleur. En surface, quelques abeilles continuaient à tourner, et Rosa, assise dans le bassin peu profond, battit des bras et des jambes en faisant monter des nuages de boue marron. Elle ne sut jamais combien de temps elle était restée là à compter ses piqûres, en attendant que le feu se dissipe. Elle en avait dénombré au moins six, essentiellement concentrées sur les jambes.

— Mais qu'est-ce qui se passe ? lança une voix perçante.

Une femme se précipita hors de la maison et dévala l'escalier. Rosa ne reconnut pas tout de suite Mme Carmichael dans son uniforme amidonné de femme de chambre.

La famille Carmichael habitait dans la même rue que les Capoletti, et Rosa avait l'habitude de voir Mme Carmichael en blouse et en pantoufles, sur le pas de sa porte, en train d'appeler ses fils pour le dîner. Tout semblait si différent ici, dans ce quartier de somptueuses villas. Tout était plus soigné, plus pimpant. Même les gens.

Sauf Rosa, qui faisait tache dans cet univers. Elle le comprit avec une acuité terrible, alors qu'elle gagnait péniblement le bord de la mare en pataugeant dans la vase fine et douce qui s'infiltrait entre ses orteils.

Sale, pieds nus, trempée jusqu'aux os, couverte de bleus et de piqûres d'abeilles… elle n'appartenait vraiment pas à ce monde-là.

Elle attendit sur la pelouse, les vêtements dégouttant d'eau, que Mme Carmichael accoure vers elle.

— Je peux vous expliquer…, commença-t-elle.

— Mais que va-t-on faire de toi, Rosa Capoletti ?

Mme Carmichael s'efforçait de contenir sa colère, Rosa le voyait bien. Les gens essayaient de se montrer extrêmement patients depuis la mort de sa mère, survenue le jour de la Saint-Valentin. Même sœur Baptista, à l'école, tâchait de lui témoigner davantage de gentillesse.

— Je peux me rincer avec le tuyau d'arrosage, proposa Rosa.

— J'espère que tu n'as pas tué les koïs.

— Les quoi ?

— Les poissons.

— Je ne crois pas, mais de toute façon, je ne l'aurais pas fait exprès.

— Allez, viens te laver ! soupira Mme Carmichael avec un hochement de tête.

Tout en traversant la pelouse à la suite de la femme de chambre, Rosa eut la vision d'une ombre fantomatique qui rôdait à l'une des fenêtres de la maison. Une silhouette pâle, de petite taille, avec une tête ronde à la Charlie Brown, l'observait derrière des rideaux en dentelle. Elle cligna des paupières, jeta un nouveau coup d'œil... L'apparition s'était évanouie, comme dissoute dans la lumière.

— Ça, alors ! murmura-t-elle.

— Qu'est-ce que tu dis ? demanda Mme Carmichael, tout en ouvrant le robinet.

— Oh ! rien.

C'était plutôt excitant, cette idée de fantôme. Il lui arrivait de voir Mamma à ses côtés, mais elle n'en parlait à personne. Les gens auraient aussitôt prétendu qu'elle inventait des histoires.

— Mets-toi là et ne bouge plus, lui ordonna

Mme Carmichael en la poussant doucement vers une zone ensoleillée.

L'herbe y était moelleuse comme un épais tapis.

— Ecarte bien les bras.

L'ombre crucifiée de Rosa, squelettique et hirsute, se projeta sur le gazon.

— Hou là ! C'est gelé ! hurla-t-elle quand le jet l'aspergea.

— Tiens-toi tranquille. Je vais me dépêcher.

Mais Rosa était incapable de se tenir tranquille sous ce flot d'eau glacée. Elle sautait sur place à la manière des vendangeurs qui pressent le raisin, comme cela se pratiquait dans le temps « au pays », selon Pop.

Soudain, le spectre réapparut à la fenêtre.

— Qui est-ce ? demanda Rosa en claquant des dents.

— C'est le fils de Mme Montgomery.

— Il est tout seul là-haut ?

— Oui. Penche ta tête en arrière. Sa sœur passe l'été dans un camp de vacances.

— Eh ben ! Il doit se sentir bien malheureux. Je pourrais peut-être jouer avec lui ?

— Ça m'étonnerait ! rétorqua Mme Carmichael avec un rire sarcastique.

— Il est timide ?

— Non. C'est un Montgomery. Allez, tourne-toi, qu'on en finisse.

Rosa continua à se tortiller tandis que le jet lui vrillait le dos d'une myriade de coups d'épingle. Quand le supplice cessa enfin, Mme Carmichael lui ordonna d'attendre sous la véranda. Elle disparut dans la maison, puis revint bientôt, munie d'une pile de serviettes et d'un peignoir en éponge blanc.

— Déshabille-toi et enfile ça. Je vais mettre tes vêtements dans le sèche-linge.

Rosa obéit, et Mme Carmichael découvrit alors ses jambes.

— Jésus Marie ! Qu'est-ce qui t'est arrivé ?

— Je me suis fait piquer par des abeilles, expliqua Rosa. J'ai donné un coup de pied dans un essaim d'abeilles. C'était un accident. Je jure que je ne l'ai pas…

— Pourquoi ne me l'as-tu pas dit plus tôt ?

Rosa se tut, jugeant préférable de ne pas signaler qu'elle avait bien essayé de confier sa mésaventure…

— Dieu du Ciel ! s'écria Mme Carmichael en l'enveloppant dans une serviette. En quoi es-tu donc faite, ma fille ? Tu n'as pas atrocement mal ?

— Si.

— Il n'y aurait pas de honte à pleurer, tu sais ?

— Oui, je sais. Mais ça n'arrêterait pas la douleur.

— Attends. Je vais aller chercher une pince à épiler pour retirer le dard des abeilles. Il va peut-être falloir appeler le médecin.

— Non ! Je veux dire… non merci, madame.

— Bon, d'accord. Je vais essayer la pince à épiler, mais ne bouge pas.

Quelques minutes plus tard, Mme Carmichael reparut

avec une trousse à pharmacie bleue et blanche, et entreprit d'extirper le dard des insectes, sept au total.

— Finalement, tu as bien fait de te précipiter dans le bassin. Du coup, tu ne vas pas trop enfler.

Avec douceur, elle plaça la paume de sa main sur le front, puis sur la joue de la fillette.

Rosa ferma les yeux. Elle avait oublié l'agréable sensation d'une main inquiète qui se pose sur votre peau. La main d'une femme, bien sûr. Seule une mère sait deviner ainsi si son enfant a de la température. Ce détail, parmi tant d'autres, ravivait en Rosa le chagrin d'avoir perdu sa mère.

— Tu n'as pas de fièvre, déclara Mme Carmichael. Tu as de la chance. Tu n'es pas allergique au venin des abeilles.

— Je ne suis allergique à rien.

Mme Carmichael badigeonna de bicarbonate de soude l'endroit des piqûres, puis elle offrit une glace à Rosa.

— Tu es très courageuse. Bravo !

— Merci.

Rosa se sentait tout sauf courageuse. Elle avait mal, très mal, comme si mille petites bombes explosaient sous sa peau. Mais elle ne s'autorisait plus à pleurer pour ce qui n'en valait pas la peine, après ce qu'avait enduré sa mère.

Mme Carmichael s'empara ensuite d'un peigne, et s'entêta à le passer dans la longue et épaisse crinière de la fillette, qui supporta la torture en silence, en se mordant les lèvres pour ne pas crier.

— C'est un amas de nœuds ! se plaignit Mme Carmichael. Franchement, est-ce que ton père ne…

— Je me peigne toute seule, coupa Rosa avec une pointe de fierté, en s'efforçant de refouler ses larmes. Pop, lui, il ne sait pas faire ça.

— Je vois.

Serrant les dents aussi fort qu'elle le pouvait, Rosa gardait les yeux fixés sur les lames du plancher.

— Mamma m'avait appris à faire les nattes. Quand elle était malade, je pouvais monter sur son lit pour qu'elle me coiffe.

Elle ne précisa pas que, sur la fin, sa mère était trop faible pour effectuer le moindre geste. Même le fait de tenir une brosse représentait pour elle un effort surhumain. La fillette ne révéla pas davantage que la maladie qui avait emporté sa maman avait aussi emporté une partie d'elle-même. La Rosa qui éclatait de rire pour un oui ou pour un non, celle qui n'avait pas peur du noir et qui adorait l'odeur du pain en train de cuire, cette Rosa-là avait disparu en même temps que Mamma.

— Ça va, ma chérie ?

La voix de Mme Carmichael ramena l'enfant à l'instant présent.

— Mamma disait qu'une petite fille doit savoir faire une natte. Mais c'est difficile quand c'est sur mes cheveux à moi…

Elle fut abasourdie de sentir Mme Carmichael la serrer fort dans ses bras et caresser ses cheveux humides.

— C'est vrai que ce n'est pas commode, ma chérie.

— Je vais quand même continuer à m'entraîner.

— Bonne idée.

Mme Carmichael, avec la dextérité des grandes personnes, tressa les cheveux de Rosa en une grosse natte épaisse et impeccable qui pendait dans son dos.

— Je vais mettre tes affaires dans le sèche-linge. Attends ici et essaie de ne pas faire de bêtises.

6

Pendant l'absence de la femme de chambre, Rosa s'exerça à la patience. Pour elle, attendre représentait une véritable torture : l'ennui à l'état pur. Le pire, c'était de ne pas savoir quand le supplice prendrait fin. Elle tortilla distraitement l'interminable cordon noué à la taille de son peignoir en éponge, dix fois trop grand pour elle et qui traînait quasiment par terre.

Un téléphone sonna, puis la voix de Mme Carmichael lui parvint du fond de la maison. En entendant, sans le comprendre, son bavardage intarissable entrecoupé de rires, Rosa en conclut que la femme de chambre l'avait complètement oubliée.

La porte de la cuisine était restée entrebâillée. Une légère pression du pied… et elle s'ouvrit d'elle-même, ou presque.

Rosa se figea en découvrant une pièce entièrement blanche reluisante de propreté. Des kilomètres de faïence s'étiraient le long des murs, qui étaient garnis de tous les ustensiles de cuisine inventés depuis la création du monde : passoires et cuillères bizarres, pots étincelants suspendus à une étagère, collection impressionnante de couteaux, plats à four de toutes tailles et de toutes formes, minuteurs et piles de torchons d'un blanc immaculé…

« Ça alors ! » s'extasia intérieurement Rosa. Mamma aurait adoré, elle qui était la meilleure cuisinière du monde ! Tous les soirs, elle chantait gaiement *Funiculi* en préparant le dîner, et l'un des grands plaisirs de Rosa était de l'aider, dans la cuisine resplendissante de Prospect Street, à confectionner des pâtes, cuire une *pizza calzone* par un après-midi d'hiver. Parfois, elle se contentait d'ajouter une pincée d'épices à une sauce, et cela suffisait à la remplir de fierté… L'image que Rosa chérissait plus que tout, c'était celle de sa mère, debout devant l'évier, le regard perdu du côté du jardin, un sourire doux et un peu mystérieux aux lèvres. « Son sourire de Joconde », comme disait Pop. Mais en voyant une reproduction du tableau sur une carte postale, Rosa avait trouvé Mamma nettement plus belle.

Elle traversa la pièce, étrangement haute de plafond, en laissant courir ses doigts sur les carreaux de faïence. Hissée sur la pointe des pieds, elle jeta un coup d'œil par la fenêtre… qui donnait sur la mer ! Sa mère aurait été aux anges dans un endroit pareil.

Malheureusement, la seule odeur qui régnait ici était celle du détergent. Dans la cuisine de Mamma, en revanche, il flottait des effluves de poulet rôti, de pizza ou de citrons fraîchement coupés.

Rosa termina sa glace et jeta le bâtonnet dans une poubelle métallique brillante, en forme d'ogive. Puis elle hésita, soudain. Elle s'était engagée à être sage, et elle devait tenir parole… Mais, finalement, sa curiosité l'emporta, et elle ne put résister à l'envie d'aller fureter dans cette gigantesque demeure qui l'avait toujours fascinée.

Elle glissa la main dans la poche de son peignoir et serra son poing autour de la petite clé brillante que son père lui avait donnée. Elle était assez grande, à présent, pour posséder une clé de la maison, lui avait-il annoncé solennellement, mais elle devait en prendre le plus grand soin et ne jamais la perdre.

Au hasard d'un couloir décoré d'immenses tableaux, Rosa croisa la pièce où Mme Carmichael téléphonait. Elle saisit alors quelques bribes de conversation… On parlait d'elle ! Elle se pétrifia.

— … sait pas quoi faire de cette pauvre petite pendant tout l'été. Pete ne s'était pas absenté depuis plus de cinq minutes qu'elle avait déjà fait des bêtises.

Pete, c'était Pop. Rosa avait l'impression que toutes les femmes qui le connaissaient guettaient avec impatience le moment où il serait dépassé par sa nouvelle situation. Un veuf ne pouvait pas s'en sortir seul…

— Aucune idée, poursuivit Mme Carmichael. Ce qu'il pourrait faire de mieux pour cette enfant, ce serait de se remarier. Elle a besoin d'une mère.

« Non, merci ! » songea la fillette. Elle n'avait absolument pas besoin d'une nouvelle mère. Sa maman était la meilleure dont on puisse rêver, et ce n'était pas parce qu'elle n'était plus à ses côtés, en chair et en os, qu'elle l'avait abandonnée. Elle continuait de veiller sur sa petite fille, à sa façon. C'était, d'ailleurs, ce qu'avait dit le père Dominique, lors des funérailles. Et les prêtres ne mentent jamais, c'est bien connu.

« Tu le sais, toi, Mamma, que je te parle tout le temps ? » murmura-t-elle avec toute la ferveur dont elle était capable.

— Heureusement, Pete a ses jardins, poursuivait Mme Carmichael. Il est heureux quand il travaille. C'est un autre homme.

Elle accompagna ses paroles d'un petit gloussement.

— Oui, je sais, répondit-elle à la remarque de son interlocuteur. Et, en plus, comme il est plutôt pas mal de sa personne…

Rosa se lassa d'espionner la conversation. Tout le monde ne cessait de répéter que Pop était encore jeune et séduisant et qu'il devrait chercher à se remarier. Comment les gens peuvent-ils penser que l'on remplace un être cher aussi facilement qu'un livre égaré ?

Laissant là ces questions déprimantes, Rosa reprit son exploration des lieux avec l'impression d'avoir pénétré dans un château enchanté. La pièce du devant, tendue de jaune, était décorée de meubles en laqué blanc. Avec ses bibelots délicats, les cadres en argent qui mettaient en valeur des photographies de gens à la mine éclatante, tous vêtus avec élégance, elle semblait tout droit sortie d'une page de magazine. D'énormes bouquets artistement composés et des candélabres prolongés de fines bougies blanches parachevaient le raffinement de ce décor.

Il ne ressemblait en rien à celui de la maison de Linda où Rosa allait jouer, d'habitude. Tout ici était si vaste, si incroyablement solennel, qu'un instant elle se revit dans le salon funéraire où le corps de sa mère avait été exposé.

Elle sortit à reculons et s'aventura plus avant dans le couloir. A travers une haute porte vitrée à deux battants, elle aperçut une pièce qui devait contenir presque autant de livres que la bibliothèque Redwood de Newport, pourtant la plus ancienne des Etats-Unis.

Rosa adorait les livres. Quand sa mère n'avait plus eu la force de lui tresser les cheveux, Rosa avait pris l'habitude de s'allonger sur le lit à côté d'elle et de lire, lire, à n'en plus finir. *L'Indien du placard*, *Le Roi des casse-Pieds*, *Le Petit Monde de Charlotte*, des poèmes de Shel Silverstein… Et puis, bien sûr, *Bonsoir Lune*, l'histoire que sa mère lui avait racontée chaque soir, quand elle n'était encore qu'un petit bout de chou…

Elle entra et reconnut avec délices cette odeur accueillante et vieillotte de cuir ancien qu'elle affectionnait tant. En s'approchant des fenêtres aux voilages en dentelle, qui donnaient sur le jardin et la mare, elle eut un choc : c'était là, derrière cette vitre, qu'avait surgi le témoin de son aventure avec les abeilles…

Elle s'apprêtait à étudier les rayonnages de livres quand elle prit conscience d'un bruit étrange, un mélange de sifflement, de gargouillement et de succion. Son sang se glaça. La bibliothèque était bel et bien hantée !

Elle fit volte-face, prête à prendre ses jambes à son cou… Le fantôme était là, allongé sur le canapé en cuir !

Elle dut plaquer ses deux mains contre sa bouche pour s'empêcher de hurler car, comble de l'horreur, il aspirait de la vapeur par un tube en plastique relié à une caisse. Le sifflement venait de là.

Rosa finit par recouvrer l'usage de la parole.

— Qu'est-ce que tu fais ?

Il enleva le tuyau de sa bouche.

— Cet appareil m'aide à respirer. C'est un bronchodilatateur portable.

Elle s'approcha précautionneusement de lui. L'édredon qui recouvrait son corps dissimulait mal son extrême maigreur. Tout était pâle chez lui : ses cheveux blonds, ses yeux bleus chaussés de lunettes à monture métallique, sa peau blanche. Mais il avait de beaux traits réguliers, bien plus beaux que ceux d'un fantôme !

— Tu n'arrives pas à respirer tout seul ?

— Pas tout le temps, dit-il en accrochant le tuyau sur le côté de la machine, libérant ainsi un petit jet de vapeur qui s'échappa de l'embout. J'ai de l'asthme.

— Ça se guérit ?

Elle se mordit aussitôt la langue. Si sa maladie était incurable, mieux valait ne pas remuer le couteau dans la plaie.

— Pas moyen de le savoir. Peut-être que ça s'améliorera

quand je serai plus vieux et que mes poumons se seront développés. Comment tu t'appelles ?

— Rosina Angelica Capoletti, mais les gens disent Rosa. Et toi ?

— Alexander Montgomery.

— Tout le monde t'appelle Alex, je parie !

— Non, personne, répondit-il avec un sourire plein de gentillesse.

— Moi, je vais dire Alex. C'est moins long.

Après quelques minutes de conversation, il s'avéra qu'ils avaient un an d'écart mais qu'ils étaient dans la même classe. Alex était entré à l'école maternelle avec une année de retard, à cause de sa maladie. Quand il confessa sa haine de l'école, Rosa soupçonna que les autres élèves le persécutaient, et elle avoua qu'elle non plus n'aimait guère aller en classe.

— Je sais bien que c'est nécessaire, soupira-t-elle d'un air résigné. C'est le seul moyen d'arriver à quelque chose.

— D'arriver à quoi ?

— Je ne sais pas. Mes frères ont suivi une préparation militaire pour pouvoir continuer leurs études, et maintenant ils sont dans la marine.

— Pour faire des études, on va à l'université ! objecta Alex avec un froncement de sourcils qui trahissait son incompréhension.

— Si tu commences par une préparation militaire, ensuite, l'armée prend en charge tes frais de scolarité, expliqua Rosa patiemment. Je croyais que tout le monde le savait. Qu'est-ce que tu lis ? demanda-t-elle en désignant le livre ouvert sur les genoux d'Alex.

— *La Mythologie de Bulfinch.* Ça parle des mythes grecs. Ce chapitre concerne Icare. Regarde l'illustration.

Rosa s'assit sur le divan, et Alex plaça gentiment le livre entre eux deux pour qu'elle lise plus commodément.

— Il vole ! Ça devrait être génial. Pourtant, il a l'air très malheureux.

— Il souffre.

— Pourquoi voler si ça lui fait mal ?

— Parce qu'il ne peut pas faire autrement ! déclara Alex avec autorité, comme s'il s'agissait là d'une explication imparable.

Rosa se rappela soudain l'épisode de la balançoire, et montra ses jambes à Alex. Elle avait des marques rouges sur la cheville et le tibia, là où les abeilles l'avaient piquée.

— Moi aussi, j'ai essayé de voler, et je t'assure que je l'ai bien regretté.

— Je t'ai vue par la fenêtre.

— Je sais. Moi aussi, je t'ai vu.

— J'aurais voulu venir à ton secours, mais je ne savais pas comment faire.

— Ça ne fait rien. Mme Carmichael a accouru dès qu'elle m'a entendue crier.

Alex l'écoutait avec tant de sérieux et d'attention qu'elle se crut un instant le centre du monde.

— Tu les sens encore, les piqûres ?

— Non. Plus maintenant. Mme Carmichael m'a mis

du bicarbonate de soude. Elle m'a dit que j'avais de la chance de ne pas être allergique au venin.

— C'est vrai que tu as de la chance, dit-il avec un drôle d'air rêveur. Tu as le droit d'aller dehors et de faire tout ce qui te plaît.

Rosa brûla de lui répondre qu'être orpheline, ce n'était vraiment pas une chance. Mais elle préféra se taire — pour le moment, du moins —, soucieuse de ne pas attrister encore davantage ce garçon atteint d'un mal étrange.

— Tu veux dire que toi, tu n'es pas autorisé à sortir ?

Il remonta ses lunettes sur son nez.

— Jamais sans surveillance. Je pourrais avoir une crise d'asthme.

— C'est dehors que tes crises se déclenchent ?

— Le plus souvent, oui.

Elle avait entendu parler de crises cardiaques, de crises de nerfs. Mais de crises d'asthme, jamais.

— Qu'est-ce qui t'arrive dans ces moments-là ?

— C'est comme si… je me noyais. Mais dans l'air, pas dans l'eau.

Rosa eut l'impression de comprendre cette sensation. Plus d'une fois, il lui était arrivé de nager trop loin ou de plonger trop profond, puis de manquer d'air et de sombrer dans une panique effroyable.

— Dans ces conditions, il vaut mieux que tu ne sortes pas.

Alex resta un moment à contempler Icare et le rictus

de souffrance qui accompagnait sa progression vers le soleil. Puis il leva la tête vers Rosa, qui décela une lueur nouvelle dans ses yeux bleus.

— Et si on allait quand même dehors, tous les deux ?

— Tu es sûr ?

— Mes poumons me chatouillaient un peu, ce matin, mais c'est fini, maintenant. Ça va aller.

Rosa le regarda attentivement, et acquit la certitude qu'il était incapable de mentir.

— Il faut que je récupère mes vêtements. Mme Carmichael les a mis dans le sèche-linge.

— Je crois qu'il est dans la buanderie.

Comment était-il possible qu'il ne sache pas avec certitude où on mettait le linge à sécher ? s'étonna Rosa, tandis qu'elle le suivait à travers la maison. Chez elle, tout le monde partageait les corvées de lessive.

Dans la cuisine, il ouvrit une porte qui donnait sur une pièce sombre mais spacieuse et profonde.

— C'est là, dit Alex.

— Attends ici.

— Tu es sûre ?

— Il faut que je me change.

L'air était moite et chargé de poussière de fibres. Il y avait aussi le sifflement de la chaudière. Ses vêtements — short coupé dans un vieux jean et T-shirt à l'effigie de chez Mario : « A la Pizza volante » — étaient encore humides, ce qui ne l'empêcha pas de les enfiler. Elle posa le peignoir sur le sèche-linge et se dépêcha de regagner la cuisine où elle trouva Mme Carmichael et Alex en plein affrontement.

— Je veux sortir ! disait-il à la femme de chambre.

— Il vous est interdit de quitter la maison, objecta-t-elle avec colère.

— Ce matin, d'accord, mais je vais mieux, maintenant. Regardez : j'ai mon aérosol et ma seringue, dit-il en sortant un étui jaune de la poche de son short.

— Je le surveillerai ! déclara Rosa. C'est vrai, je vous assure, madame Carmichael. Si je vois qu'il ne va pas bien, je le raccompagnerai tout de suite.

Bien que Mme Carmichael eût gardé ses poings plantés sur ses hanches, son regard s'adoucit et ses épaules se relâchèrent imperceptiblement. Comme c'était le cas chez toutes les mamans, ses yeux et ses gestes la trahirent. Avant même qu'elle ne parle, Rosa sut qu'elle allait céder.

— Je peux compter sur toi, Rosa ?

— Oui, madame Carmichael. Et merci d'avoir fait sécher mes affaires.

— De rien.

Elle regarda tour à tour Alex, puis Rosa.

— Tâchez d'être prudents. C'est compris ?

— Oui, madame Carmichael, répondirent-ils en chœur, tout en s'efforçant de contenir leur joie.

— Tenez, prenez des petits gâteaux, ajouta la femme de chambre en leur tendant une boîte blanche.

*
* *

Dehors, au soleil, Rosa remarqua que les yeux bleus d'Alex prenaient la couleur profonde de l'océan, et qu'ils se plissaient quand il lui souriait. Elle se promit d'obéir à Mme Carmichael et d'être très sage. Si elle se rendait de nouveau coupable de quelque bêtise, Pop ne l'autoriserait plus à l'accompagner, et il la laisserait chez cette horrible Mme Schmidt, une veuve à moustache que Rosa comparait à un oiseau de proie. Elle n'avait même pas attendu que Mamma soit morte pour venir rôder à la maison, sous prétexte d'apporter des plats qu'elle avait cuisinés. En vérité, elle faisait les yeux doux à Pop. Bien sûr, sans le moindre résultat.

Rosa et Alex restèrent à se sourire en mangeant leurs biscuits. Des biscuits au sucre achetés dans le commerce, constata Rosa. Bien sûr, ils n'étaient pas aussi bons que ceux de sa Mamma, qui suivait une recette secrète : elle y ajoutait de la ricotta et un épais glaçage. Ça c'était des petits gâteaux dignes de ce nom !

7

— C'est dur ce qui t'est arrivé avec les abeilles, dit Alex en considérant d'un œil pensif l'arbre fautif.

— J'ai pris la balançoire dans l'appentis, là-bas... C'est quoi ce bâtiment, au fait ? demanda Rosa en enfilant ses tongs. On dirait un immense garage.

La haute bâtisse, qui avait été construite et peinte selon le modèle de la maison principale, était fermée par de grandes portes de bois coulissantes, semblables à celles des granges de l'ancien temps. A l'une des extrémités, un logement avait été aménagé à l'étage, à en juger par la rangée de chiens-assis qui ouvraient sur la mer et par le belvédère surmonté d'une girouette.

— C'est là que ma mère gare sa voiture, dans ce qu'elle appelle « la remise à calèches », même s'il n'y a plus de calèches depuis longtemps.

— Je savais bien que c'était trop chic pour un simple garage, commenta Rosa, la main en visière pour se protéger des reflets du soleil sur les vitres. Est-ce que quelqu'un y habite ?

— Non, plus maintenant. Mais, autrefois, il y avait un gardien, là-haut. Il s'occupait des chevaux, et aussi des calèches, je suppose. Mais c'était il y a très, très longtemps. Ensuite, mon grand-père a récupéré l'endroit pour y installer son observatoire. Un jour, il m'a montré comment repérer le cratère de Copernic sur la lune.

Cet Alex semblait décidément très savant, songea Rosa, tout en hochant la tête d'un air pénétré, comme si le cratère de Copernic n'avait aucun secret pour elle.

— Mon grand-père avait commencé à m'initier au monde des étoiles, reprit Alex, mais il est mort quand j'étais en cours préparatoire.

Ne sachant trop comment réagir à cette déclaration, Rosa se contenta de suivre le garçon jusqu'à la vieille bâtisse. Une fois qu'ils eurent réussi, en joignant leurs forces, à faire coulisser les portes sur leurs rails rouillés, ils découvrirent un fatras d'outils recouverts de toiles d'araignées et, sous une bâche, une voiture bleue.

— C'est une Ford Galaxie, déclara Alex. Elle appartient à ma mère. Sa « voiture de plage », comme elle dit. Mais elle l'utilise rarement.

— Ma mère non plus n'aimait pas conduire, dit Rosa.

Il lui jeta un coup d'œil furtif.

C'était le moment ou jamais de tout lui avouer… Mais non, pas encore. Néanmoins, elle se confierait à lui, car il semblait parfaitement digne de recevoir une marque d'amitié de cette importance.

Il n'eut pas le temps de lui poser de questions ; elle avait déjà gravi l'escalier.

En haut, elle découvrit un vaste appartement, inondé

par un flot de lumière où tournoyaient des particules de poussière.

Alex éternua. Rosa se tourna aussitôt vers lui.

— Est-ce que tu risques d'avoir une crise…

Comment s'appelait sa maladie, déjà ?

— Une crise d'asthme ? compléta-t-il en enfonçant la main dans sa poche pour s'assurer de la présence de son aérosol. Non, je ne crois pas.

« Bon, jusque-là, tout va bien », se dit Rosa, soulagée.

Dans un coin, étaient entreposés pêle-mêle de vieux meubles, mais aussi des antiquités parmi lesquelles un rouet qui suscita aussitôt l'intérêt de la fillette. Quand elle appuya sur la pédale, la grosse roue se mit brusquement en mouvement… et elle recula en poussant un cri.

Alex eut un rire moqueur, dépourvu cependant de toute méchanceté.

— Qu'est-ce que vous comptez faire de tout ça ? demanda Rosa.

— Je ne sais pas. Ma mère répète souvent qu'elle va débarrasser mais elle ne le fait pas. En tout cas, le télescope, je le garde.

Il se dirigea vers une table, dressée devant la plus large des lucarnes, et ouvrit le long étui noir dans lequel était couché un vieux télescope en piteux état.

— On peut voir le visage de la lune avec ça ? demanda Rosa.

— La lune n'a pas de visage.

— Je sais. C'est juste une expression.

En refermant la boîte, il souleva un nuage de poussière. Et, tout à coup, il devint tout rouge et se mit à respirer bruyamment.

— Hé ! Qu'est-ce qui t'arrive ? s'alarma Rosa.

Il fit un geste de la main et, le souffle court, comme un personnage de dessin animé qui fait mine de mourir, il gagna l'escalier d'un pas incertain. Rosa, terrorisée, le suivit.

Dès qu'ils furent dehors, elle voulut courir prévenir Mme Carmichael, mais Alex la retint par le bras d'un geste farouche.

— Ça va, murmura-t-il avec un filet de voix.

— Tu es sûr ?

— Croix de bois, croix de fer… Oui, je suis sûr, ajouta-t-il plus sérieusement, en accompagnant son serment d'un mouvement de tête affirmatif.

Pourtant, ses yeux brillaient d'un éclat étrange et, grossis par les verres de ses lunettes, ils semblaient démesurés.

— C'était une crise d'asthme ?

— Oh non ! dit-il avec un sourire. J'ai juste eu un peu de mal à respirer.

— Ben dis donc, je n'aimerais pas te voir quand tu as une crise si c'est pire que ça !

— Je me sens bien, maintenant. On n'a qu'à aller à la plage.

Elle hésita. Une fraction de seconde seulement. Comment dire non à quelqu'un qui passe la moitié de sa vie cloîtré chez lui ?

— D'accord, dit-elle.

La maison des Montgomery donnait sur North Beach, une anse sauvage en forme de conque, éloignée à la fois de la plage publique et de la ville, et dont la partie marécageuse servait de réserve ornithologique. Un sentier traversait cette zone envahie d'églantiers et de ronces avant d'aboutir à la mer. Les touristes n'avaient jamais prisé cette crique qu'ils trouvaient trop rocheuse.

— Il fait encore un peu froid pour se baigner, déclara Rosa en se précipitant vers le bord de l'eau. Mais d'ici peu, ce sera bon. Tu as déjà vu les mares qui se forment à marée basse, autour des rochers ? cria-t-elle à Alex qui n'avait pu suivre son rythme.

— Sur des photos, oui, répondit-il, essoufflé.

— Je peux t'emmener en voir des vraies.

— Je veux bien.

— Tu es sûr ? demanda-t-elle, inquiète de l'entendre respirer avec autant de difficulté.

— Mais oui !

Ils se mirent à progresser sur la plage selon une trajectoire incertaine, examinant ici des coquillages, retournant là des pierres pour observer les minuscules crabes qui s'enfuyaient vers un nouvel abri, ou bien fouillant le sable, en quête du caillou idéal pour faire des ricochets.

Alex se révéla un intarissable bavard. Comme Rosa l'avait soupçonné, c'était un garçon intelligent et drôle qui s'extasiait de tous ses faits et gestes, de tout ce qu'elle disait, de tout ce qu'elle lui montrait, alors que lui-même savait une multitude de choses : par exemple, qu'un dauphin peut nager à soixante kilomètres heure, ou que le petit de la baleine grise boit l'équivalent de deux mille bouteilles de lait par jour…

« Décidément, c'est drôlement utile de lire », songea Rosa en l'écoutant.

— J'ai une sœur, lui dit-il soudain. Elle s'appelle Madison et elle a quinze ans. En ce moment, elle est dans un club équestre. Moi, je n'ai pas le droit de partir comme ça, à cause de mon asthme.

— On est aussi bien ici, déclara Rosa sans savoir si c'était vrai ou non.

— L'entreprise familiale est basée en ville, poursuivit Alex dans un accès de confidence, et mon père nous rejoint dans la maison du bord de mer pour les week-ends et les vacances.

— Où est-ce qu'il travaille ?

— A New York. Et à Providence aussi. Où tu habites, toi ?

— A Winslow.

— Tu as de la chance. J'aimerais bien vivre ici toute l'année.

— Oh ! tu sais, en hiver, il fait sacrément froid. C'est en été que c'est le mieux. Tu aimes bien te baigner, te promener, faire des sorties en bateau ?

— Non, les médecins me l'interdisent.

— Bah dis donc, c'est vraiment triste !

« Quel drôle de garçon ! », pensa-t-elle en son for intérieur.

— On pourrait peut-être descendre au port, dit-elle, et trouver une place sur un des bateaux de pêcheurs qui part pour la journée. Le mari de Mme Carmichael pose des casiers à homards. C'est son métier. Tu le savais ?

— Non.

Elle eut l'impression qu'il ne bavardait guère avec Mme Carmichael.

— J'ai deux frères, moi. Roberto et Salvatore.

Brusquement, elle montra du doigt un trou dans le sable rempli de cendres et de restes carbonisés de bûches.

— Avant leur départ, mes frères faisaient des feux de joie. Les étincelles montaient très haut dans le ciel.

Cette seule phrase fit naître dans son esprit l'image de Rob et Sal, qui étaient nettement plus âgés qu'elle. Son père et sa mère l'avaient toujours considérée comme un cadeau du ciel car, neuf ans après la naissance de leur deuxième fils, ils avaient abandonné l'espoir d'avoir un troisième enfant. Rosa avait donc eu des parents plus vieux que ceux de ses camarades, mais quelle importance ? On l'avait entourée d'amour et, pendant quelque temps, elle avait estimé qu'elle était la petite fille la plus chanceuse du monde.

— Nous aussi on pourrait faire un feu de joie, un jour, proposa Alex.

Il semblait avoir deviné sa tristesse, et tentait de la distraire.

« Comme il est gentil ! » songea Rosa.

— Oui, pourquoi pas ? répondit-elle en l'entraînant au-delà de la plage publique jusqu'à la langue de terre rocheuse de la Pointe Judith. Il faut faire attention, ici, lui dit-elle. Les rochers sont glissants. Et coupants, aussi.

Il fit un pas, vacilla sur ses jambes pâles et maigres, puis parvint à rétablir son équilibre. Il donnait l'impression d'être encore plus frêle, debout sur l'arête du rocher, au milieu des hautes gerbes d'eau projetées par les vagues.

— Attrape ma main et fais attention où tu poses les pieds, lui dit Rosa.

Il obéit, et elle fut surprise par la fermeté avec laquelle il lui prenait la main. Il avançait avec mille précautions, ce qui ne les empêchait pas de progresser régulièrement. Au moment où il enjamba une crevasse entre deux rochers, un jet d'écume l'éclaboussa. Il se dépêcha de sauter de l'autre côté… Trop tard : il était trempé.

— Ça va ? lui demanda Rosa.

— Oui.

De sa main libre, il remonta ses lunettes sur son nez.

— C'est dangereux, ici.

— Ne t'inquiète pas, dit-elle en descendant sur le rocher suivant. Si tu tombes, je te rattraperai.

— Et si tu tombes aussi ?

— Aucun risque. Ça ne m'arrive jamais.

En l'aidant à franchir les étapes une à une, patiemment, elle le mena jusqu'aux flaques que la mer avait formées en se retirant. Ils observèrent des étoiles et des concombres de mer, des algues fluorescentes, les grappes de moules accrochées aux rochers… Alex connaissait le nom de chaque élément, grâce à ses lectures, mais il ignorait comment faire gicler l'eau d'une anémone de mer desséchée par le soleil. Rosa le lui montra. Floc ! En plein sur ses lunettes !

En l'entendant éclater de rire, elle se sentit heureuse comme elle ne l'avait pas été depuis des semaines. Et même peut-être depuis des mois. Accroupie près d'Alex, elle eut l'impression qu'un courant de chaleur les reliait l'un à l'autre. Ils n'étaient plus seulement deux enfants qui jouaient ensemble. Ils étaient devenus des amis.

Elle se redressa et tendit son visage vers le ciel. Trois mouettes tournoyaient au-dessus d'eux. Rosa ferma aussitôt les yeux en se rappelant l'une des superstitions de sa mère : « Trois mouettes qui volent ensemble au-dessus de toi annoncent un décès. »

Rosa n'avait jamais approché la mort… jusqu'à la disparition de Mamma. Bien sûr, ses grands-parents étaient décédés, mais elle ne les avait jamais vus. Ils habitaient en Calabre, une région d'Italie qu'on appelait « le Pays ».

Un jour, alors qu'ils étaient encore en vie, la fillette avait demandé à son père pourquoi il n'allait jamais leur rendre visite en Italie. « On ne peut pas retourner là-bas, avait-il répondu d'un ton péremptoire. C'est trop compliqué. »

Peu lui importait, finalement. Elle ne tenait pas vraiment à aller en Italie. Elle se plaisait là où elle vivait.

— A quelle école tu vas ? lui demanda Alex.

— A Sainte-Marie, répondit-elle en plissant le nez.

Les cours sont barbants et la nourriture de la cantine me donne envie de vomir.

Elle se rappela l'époque où sa mère glissait dans son sac un repas complet du genre : une salade de poulet aux câpres, un pain aux olives, une tranche de gâteau et une grappe de raisin. Et il y avait toujours un petit message amusant écrit sur sa serviette en papier : « Souris ! » ou « Dans douze jours, c'est l'été ! »

— J'aime bien le sport, dit-elle à Alex pour qu'il ne croie pas qu'elle était nulle en tout. Je cours très vite et j'aime gagner. Mes frères m'ont appris des tas de trucs. Je joue au foot l'automne, je fais de la natation en hiver, du base-ball au printemps… Et toi, tu fais un sport ?

— Pas le droit, répondit-il en laissant traîner sa main dans l'eau cristalline. Ça me coupe la respiration.

Puis il se tut, perdu dans ses pensées. Rosa observa la brise qui jouait dans ses cheveux soyeux, d'un blond presque blanc. Il ressemblait aux personnages de ses livres de contes. Hansel, par exemple, quand il est perdu dans la forêt.

Au bout de plusieurs minutes, il tourna vers elle ses yeux bleu océan.

— Ta mère est morte, n'est-ce pas ?

Sa gorge se noua d'un coup. Et comme elle était incapable de parler, elle fit un signe affirmatif.

— Mme Carmichael me l'a dit, ce matin.

Rosa plia les genoux contre sa poitrine et, tandis qu'elle contemplait les vagues qui éclataient sur les rochers, elle sentit quelque chose se briser à l'intérieur d'elle-même.

— Elle me manque tellement.

— J'avais peur d'en parler, mais… fais-le, toi, si tu en as envie.

Elle commença par refuser. Elle aurait voulu changer de sujet mais, cette fois, ce fut impossible. A présent qu'Alex avait abordé ce douloureux événement de sa vie, la pensée de sa mère l'envahissait comme la marée montante. Elle ne pouvait pas la chasser. Et, en plus… oui, elle avait envie d'en parler.

— Eh bien… C'est une longue histoire, tu sais ?

— Les journées sont longues en été. Ce soir, le soleil se couchera à 8 h 14.

Elle appuya le menton sur ses genoux et laissa son regard errer au loin. En général, elle essayait de ne pas évoquer la mort de sa mère, pour ne pas mettre ses frères mal à l'aise ou faire pleurer Pop. C'était horrible de voir les larmes couler sur les joues de son père. Mais là, avec le regard attentif d'Alex posé sur elle, sa peur s'était évanouie.

— Au début, quand Mamma est tombée malade, je ne me suis pas inquiétée parce qu'elle n'avait pas changé. Et puis, au bout d'un moment, elle a eu du mal à faire comme si tout allait bien.

Rosa se rappela la dernière fois où sa mère était revenue de l'hôpital. Quand elle avait enlevé son foulard bleu vif, son crâne était apparu aussi gris et nu que le corps d'un oisillon sorti de sa coquille. Ce jour-là, Rosa s'était vraiment affolée.

— Les bonnes sœurs sont venues…

— Tu veux dire des bonnes sœurs catholiques ?

— Je ne crois pas qu'il y en ait d'autres.

— Tu es catholique, alors ?

— Oui. Et toi ?

— Non. Je n'ai aucun avis sur la religion. Parle-moi des bonnes sœurs.

— Elles s'asseyaient près de ma mère et elles priaient avec elle. Mon père restait silencieux, mais il était devenu très irritable.

Rosa n'en dirait pas plus sur ce point. En tout cas, cette fois.

— Mes frères étaient perdus, eux aussi. Un jour, Rob est allé dans le potager de Mamma. Elle ne s'en occupait plus depuis qu'elle était malade. Il a retiré les ronces à la machette, en pleurant comme un enfant.

Rosa revit son frère, le visage baigné de larmes, ruisselant de sueur malgré la température hivernale.

— Sal, lui, il a allumé tellement de cierges à l'église Sainte-Marie que le père Dominique lui a demandé d'en éteindre pour ne pas risquer de mettre le feu… Mamma disait qu'on avait de la chance de pouvoir se dire au revoir, mais moi je n'avais pas l'impression… d'avoir de la chance.

Petit à petit, Mamma avait perdu la force de tenir même un livre, et Rosa s'était allongée à côté d'elle pour lui lire *Le Marchand de sable*. Quelle étrange tristesse il y avait eu à échanger ainsi les rôles !

— Elle est morte le jour de la Saint-Valentin. Une semaine après mon neuvième anniversaire. Des tas de gens sont venus. Les voisines ont apporté de la nourriture, et on a dû en jeter la moitié parce que personne n'y avait touché. Il y avait aussi des femmes qui voulaient épouser mon père, termina Rosa avec un frisson.

— Mme Carmichael trouve qu'il ressemble à Sylvester Stallone. Je l'ai entendue dire ça au téléphone.

Rosa fit une grimace.

— Pour moi, il ne ressemble à personne. C'est juste mon père.

Une nappe d'eau froide vint brusquement asperger les pieds de Rosa et les baskets hors de prix d'Alex.

— La mer remonte. On ferait mieux de rentrer, dit-il.

— Oui.

Elle se leva et lui tendit la main.

— Non, ça va. Je peux me débrouiller.

Tandis qu'ils longeaient la plage publique, Rosa regarda le soleil et se dit qu'il n'était pas si tard que ça.

— Tu crois qu'il faut qu'on se dépêche ?

— Non, mais ma mère n'aime pas que je sois en retard pour le repas. Heureusement, ici, ce n'est pas comme en ville : on n'est pas obligé de s'habiller pour le dîner !

— Tu veux dire que vous mangez tout nus ? demanda Rosa.

Et elle s'écroula de rire dans le sable encore chaud de soleil.

— Ha, Ha ! Très drôle ! dit-il en s'efforçant de garder son sérieux.

Mais il se laissa tomber à côté d'elle. Il n'était plus du tout pressé, manifestement. Ils restèrent là, à regarder les planches à voile filer à la surface de l'eau.

A l'aide d'un morceau de bois abandonné par la mer, Alex entreprit de creuser un fossé circulaire, tandis que Rosa transformait le tas de sable du centre en un château… Et comme leur construction ne relevait pas franchement du chef-d'œuvre, ils ne furent pas trop fâchés quand une vague vint la détruire.

Rosa s'écarta à temps, mais Alex fut trempé jusqu'aux os.

— Hou ! là, là ! C'est froid ! s'écria-t-il avec un large sourire.

Il se redressa en brandissant un objet qu'il s'empressa de rincer.

— Une coquille de nautile ! s'exclama-t-il d'un air ravi. C'est la première fois que j'en trouve une.

Le coquillage était exceptionnellement gros et bien préservé du ravage des flots. Alex l'ignorait, naturellement, mais c'était le coquillage préféré de Mamma : elle affirmait que le nautile était un symbole d'harmonie et de paix.

— Je te le donne, si tu veux, dit-il en le tendant à Rosa.

— Non. C'est toi qui l'as trouvé.

Rosa garda les bras le long du corps, malgré son envie furieuse d'accepter le cadeau.

— Je ne suis pas collectionneur.

Il fit tourner son bras, comme s'il s'apprêtait à lancer le nautile au loin, dans la mer.

— Non ! Si tu ne le veux pas, donne-le-moi.

Et elle le lui arracha des mains.

— Je n'allais pas le jeter pour de bon. Je voulais juste que tu le prennes.

En arrivant dans le jardin d'Alex, Rosa vit le comité d'accueil qui s'apprêtait à les recevoir, et serra le coquillage dans sa main. « J'espère qu'il va me porter chance, parce que je vais en avoir rudement besoin ! » songea-t-elle.

Mme Montgomery et Pop les attendaient. Tous deux avaient le visage crispé par l'inquiétude et la colère.

— Où étiez-vous passés ? demanda sèchement Mme Montgomery.

Rosa resta muette. Avec ses cheveux roux flamboyants, sa robe blanche toute droite qui soulignait la minceur de sa silhouette, la longue cigarette qu'elle tenait au bout des doigts, la mère d'Alex l'impressionnait énormément.

— Qu'est-ce que tu as dans le crâne ? Je t'avais dit de ne pas faire de bêtises ! cria Pop.

— Et toi, tu es tout mouillé, ajouta Mme Montgomery à l'adresse de son fils, comme s'il venait de commettre le crime du siècle.

De son sac à main verni, elle sortit une espèce de trousse à pharmacie.

— Franchement, Alex, je ne comprends pas ce qui

t'est passé par la tête. Approche-toi, que je prenne ta température.

Il s'avança en traînant des pieds, et se plia à la volonté de sa mère avec la résignation née d'une longue habitude.

Au lieu de lui tâter le front avec tendresse, comme l'aurait fait n'importe quelle mère aimante, elle lui introduisit dans l'oreille un appareil terminé par un cône, puis le ressortit presque aussitôt, et lut le chiffre qui y était inscrit.

— A nous deux, maintenant ! dit Pop en emmenant Rosa avec fermeté vers sa camionnette. On va rentrer à la maison et tâcher de te mettre un peu de plomb dans la cervelle.

Tandis que leurs parents les séparaient, Rosa et Alex réussirent à se lancer un regard… et un sourire complice. Ils savaient bien que leur aventure était loin d'être terminée.

8

Eté 1984

Au cours du deuxième été que Rosa et Alex passèrent ensemble, elle fut témoin pour la première fois d'une de ses crises d'asthme, et fut épouvantée par ce spectacle qui dépassait en horreur tout ce qu'elle avait vécu jusqu'alors.

Par un jour ensoleillé du mois d'août, ils arrachèrent à Mme Montgomery la permission de faire voler sur la plage le cerf-volant que Sal avait envoyé à Rosa de Hong-Kong, lorsqu'il y avait fait escale avec son destroyer.

Après une matinée entière consacrée à l'assembler, Alex et Rosa prirent le chemin de la plage.

La crique, séparée des plages publiques par la vaste étendue de marécage, était balayée par un vent du sud, chaud et régulier. Les conditions étaient idéales. Rosa devait immobiliser le corps du cerf-volant, le temps qu'Alex prenne de l'élan et le fasse décoller.

Il se mit à courir de toutes ses forces, avec un tel entrain que Rosa ne s'aperçut pas tout de suite qu'un problème était survenu.

— Vas-y, Alex ! criait-elle, impatiente de sentir le vent prendre dans la voilure. Plus vite !

Mais il ne pouvait pas aller plus vite… Elle le vit vaciller comme s'il avait trébuché sur une branche, bien que rien n'eût entravé sa course.

— Dépêche-toi ! l'exhorta-t-elle encore.

Il tomba alors lourdement, comme un oiseau abattu en plein vol. Ses lunettes furent projetées en l'air et atterrirent quelques mètres plus loin.

— Alex ! hurla Rosa en abandonnant le cerf-volant pour se précipiter vers lui.

A peine l'eut-elle rejoint qu'elle se jeta à genoux et lui toucha l'épaule.

Son visage avait pris un teint cireux et, en entendant le râle terrifiant qui accompagnait ses efforts désespérés pour emplir ses poumons d'air, elle éclata en sanglots.

— Alex ! Qu'est-ce qu'il faut que je fasse ?

Elle se sentait impuissante, inutile. Elle lançait des regards éperdus autour d'elle, mais il n'y avait personne en vue. Juste un couple de hérons bleus dans les marais.

— Je t'en supplie, dis-moi ce que je dois faire !

Il lui fit signe de ne pas s'affoler, puis fouilla dans la poche de son short et en sortit un aérosol. Il s'administra trois inhalations successives… Sans résultat. Sa respiration devenait même de plus en plus difficile.

De son autre poche, il extirpa alors un tube noir et jaune dont il déchira l'emballage en plastique. Puis, avec ses dents, il enleva le capuchon gris qui protégeait la pointe d'une grosse aiguille qu'il se planta dans la cuisse. Rosa compta quatre inspirations courtes et sifflantes… Et enfin il recouvra un souffle à peu près normal.

Il retira lentement la seringue et examina l'aiguille dont la taille épouvanta Rosa. L'incident n'avait duré que quelques secondes, mais il avait laissé Alex exténué sur le sable et Rosa en larmes.

— C'est fini, dit-il d'une voix faible et rauque. Je vais bien. Croix de bois, croix de fer…

— Tu vas pouvoir marcher jusqu'à la maison ?

— Oui, si je me repose d'abord un peu.

Rosa se relevait prestement quand la main glacée d'Alex enserra brusquement la sienne. Elle se figea.

— Non, attends, Rosa. Le cerf-volant…

— Il est hors de question que tu le fasses voler.

— Oui, je sais. Mais… toi, tu ne pourrais pas le faire à ma place ? S'il te plaît, Rosa ! On va m'emmener tout droit à l'hôpital. C'est la règle.

— Eh bien alors, il vaut mieux que je rentre tout de suite chercher de l'aide.

— Mais non ! A quelques minutes près, ça ne change rien. Je pourrai rentrer à pied si je reprends des forces. L'effet de la piqûre dure vingt minutes et, en plus, je respire normalement, maintenant. Fais voler le cerf-volant. S'il te plaît !

— Bon, d'accord. Mais pas longtemps.

Elle compara leurs mains, qui étaient restées enlacées. Celle d'Alex était pâle et la sienne, toute bronzée. Elle en conçut une émotion inattendue.

En ramassant les lunettes d'Alex sur le sable, elle repéra soudain une bourse de sirène, le joli nom donné aux œufs de roussette.

— C'est un porte-bonheur, expliqua-t-elle en refermant les doigts de son ami autour de la petite poche.

A présent, Rosa avait le trac : elle devait réussir la manœuvre impeccablement, sous peine de trahir l'attente exaltée d'Alex. Il s'agissait d'un cerf-volant magnifiquement décoré, une pièce unique qu'elle devrait guider avec la ficelle toute neuve que Pop lui avait confiée. Elle refusa qu'Alex fasse le moindre effort. Elle planta donc l'engin dans le sable de façon à ce qu'il puisse prendre le vent, et se mit à courir en gardant la corde bien tendue, jusqu'au moment où le cerf-volant se cabra. A cet instant précis, elle accéléra et laissa filer la ficelle.

Elle entendit Alex lui crier :

— Vas-y, Rosa !

Cette seule injonction l'incita à accélérer considérablement. « Ne le déçois pas ! Ne le déçois pas ! » se répétait-elle.

Elle réussit à élever le cerf-volant suffisamment pour qu'il décolle définitivement, comme mû par sa propre volonté, et qu'il se maintienne dans les airs.

Essoufflée après sa course, elle tendit la ficelle à Alex.

— Il vole ! dit-elle.

— Il vole ! fit-il en écho, les yeux levés vers le ciel, en substituant ses mains à celles de son amie.

*
* *

Dès leur retour à la maison, comme Alex l'avait prédit, ce fut l'émoi. Alex et Rosa essayèrent de prendre un air dégagé, comme si rien ne s'était passé, mais on ne trompait pas si facilement Mme Montgomery. Dès qu'elle eut posé les yeux sur son fils, elle s'écria :

— Tu as couru sur la plage, hein ?

— Non. On a seulement…

— Tu as couru et tu as fait une crise. Ne me raconte pas d'histoires !

Il baissa la tête et lui tendit la seringue. Le visage de Mme Montgomery se durcit et blêmit, comme s'il avait été sculpté dans de l'albâtre.

— Il faut que j'aille chercher mes clés, dit-elle en passant devant Rosa sans lui accorder la moindre attention.

La fillette et son père, debout sur la terrasse couverte, les regardèrent s'éloigner. Mme Montgomery conduisait rarement et, quand elle fit démarrer la voiture qui passait sa vie dans la « remise », le moteur se mit à tousser et à siffler de façon alarmante.

« Quelle mauvaise conductrice ! » songea Rosa en observant Mme Montgomery sortir la Ford Galaxie de l'allée en marche arrière, au prix de bien des embardées. Puis ils entendirent un chapelet de détonations et de pétarades, tout au long d'Ocean Road.

— C'est triste qu'il soit malade, dit Rosa à son père. Au moment où il a commencé à étouffer, j'ai eu vraiment peur, comme quand…

Elle s'interrompit, ne voulant pas causer de la peine à Pop en parlant de Mamma.

— Tu crois que Mme Montgomery est très en colère contre moi ? reprit-elle.

— Elle a peur pour son fils, expliqua Pop en s'emparant de ses cisailles, prêt à se remettre au travail. La semaine prochaine, je te laisserai chez l'une des voisines.

— Oh ! Pop ! Non ! supplia Rosa, affolée.

Leurs voisines, celles qui restaient chez elles au lieu d'aller travailler, étaient vieilles et dégageaient une odeur bizarre. Certaines avaient même de la moustache.

— Pop, s'il te plaît ! Je te promets que je serai sage. Laisse-moi encore une chance. Tu veux bien, Pop ? Dis, Pop, tu es d'accord ?

Quand il revint de chez le médecin, quelques heures plus tard, Alex avait visiblement entamé une discussion analogue avec sa mère.

— Ce n'est pas une affaire, tu le sais très bien, dit-il en claquant rageusement la portière.

Rosa accourut aussitôt.

— Ça va, Alex ? Bonjour, madame Montgomery.

Les yeux rivés sur son fils, Mme Montgomery ne sembla même pas entendre Rosa.

— Il est hors de question que tu t'agites, dit-elle à Alex. Tu as entendu le médecin ?

— Pas de problème. Je vais apprendre à Rosa à jouer aux échecs.

— Je ne crois pas que Rosa…

— Pas besoin de m'apprendre : je sais y jouer, intervint Rosa. On pourrait faire un tournoi ?

— C'est ça, bonne idée ! acquiesça Alex. On va organiser un tournoi d'échecs.

La mine carrément désapprobatrice de Mme Montgomery n'échappa pas à Rosa, mais elle décida de l'ignorer.

Tout comme Alex. Il connaissait bien sa mère : elle tolérerait la présence de Rosa parce qu'elle était incapable de lui refuser quoi que ce soit.

— Je crois que ça m'a vraiment porté bonheur, confessa Alex en brandissant devant Rosa l'œuf de roussette qu'elle lui avait offert.

« Il l'a gardé ! » se dit-elle avec un étonnement ravi.

C'était un bon joueur d'échecs. Il était beaucoup plus fort qu'elle. Beaucoup plus réfléchi, aussi. Elle, elle agissait de manière impulsive, ne s'appuyant que sur son intuition, alors qu'il faisait appel à ses connaissances tactiques et à son intelligence. Rosa ne prenait guère le temps de prévoir les coups ; Alex étudiait l'échiquier comme s'il allait y découvrir les mystères de l'existence.

Néanmoins, elle progressa rapidement, et parvint même à gagner de temps en temps. Si bien qu'elle s'intéressa bientôt à tous les autres jeux rangés dans la bibliothèque.

— Canasta, backgammon, énuméra-t-il.

Puis il attrapa une planchette perforée, longue et étroite.

— Ça, c'est un jeu de cribbage.

Elle pouffa de rire.

— Avec un nom pareil, on dirait un truc à manger.

— C'est drôlement bien. Je vais t'apprendre.

9

Eté 1986

C'était le quatrième été qu'ils passaient ensemble, et ils suivaient une routine désormais bien établie. De la mi-juin à Labor Day, le premier lundi de septembre, ils formaient un duo inséparable, au grand dam de Mme Montgomery qui n'approuvait pas leur amitié. Mais Alex avait su la manœuvrer en échafaudant une longue argumentation selon laquelle la compagnie d'une personne de son âge l'aidait à enrayer sa maladie en supprimant l'angoisse que lui causait la solitude.

Rosa n'en revenait pas que Mme Montgomery avale ces boniments. C'était sans doute parce que son amour maternel lui ôtait toute lucidité. Elle était froide et sévère, mais elle adorait Alex. Elle avait bien tenté, par le passé, de le convaincre d'inviter des garçons de son âge et surtout de son milieu : de riches estivants, par exemple. L'idée plongeait chaque fois Alex dans une telle colère qu'elle avait fini par y renoncer. Rosa s'en réjouissait car, à l'exception d'Alex, elle considérait les vacanciers de Winslow comme des snobs uniquement préoccupés par leur bronzage et leurs tenues vestimentaires. Pop lui recommandait, néanmoins, de se montrer polie avec ces gens qui lui permettaient en grande partie de gagner sa vie.

Tous les ans, à la fin de l'été, Alex regagnait la ville. Ils se promettaient alors de s'écrire et ne tenaient jamais parole. Pendant les premiers temps qui suivaient leur séparation, Rosa éprouvait un sentiment d'abandon. Puis la vie reprenait son cours et l'année passait ainsi. Quand arrivait l'été suivant, ils renouaient sans effort. Retrouver Alex procurait à Rosa le même plaisir qu'enfiler un vieux chandail confortable dont on avait oublié l'existence.

Cependant, le quatrième été, sans qu'elle en comprît les raisons, Rosa se sentit intimidée en présence de son ami. Ils étaient toujours les mêmes, pourtant : lui, maigre, pâle et plein d'humour ; elle, exubérante et tyrannique. Néanmoins, leur relation s'était légèrement modifiée. Cela procédait sans doute de « la différence des sexes », comme disaient les bonnes sœurs qui avaient projeté à la classe *De la petite fille vers la femme* et *Du petit garçon vers l'homme*, ces vidéos complètement niaises que même les religieuses étaient tenues de montrer à leurs élèves.

Selon ces films et leurs critères, Rosa était encore une petite fille et Alex un petit garçon. Il était toujours aussi fluet, et sa voix ne semblait pas vouloir muer. Elle-même était plutôt efflanquée, et s'il lui arrivait d'envier les seins de Linda Lipschitz, la perspective de cette transformation l'effrayait. Peut-être la présence de sa mère lui aurait-elle permis d'envisager les choses autrement mais, sans elle, Rosa se réjouissait que la nature prenne son temps.

Mme Montgomery non plus n'avait pas changé. La première semaine des vacances, Alex fut condamné à rester cloîtré dans sa chambre, sous prétexte qu'il souffrait d'un rhume de cerveau. Peu importait, songea Rosa en essayant de surmonter sa déception de ne pouvoir profiter du temps superbe : ils trouveraient des occupations à l'intérieur.

Un jour de juin, Rosa arriva chez Alex impatiente de lui dévoiler une idée qui avait germé dans son esprit. Aussitôt qu'elle pénétra dans la bibliothèque où il lisait son millième livre, elle maîtrisa son appréhension et lui flanqua un prospectus sous le nez.

— Qu'est-ce que c'est ? demanda-t-il en remontant ses lunettes.

— Lis, dit-elle sur un ton solennel.

— « Locks for Love, un organisme à but non lucratif qui fournit gratuitement des postiches aux malades qui ont perdu leurs cheveux à la suite d'un traitement médical. » Ils ont joint un formulaire à remplir pour le cas où l'on souhaiterait faire un don.

Il désigna ses propres cheveux qui étaient plutôt fins.

— Qui voudrait de ça ? demanda-t-il.

— Très drôle ! lança-t-elle avec mépris. Va me chercher les ciseaux.

Il contempla l'épaisse chevelure bouclée qui descendait jusqu'à la taille de Rosa.

— Tu es sûre ?

Elle lui adressa un signe affirmatif. Elle pensait à sa mère, devenue chauve à cause de la chimiothérapie et dont la peau du crâne ressemblait à celle d'un oisillon tombé du nid. Elle avait mis des écharpes et des chapeaux ; quelqu'un à l'hôpital lui avait procuré une perruque, qu'elle avait refusé de porter parce qu'il était trop visible qu'elle n'était pas fabriquée avec de vrais cheveux. Si seulement Rosa avait connu l'existence de « Locks for Love », à ce moment-là…

— Allez, Alex, vas-y !

Elle souffla en l'air pour écarter les anglaises qui lui tombaient sur le front. Elle était toujours mal coiffée, un peu hirsute, car il n'y avait jamais d'élastique ni de barrette à la maison. Pop ne pensait pas à en acheter, et elle oubliait toujours de le lui rappeler.

Elle leva les yeux et surprit Alex qui l'observait.

— Qu'est-ce qu'il y a ?

— Tu veux vraiment que je te coupe les cheveux ?

— De toute façon, ils sont trop longs.

— Il y a des salons de coiffure, dit-il avec gravité. Ma mère m'emmène chez Ritchie.

— Je ne crois pas que ça me plairait. C'était Mamma qui s'occupait de ça quand j'étais petite.

Et, tout à coup, sa gorge se serra. Un atroce sentiment de manque la prit par surprise. Elle cligna plusieurs fois des yeux et essaya d'avaler sa salive. Sans résultat. Elle avait une boule dans la gorge. Cette émotivité imprévisible et incontrôlable était sans aucun doute liée à cette fameuse période de transition entre la petite fille et la femme, telle que les bonnes sœurs la lui avaient présentée…

Alex l'observa encore quelques instants. Une fois de plus, il remonta ses lunettes sur son nez. Un de ses tics. Elle planta son regard droit dans le sien et réussit à étouffer ses larmes.

— Va chercher les ciseaux. Et un chouchou.

— Un quoi ?

Elle leva les yeux au ciel.

— Un élastique, ça ira. Sur le papier, ils disent d'envoyer une queue-de-cheval. Remue-toi, Alex !

— On pourrait peut-être demander à Mme Carmichael… ?

— Alex !

Comme un condamné à mort marchant vers la potence, il monta à l'étage, et Rosa l'entendit fouiller ici et là. Quand il revint, il tenait à la main un élastique et une paire de ciseaux. C'était ça qu'elle appréciait chez Alex : comme il était son meilleur ami, il se sentait obligé d'obéir à tous ses désirs, même s'il n'était pas d'accord.

« En route vers l'aventure ! » se dit-elle.

Elle attrapa une serviette de toilette et sortit dans le jardin. Alex la suivit en ronchonnant.

— Attends. Il faut d'abord que je me brosse les cheveux et que je me fasse une queue-de-cheval.

— Comme tu voudras…, répondit-il en secouant la tête en signe d'impuissance.

Les cheveux longs et bouclés de Rosa étaient complètement emmêlés. Elle les avait lavés avant de venir, en prévision de l'opération, mais, durant le trajet à vélo, le vent les avait malmenés.

— Donne-moi la brosse, dit Alex.

Elle fut de nouveau envahie par cette gêne mystérieuse qu'elle avait ressentie au moment de leurs retrouvailles.

— Comme tu voudras, répondit-elle en reprenant délibérément la phrase utilisée par Alex quelques instants auparavant.

— Tourne-toi.

Au début, ses gestes furent hésitants. Il se contenta d'effleurer la chevelure de Rosa.

— Waouh ! T'as une de ces crinières !

— Ce n'est pas ma faute.

— Oh ! ce n'est pas une critique… Arrête de bouger et tais-toi, pour une fois.

Pour ne pas lui compliquer la tâche, elle se tint parfaitement immobile, et il parvint à démêler sa tignasse sans lui faire le moindre mal. Il procéda mèche après mèche, jusqu'à ce que la brosse glisse sans accroc. Sa patience et sa douceur produisirent sur Rosa un effet étrange et merveilleux. Quand il effleura sa nuque, ce simple contact l'émut à tel point qu'elle ferma les yeux et se mordit la lèvre pour contenir un soupir de plaisir.

La respiration d'Alex semblait parfaitement normale,

nota-t-elle, attentive comme toujours aux éventuels signes précurseurs d'une crise d'asthme. Mais il y était moins sujet depuis qu'on lui avait prescrit un nouveau traitement, beaucoup plus efficace que le précédent.

— Bon, murmura-t-il. Je crois que j'y suis à peu près arrivé.

Après avoir lissé les cheveux de Rosa, il les ramassa en une queue-de-cheval, puis il fit un pas de côté et se pencha en avant.

— Rosa ?

— Quoi ? demanda-t-elle dans un sursaut, en ouvrant brusquement les yeux.

— Tu as l'air bizarre. Tu es sûre de vouloir continuer ?

— Absolument.

— D'accord. C'est à toi de décider ! lança-t-il en se replaçant derrière elle.

Et il commença à jouer des ciseaux. Mamma ne procédait pas du tout de cette façon, songea Rosa. Mais tant pis ! Elle était ravie de se débarrasser de sa tignasse, étant donné que, sans sa mère, elle n'arrivait pas à l'entretenir correctement. Et puis, surtout, il y avait quelque part aux Etats-Unis quelqu'un qui avait absolument besoin de ses cheveux.

Chaque coup de ciseaux semblait lui enlever un poids. Quand l'épaisse queue-de-cheval finit par tomber à terre, Alex baissa les yeux d'un air penaud.

— J'ai bien peur de ne pas être un excellent coiffeur.

Elle passa la main sur sa tête, qui semblait ne plus rien peser.

— Alors, comment je suis ?

Il la considéra avec gravité avant de répondre :

— Je ne sais pas.

— Bien sûr que si, tu sais ! Je suis juste en face de toi.

— Tu es… toi-même, Rosa. Mais avec moins de cheveux.

Comment se fier à lui, de toute façon ? A part son ami Vince, aucun garçon n'était capable de juger d'une coiffure ou d'un vêtement. Il faudrait qu'elle lui demande son avis.

Elle ramassa la queue-de-cheval et la brandit devant elle à bout de bras. Alex recula, comme si elle lui montrait un animal écrasé sur le bord de la route.

— Eh bien, dit-elle, on devrait pouvoir en faire une perruque !

— Une drôlement belle, même, confirma Alex en s'approchant prudemment. Peut-être deux…

Au moment où, selon les instructions du prospectus, Rosa déposait son trophée dans un sachet muni d'une fermeture à glissière, Pop apparut au coin de la maison. L'air qu'il sifflotait s'étrangla dans sa gorge quand il vit sa fille.

— *Che cosa nel nome del dio stai facendo* ? hurla-t-il.

Il lâcha sa brouette et se précipita vers Rosa. Puis il pivota sur lui-même et fit face à Alex. Quand il vit les ciseaux dans sa main, il leva le poing.

— *Ragazzo imbécile !* Qu'est-ce qui t'a pris de faire ça ?

Alex avait blêmi. Il laissa tomber les ciseaux dans l'herbe.

— Je… je… je…

— C'est moi qui le lui ai demandé, intervint Rosa.

— Demandé quoi, au juste ?

C'était Mme Montgomery qui venait s'informer de la cause du vacarme.

— Oh ! mon Dieu ! s'écria-t-elle en voyant Rosa.

— C'est lui, s'étrangla Pop. Il… il…

— Non, non, c'est moi ! répéta Rosa d'une voix plus assurée, en exhibant le sac de plastique transparent. J'ai décidé d'offrir mes cheveux à…

Elle s'interrompit tout net, soudainement consciente de la mine contrite d'Alex, de l'expression d'horreur sur le visage de Pop et de l'air désapprobateur de Mme Montgomery. Le spectacle de sa propre chevelure à l'intérieur du sachet acheva de la déstabiliser. Le plaidoyer, qu'elle trouvait si raisonnable quelques instants auparavant, lui semblait soudain dérisoire…

C'est alors que survint l'impensable. Là, devant Pop, devant Alex, devant Mme Montgomery… elle éclata en sanglots. Dès lors, elle n'eut qu'une seule idée en tête : se sauver, disparaître. Aveuglée par les larmes, elle prit ses jambes à son cou et se lança dans une course éperdue, comme si elle était pourchassée. Mais non ! personne ne lui courait après. En fait, ils étaient tous les trois étrangers à son désarroi. Elle se les représentait en train de hocher tristement la tête et de se lamenter : « Pauvre Rosa ! » « Qu'aurait pensé sa mère ? »

Sans réfléchir, elle courut vers la plage déserte. Hors d'haleine, elle se jeta par terre et prit appui contre la vieille barrière de bois qui empêchait le sable de s'écouler. Elle replia les genoux contre sa poitrine et s'effondra, secouée par des sanglots qui venaient d'une blessure enfouie au plus profond d'elle-même et qu'elle avait bêtement crue cicatrisée. Jamais cette plaie ne guérirait. Elle le savait, à présent. Elle serait toujours une orpheline, obligée de grandir toute seule, sans sa mère à côté d'elle pour l'empêcher de commettre des erreurs ou la réconforter si c'était déjà fait.

Des hoquets incontrôlables soulevaient sa poitrine. Elle suffoquait comme quelqu'un qui se noie. Heureusement, le ressac couvrait ses gémissements... Quand elle fut enfin apaisée, elle se sentit vidée, épuisée. Le vent ébouriffait ses cheveux courts qu'elle peigna rageusement avec ses doigts.

— Est-ce que... Est-ce que ça va ? demanda une voix toute proche.

Surprise, et mortifiée qu'Alex eût été témoin de sa douleur, Rosa eut un mouvement de recul.

— Qu'est-ce que tu fais ici ? lui demanda-t-elle.

Redoutant une explosion de colère, il n'osa lui sourire franchement, tandis qu'il lui tendait une enveloppe en papier kraft sur laquelle il avait très soigneusement écrit une adresse.

— J'ai expliqué ton projet à ton père et à ma mère, et

ils l'ont compris. Tout est arrangé, Rosa. Tu n'as rien à craindre. Ton père est très fier de toi et ma mère trouve que tu as bien agi.

Elle s'essuya le visage avec un pan de son corsage. Elle était à bout de forces, et en même temps surprise d'avoir oublié pendant quelques instants toute idée d'humiliation. Assise sur ses talons, elle leva la tête vers Alex.

— Je n'ai pas assez réfléchi, et j'ai terriblement honte, avoua-t-elle. Je suis hideuse, maintenant.

— Non, protesta-t-il en s'agenouillant à son côté. Non, ça te va bien. Je t'assure.

Ce fut alors que tout bascula. En un clin d'œil. Alex passa les bras autour de ses épaules, avec maladresse, certes, mais sans aucune hésitation. Rosa en fut abasourdie, déconcertée, et... elle eut l'impression de ne plus être elle-même. Ça devait être en rêve qu'elle était assise là, dans les bras d'Alex, son visage si près du sien qu'elle perçut son souffle contre ses lèvres.

— Tu n'as rien à craindre, Rosa. Je te le promets.

Et, à ce moment-là, il l'embrassa. Elle sentit ses lèvres presser les siennes, légèrement d'abord, puis avec davantage d'insistance. Elle répondit à ce baiser... et découvrit des sensations si intenses qu'elle perdit pied. Un baiser n'engageait pas que les lèvres, comprit-elle pour la première fois. Il y avait là une vibration si profonde, un abandon de soi si total... C'était tout simplement merveilleux !

Leurs bouches se détachèrent lentement. Alex était écarlate. Elle aussi, sans doute.

— Eh bien, dit-il en remontant ses lunettes sur son nez, on peut considérer que tu es ma petite amie, maintenant.

— Quoi ?

Elle éclata de rire et se leva d'un bond, saisissant l'enveloppe au passage.

— Tu peux toujours rêver, Alex Montgomery !

— Je sais très bien que l'idée ne te déplaît pas.

Ses yeux se plissèrent quand il lui sourit. Il courut après elle jusqu'aux abords de la plage. Alors, pour le ménager, elle ralentit, et ils continuèrent leur chemin côte à côte, épaule contre épaule. Puis ils se donnèrent la main et rentrèrent d'un pas nonchalant, en bavardant comme de très bons amis. Rosa se sentait merveilleusement bien, et la fraîcheur de la brise qui lui caressait le cou ne faisait qu'intensifier cette impression de plénitude.

TROISIÈME PARTIE

10

Alex Montgomery se réveilla avec la sensation qu'un semi-remorque roulait dans son crâne. Il avait les paupières collées, et la bouche tellement sèche qu'il aspirait l'air avec difficulté. Il craignit un instant d'être victime d'une crise d'asthme, puis, très progressivement, avec mille précautions pour ne pas aviver la douleur qui lui vrillait les tempes, il finit par entrouvrir les yeux et s'appuyer sur les coudes.

Ce n'était pas un semi-remorque. Seulement le bruit des vagues qui lui parvenait par la fenêtre de sa chambre. Et il n'était pas malade : il avait la gueule de bois.

Ce qui revenait au même, finalement.

Avec un gémissement, il repoussa les draps et s'assit.

Quand il était étudiant, il considérait les beuveries comme le moyen idéal d'échapper à soi-même.

Ce n'était pas le cas, aujourd'hui.

Il chercha ses lunettes à tâtons, enfila un short effiloché coupé dans un vieux blue-jean, puis tituba jusqu'à la salle de bains pour se brosser les dents.

L'image que lui renvoya le miroir lui arracha un grognement. Une barbe de deux jours, des yeux injectés de sang, un pli amer de désillusion sur les lèvres... Frissonnant de dégoût, il renonça à cet examen impitoyable pour se consacrer à ses ablutions.

Le robinet entartré commença par crachoter une eau rouge brique, puis, en l'ouvrant davantage, Alex réussit à obtenir un filet continu un peu trouble mais utilisable. Il découvrit ensuite sur les étagères un tube d'aspirine pour bébé dont la date de péremption remontait à 1992, un flacon de teinture d'iode au bouchon rongé de rouille et, bien entendu, les inévitables seringues de son enfance. Il ramassa le tout pour le jeter à la poubelle.

« Mieux vaut garder l'aspirine », se dit-il en reprenant le tube et en le fourrant dans sa poche.

Il se passa ensuite de l'eau sur le visage, et s'essuya vigoureusement avant de chausser ses lunettes. La perspective de se raser, comme celle de mettre ses lentilles de contact, lui semblait insurmontable pour le moment.

— Café ! murmura-t-il.

Il enroula la serviette autour de son cou et descendit l'escalier en traînant les pieds.

Comme il s'y attendait, la présence de sa mère était sensible dans toute la maison. Bien que personne n'y eût mis les pieds depuis douze ans, la propriété avait été régulièrement entretenue. On ne plaisantait pas avec les apparences chez les Montgomery !

En passant devant la chambre qui avait été celle de ses parents, Alex crut déceler le parfum caractéristique de sa mère : Chanel N° 5 et cigarettes Dunhill. Ses talents de maîtresse de maison se révélaient dans le parfait ordonnancement des photographies qui décoraient le mur de l'escalier, ainsi que dans la vaisselle soigneusement rangée dans les placards de la cuisine.

Au fond du cellier, Alex découvrit des boîtes de conserve un peu rouillées : thon, anchois, haricots blancs cuisinés, soupe et, naturellement, une cargaison d'olives pour l'apéritif. Mais pas le moindre paquet de café.

Le réfrigérateur, lui, ne contenait que le pack de Narragansett — une bière réputée de Rhode Island — qu'il y avait déposé la veille au soir. Il resta un long moment à considérer les canettes, puis jeta un coup d'œil à la pendule. Il était 10 h 30 du matin…

Le moteur du frigo se mit en route, comme pour l'inciter à prendre une décision.

— Et puis zut !

Il s'empara d'une canette, la décapsula et en avala une goulée, qui lui procura une délicieuse sensation de fraîcheur.

Sans prendre la peine d'enfiler une chemise, il sortit sur la galerie couverte, face à la mer, et s'assit dans un fauteuil en osier rongé par les intempéries. Les coussins étaient remisés depuis des années, et ils ne referaient sans doute jamais surface. Autrefois, avant Memorial Day, à la fin du mois de mai, sa mère avait coutume de laisser des ordres pour qu'on ouvre la maison, qu'on approvisionne le cellier et qu'on enlève les draps qui recouvraient les meubles.

Fini, désormais. Pour toujours…

La veille, il avait cherché du réconfort auprès de ses amis, des gens qui le connaissaient depuis des années et qui étaient censés l'aimer, mais la molle compassion qu'ils lui avaient témoignée avait à peine atténué son chagrin. Il éprouvait une sensation de torpeur. D'agacement aussi, à la pensée que Nathalie Jacobson n'avait rien trouvé de mieux que le courtiser, un soir comme celui-là !

Certes, les aventures passagères étaient toujours les bienvenues, même après la mort d'une mère. Pourtant, aussi ivre qu'il eût été, les yeux concupiscents de Nathalie avaient provoqué en lui un violent sentiment de honte.

De toute façon, il était obsédé par Rosa Capoletti. Et dire qu'il avait cru pouvoir la chasser définitivement de son esprit, grâce à ce qu'il considérait comme une ultime entrevue ! Avec le recul, son plan lui parut lamentable : cette soirée d'excès en compagnie de sa bande était même… pitoyable.

Il aurait dû deviner qu'il allait tout droit à l'échec. Rosa occupait une place à part dans son univers affectif, même s'il était incapable de la définir précisément, et les retrouvailles de la veille n'avaient fait que le confirmer. Dès qu'il avait posé les yeux sur elle, il en avait pris conscience. La vue du nautile, mis en valeur derrière le bar par un éclairage qui lui était entièrement dédié, avait encore renforcé sa conviction. Le coquillage était le premier et le seul cadeau qu'il eût offert à Rosa, et elle l'avait gardé… Voilà qui donnait à réfléchir.

Il reprit une gorgée de bière. La journée promettait d'être chaude mais ici, sur la terrasse, la température était idéale. Malgré la fatigue qui continuait à lui brûler les yeux, il promena son regard sur ce vieux domaine, jadis le théâtre de réunions de famille et de fêtes élégantes, où il avait librement gambadé, en compagnie d'une petite personne plus surprenante que toutes celles qu'il avait été amené à rencontrer par la suite.

En dépit de la pelouse parfaitement tondue et des haies fort bien taillées, le jardin donnait une impression d'abandon. Dans la mare, vraisemblablement nourris par les cadavres de poissons, les nénuphars avaient proliféré.

Là-bas, à l'extrémité opposée de la propriété, se dressait une énorme souche, à moitié déracinée, dont la coupe était encore fraîche. Lors d'une récente tempête, l'arbre s'était abattu sur la « remise à calèches », écrasant le garage et laissant intacte la partie habitable. Comme il avait entraîné dans sa chute des fils électriques sous tension, les autorités locales avaient ordonné de l'enlever, et des ouvriers de la compagnie d'électricité étaient venus débiter le tronc et passer les branches au broyeur.

Hormis les dégâts subis par le bâtiment lui-même, dont le montant serait couvert par l'assurance, la seule victime du sinistre avait été la vieille Ford bleue de sa mère qui n'avait pas roulé depuis au moins douze ans. Mme Montgomery répétait continuellement qu'il fallait se débarrasser de toutes les vieilleries qui encombraient la remise, mais elle n'avait jamais vraiment décidé de le faire.

Dame Nature avait donc exaucé ses vœux. Et le shérif s'était chargé de faire remorquer l'épave jusqu'à la casse.

Quelle étrange sensation de se trouver dans cette maison pleine de toiles d'araignées et de souvenirs ! songea Alex. Assis sous la véranda, une bière à la main, le regard perdu vers l'horizon, il entendit de nouveau la voix de sa mère, tandis qu'elle parlait à un couturier, un décorateur, ou bien encore à l'une de ses « camarades de classe », comme elle les appelait toujours, malgré leur âge. Il éprouva sur son front la caresse de sa main lorsqu'elle venait dans sa chambre, les nuits où il était malade. Presque toutes les nuits, en fait…

Et ici, à l'endroit où le terrain descendait en pente douce vers la plage… C'est là qu'il avait vu Rosa Capoletti pour la première fois. Le début de leur amitié avait été marqué par la magie étincelante et éphémère de l'été. Quelques années plus tard, leur relation s'était embrasée en un bref moment de passion, avant de se dissoudre dans les larmes et les récriminations.

Il était loin d'imaginer à quel point il serait douloureux de la revoir. Il savait pourtant que leurs liens ne se dénoueraient jamais, et il aurait pu se douter que le premier sourire de Rosa ressusciterait le passé…

A cet instant, Alex ressentit le besoin impérieux, insistant et inattendu, de faire le point sur leur histoire.

Malheureusement, à en juger par son comportement

de la veille, Rosa n'était pas dans les mêmes dispositions que lui. Elle l'avait traité comme un intrus qui s'incruste à une fête à laquelle il n'a pas été convié. Eh bien tant pis ! Il était temps pour lui de savoir où ils en étaient exactement, tous les deux. D'autant plus qu'il avait décidé de passer tout l'été à Winslow. Le décès de sa mère l'avait ébranlé plus profondément qu'il ne l'aurait cru. Sa mort prenait une dimension douloureusement tragique, parce que cette femme n'avait jamais vraiment vécu...

Il avait quitté son appartement, ses amis, New York sur un coup de tête, et il avait demandé à sa collaboratrice, Gina Colombo, de prendre les affaires en main durant son absence.

Cette décision — qui ressemblait à un caprice — l'obligerait à affronter la réalité. Il en était à un point de son existence où il n'avait guère d'estime pour lui-même. Jusque-là, il avait négligé les valeurs fondamentales de la vie, en misant tout sur le paraître, et il ressentait maintenant le besoin de savoir qui il était réellement, une fois coupé de ses amis brasseurs de vent et de ces étrangers qu'il appelait « sa famille ». Il avait soif d'une relation authentique, comme celle qu'il avait connue avec Rosa et son extraordinaire vitalité. Oui, il avait besoin de Rosa.

Il vit une mouette tourner dans les airs, puis s'immobiliser au-dessus du marais, comme retenue par un fil invisible... C'est avec Rosa qu'il avait, pour la première fois, fait voler un cerf-volant. Elle avait assisté à bien d'autres de ses premières expériences : son premier bar capturé dans les rouleaux de la plage, sa première sortie à la barre d'un dériveur où, tel un cormoran, il avait quasiment volé au ras des vagues, à une vitesse époustouflante… Et puis il avait échangé avec elle son premier baiser.

Comme il regrettait qu'elle n'ait pas été la première femme à qui il ait fait l'amour ! Hélas, les circonstances en avaient décidé autrement. A l'époque déjà, en même temps qu'il la chérissait, une partie obscure de lui-même la fuyait.

Il avait passé quelques années à tenter de l'oublier, sans lésiner sur les moyens. Tout au long de ses études à l'université, puis à l'école de commerce, il avait couru de beuverie en soirée, feignant l'indifférence toutes les fois qu'une jeune fille brune ou dotée d'un rire sonore ou de l'accent de Rhode Island croisait son chemin. Maintenant, il comprenait que, malgré toutes ces années écoulées, Rosa palpitait encore en lui comme personne après elle. Elle avait fait partie de lui dès l'instant où il l'avait rencontrée.

La quitter, alors que tout son être aspirait à l'aimer, avait représenté un acte plus difficile encore que d'essayer d'élucider les secrets de sa famille. En comparaison, faire prospérer un fonds commun de placement quand la Bourse s'effondrait ou bien même convaincre son père de lui laisser suivre sa voie avaient été des jeux d'enfant…

Un chalutier, avec ses bras squelettiques dressés au-dessus de la coque, traversait la baie en crachotant, tandis qu'un petit voilier filait à vive allure en sens inverse. Ici, le temps semblait suspendu, et rien ne changeait, se dit Alex. A l'exception de la remise, endommagée par la tempête, tout était exactement dans le même état que le jour où, submergé de douleur et de colère, il avait quitté les lieux. Définitivement, pensait-il.

Aujourd'hui, un chagrin d'une autre nature l'avait forcé à faire le chemin inverse, contre son gré.

Dix années avaient filé depuis la dernière fois où il avait admiré ce panorama, senti cette brise sur sa peau et goûté l'âcreté de l'air marin.

Deux ans après l'accident, quand Pete avait été guéri, Alex était revenu pour tout expliquer à Rosa. Trop tard... Il y avait quelqu'un dans sa vie : l'adjoint du shérif.

Dès lors, Alex avait profité des milliers de distractions que sa profession lui offrait, les recherchant même, pour combler d'artifices le vide de sa vie. Avec obstination, il avait tout tenté pour ne pas perdre pied à cause d'une femme qui ne serait jamais sienne.

Cultivant son don inné de la finance, il avait intégré la firme familiale où il avait très vite excellé. Grâce à lui, ses clients engrangeaient des gains qui dépassaient leurs espérances. En deux ans, Alex était devenu *le grand manitou de la finance.*

Seul un zeste d'observation et de logique lui avait suffi. S'il apprenait qu'une protéine, ajoutée à de la bouillie, stimulait l'intelligence des bébés, il en exploitait aussitôt le potentiel, et le marché explosait. Dans les milieux boursiers, son flair exceptionnel était devenu légendaire. Mais ses intuitions n'avaient rien de magique. Il compulsait de manière obsessionnelle les rapports qui analysaient l'essor ou le déclin d'une entreprise. Son secret : se donner les moyens d'être meilleur que les autres. Voilà ce qu'il déclarait au cours de ses interviews.

Il repensait souvent à une âpre discussion qu'il avait eue avec son père, lequel jugeait ridicule d'introduire en Bourse Amazon.com — une obscure petite entreprise, à l'époque. Trois ans plus tard, l'action avait augmenté de 3 800 %, et le père avait enfin laissé les mains libres à son fils.

Mais l'œuvre de sa vie, c'était la gestion financière d'une compagnie privée d'assistance médicale dont les revenus servaient à financer la prise en charge des soins dispensés aux personnes défavorisées. La réalisation de ce projet avait engagé un duel au sommet avec son père, qui n'avait cédé que lorsque Alex avait menacé de quitter la firme familiale. Comme M. Montgomery n'aurait jamais compris ses motivations altruistes, Alex les lui avait cachées.

Le fonds d'accès aux marchés financiers, qu'il avait mis en place à destination des particuliers aux revenus modestes, lui tenait encore plus à cœur. A la différence des autres produits proposés par les Montgomery, celui-ci n'exigeait pas d'investissement minimum. Ainsi, certains de ses clients ne lui avaient confié que vingt dollars. Alex explorait là un secteur si peu rentable a priori que son père et ses associés n'y voyaient qu'un gâchis de temps et d'argent. Mais Alex, lui, était particulièrement fier de permettre à des gens aux revenus modestes de tenter leur chance.

Pour le moment, Alex avait la migraine.

Il sortit le tube d'aspirine pour enfant de la poche de son short, et déversa les minuscules comprimés dans la paume de sa main, en essayant de calculer combien de cachets il lui fallait, compte tenu de son poids. « Peu importe », décida-t-il. De toute façon la date de péremption était dépassée depuis belle lurette, et le médicament avait certainement perdu de son efficacité… Il avala tout avec une gorgée de bière et, au bout de quelques minutes, son mal de tête perdit de son acuité, en même temps que la ligne bleue de l'horizon entre ciel et mer devenait floue… Rien de tel qu'un cocktail d'aspirine et de bière pour fuir la réalité : un art dans lequel les Montgomery étaient passés maîtres depuis des générations.

Soudain, Alex entendit un crissement de pneus sur le gravier de l'allée, suivi du claquement d'une portière qui le fit grimacer de douleur. L'aspirine avait dû perdre ses propriétés, finalement.

Il se leva. D'un mouvement trop brusque, car les images se brouillèrent devant ses yeux comme des cartes à jouer lors d'un tour de magie, et il dut se concentrer quelques instants pour recouvrer son équilibre. Puis il posa sa bière et alla voir ce qui se passait.

Il arriva par le jardin, au moment précis où Rosa Capoletti s'apprêtait à frapper à la porte.

Il prit le temps de l'observer en catimini, pour juger de l'émoi qu'elle provoquait en lui, maintenant qu'il était dégrisé. Réponse : à la lumière crue du jour, sa vitalité explosive conservait le pouvoir de le troubler.

Elle avait rassemblé ses cheveux noirs et bouclés en une queue-de-cheval. Même sans maquillage, son beau visage semblait illuminé de l'intérieur par un feu qui exaltait le rouge de ses lèvres, la profondeur de ses yeux bruns frangés de longs cils noirs et son teint éclatant.

— Elle est pas mal, cette fille, lui avait dit son compagnon de chambre, à l'académie Phillips Exeter, en examinant une photographie de Rosa qu'Alex gardait toujours sur lui.

— Dans le style belle plante qu'appréciaient nos grands-pères, avait-il ajouté.

Alex ne se rappelait pas s'il avait frappé ou non son camarade pour le punir de cette remarque. Il espérait bien l'avoir fait…

— Bonjour, Rosa.

Elle fit volte-face.

— Alex ! Tu m'as fait peur.

— J'étais derrière la maison. Tu viens ?

Elle parut hésitante en le voyant torse nu. Et puis, finalement, elle gravit les premières marches du perron. En agrippant la rampe, elle fit céder l'un des barreaux, qui était pourri, et faillit tomber en avant. Oubliant sa migraine, Alex se précipita pour lui prendre le bras et l'empêcher de tomber. Il fut instantanément envoûté par le parfum de ses cheveux.

— Ça va ?

— Oui, très bien, répondit-elle en s'écartant de lui, les joues soudain en feu. Tu devrais faire réparer cette rampe.

— J'en ai bien l'intention.

Il n'aurait pas été étonné qu'elle en profite pour s'esquiver. Mais, à son grand soulagement, elle le suivit à l'arrière de la maison.

« Elle est vraiment superbe ! » songea Alex, fasciné par sa beauté à laquelle s'ajoutaient une maturité et une assurance nouvelles dont il se demanda comment elle les avait acquises. Que s'était-il passé pendant toutes ces années où ils s'étaient perdus de vue ? Enfant, déjà, elle refusait que l'on s'apitoie sur son sort d'orpheline. A présent qu'elle était adulte et indépendante, elle semblait maîtriser parfaitement le cours de sa destinée.

Il s'aperçut brusquement, et avec une certaine gêne, qu'il avait les yeux fixés sur ses seins. C'est ainsi qu'il découvrit, dissimulée au creux de sa poitrine, une minuscule croix en or.

— Tu veux boire quelque chose ?

Rosa aperçut la canette de bière posée sur le bras du fauteuil en osier.

— Non, merci.

— Je n'ai pas trouvé de café dans la maison.

« Ce n'est pas une raison pour boire de la bière au réveil ! » songea la jeune femme.

— Je viens d'arriver : je n'ai pas eu le temps de faire les courses.

Elle s'assit avec mille précautions sur la première marche du perron, craignant de toute évidence qu'elle ne s'effondre.

Alors qu'elle levait les yeux vers lui, l'espace d'un instant, il crut voir plusieurs versions superposées de Rosa : celle de son enfance, le garçon manqué qui l'avait entraîné dans de folles aventures, puis l'adolescente timide qui lui avait tendu ses lèvres pour recevoir son premier baiser, et enfin cette jeune femme resplendissante qui semblait avoir réalisé ses rêves les plus ambitieux.

Puis la vision s'évanouit, et Rosa redevint une inconnue qui possédait une voiture haut de gamme, des vêtements de prix… et un regard empreint de méfiance.

« C'est à cause de toi, se reprocha-t-il. Tu ne peux t'en prendre qu'à toi ! »

Cette pensée lui valut un accès de colère et de rage contre lui-même. Pourquoi était-il venu ici, dans cette ville pleine de fantômes ? Dans cette maison vide où il n'y avait même pas un paquet de café ? En homme d'affaires respecté et reconnu, il détestait paraître à son désavantage.

Il s'assit à l'autre extrémité de la marche. Autrefois, ils pouvaient rester de longs moments silencieux sans en être le moins du monde embarrassés. Tandis qu'aujourd'hui… Il remarqua la manière dont elle croisait et décroisait les doigts… Apparemment, elle ne se sentait pas en sécurité dans son monde à lui. Etait-ce déjà comme ça, autrefois ?

— J'ai appris la mort de ta mère, ce matin, dit-elle. Je suis franchement désolée.

Elle était donc venue lui présenter ses condoléances. Il posa les coudes sur ses cuisses et se perdit dans la contemplation de l'océan.

— Eh bien, maintenant, tu sais pourquoi je suis là, dit-il enfin.

— Hier soir, tu m'as laissé entendre que c'était pour moi.

— J'avais trop bu.

— Ça t'arrive souvent ?

— Si c'était le cas, je tiendrais mieux le coup.

— Ne t'entraîne surtout pas à ce genre de sport !

Il la regarda attentivement. Devait-il voir dans cette remarque une allusion à sa mère ? Peut-être en savait-elle plus qu'elle ne le disait ? Car, bien sûr, les journaux ne racontaient pas tout. L'histoire éblouissante et pitoyable de Mme Montgomery était autrement plus tortueuse. Sans parler des circonstances de sa mort. Mais, apparemment, Rosa ne savait rien d'autre que ce qu'elle avait lu dans les journaux.

— C'est quoi, tes projets ? demanda-t-elle brusquement.

La veille, avant de l'avoir revue, il aurait juré que son choix de s'installer dans la grande demeure d'Ocean Road tenait à de simples raisons de commodité. Il voulait vendre son appartement de New York et ouvrir une filiale du groupe Montgomery à Newport. En attendant, il lui fallait un endroit où habiter. Mais dès qu'il avait posé les yeux sur Rosa, il avait compris que sa décision de vivre ici obéissait à des motifs autrement plus complexes.

Quoi qu'il en soit, pour le moment, il n'était pas en état de s'expliquer.

— Il y a des travaux à faire, ici. C'est un vrai chantier.

— C'est à cause de la tempête ? demanda Rosa en désignant la remise.

— Oui. La maison aussi aurait besoin d'être retapée.

— Je suis peut-être indiscrète, mais pourquoi n'es-tu pas avec ton père ?

Décidément, elle n'avait pas changé : pour elle, la famille avait toujours compté plus que tout, et c'était une de leurs nombreuses différences.

— Je vais à Providence, cet après-midi, pour… aider à organiser la cérémonie.

Il était conscient d'avoir esquivé sa question, mais il se sentait incapable de faire mieux pour le moment.

— J'en déduis que votre relation n'est pas meilleure qu'autrefois.

La migraine d'Alex revint soudain en force.

— Je ne suis pas le fils idéal dont il rêvait.

Sans doute Rosa le savait-elle déjà pour avoir souvent assisté aux scènes effroyables qui l'avaient opposé à son père…

Comme jadis, sans le jauger ni le juger, elle l'enveloppa de son regard limpide, plein de douceur. Elle cessa alors d'être une étrangère et redevint Rosa, le plus beau souvenir des étés de son enfance.

Quand Rosa Capoletti était petite, il préférait sa compagnie à toute autre distraction. Adolescente, elle l'avait mis en émoi. A présent qu'elle était une femme, il était fasciné par son pouvoir de séduction.

Peut-être certaines de ses connaissances féminines étaient-elles plus belles ou plus intelligentes ou plus cultivées que Rosa. Mais aucune, qu'elles fussent mannequins, étudiantes brillantes ou pianistes virtuoses, ne lui avait jamais fait un tel effet.

— Alors, tu ne m'as toujours pas expliqué quels étaient tes projets, Alex !

Impossible, décidément, de s'aveugler sur les vraies raisons qui l'avaient ramené à Winslow. C'était dingue, complètement dingue mais, une fois de plus, elle semblait l'avoir percé à jour.

S'égarait-il en tentant de renouer avec elle ? Eh bien non, justement. Jamais il n'avait été aussi convaincu de la justesse de ses choix. C'était le bon moment. Tous les événements récents convergeaient, comme si l'univers entier lui dictait de foncer.

— J'ouvre une filiale du groupe à Newport.

Formulée ainsi, à voix haute, sa décision paraissait parfaitement sensée et logique. En réalité, il ne serait jamais revenu dans la région sans le décès brutal de sa mère.

Il sourit pour dissimuler le chagrin que cette image avait éveillé en lui.

— Bon, assez parlé de moi. Et toi, alors ?

— Alex, tu viens de perdre ta mère, quand même !

— Raison de plus pour éviter que la conversation ne tourne autour de moi. On peut trouver un sujet moins déprimant.

Il ne voulait exposer ni ses projets ni ses problèmes. Et il était profondément las de penser à lui. Il s'adossa confortablement contre la marche et considéra longuement Rosa.

— C'est donc vrai ce qu'on lit dans les journaux : que ton restaurant est le meilleur de Rhode Island ?

Elle rayonna de fierté. La plupart des gens auraient affiché une fausse modestie. Mais pas elle.

— Décidément, tu es incroyable ! s'écria Alex.

Et, dans son élan de ferveur, il ajouta :

— Tu l'as toujours été.

Il reconnut dans ses yeux la même perplexité qu'il y avait lue, douze ans auparavant, quand il lui avait annoncé que tout était fini entre eux.

« Qu'est-ce qui nous est arrivé ? » semblait-elle lui demander silencieusement.

Aujourd'hui, comme hier, il se retrancha en lui-même. Autrefois, il avait craint de ne pas être à la hauteur des exigences d'absolu de Rosa. Aujourd'hui, il avait l'impression de se désintégrer sous son regard scrutateur.

— Qu'est-ce qu'il y a ? lui demanda-t-il.

— Nous étions si jeunes ! C'est à ça que je pensais.

— Et maintenant, nous sommes vieux.

— Parle pour toi ! lança-t-elle en arrachant un brin

d'herbe qu'elle enroula autour de son doigt. Tu savais qu'un enfant rit en moyenne trois cents fois par jour et un adulte seulement trois ?

— Non. Je l'ignorais.

— Je l'ai lu quelque part. Je ne sais plus où.

Ils se turent et restèrent assis à regarder la mer et à écouter le rythme régulier et apaisant du ressac sur la plage. Une mouette se posa sur la souche de l'arbre abattu. Puis, soudain, craignant que Rosa ne s'ennuie et décide de s'en aller, Alex essaya de relancer la conversation.

— « Chez Celesta »... J'aime bien ce nom. Tu l'as choisi en l'honneur de ta mère, naturellement.

— C'est sa cuisine qui a été la source d'inspiration de tout le projet. Heureusement qu'elle ne s'appelait pas Brunhilde ou Prudence.

Il leva sa canette de bière.

— A Celesta !

Il but une longue gorgée et s'aperçut qu'elle l'observait.

— Qu'est-ce qui ne va pas ? demanda-t-il.

— Il n'est même pas midi.

— Si madame le dit.

— Des sarcasmes ! Ce n'était pas dans tes habitudes.

— Je m'entraîne. En tout cas, ne t'inquiète pas pour moi. Je ne fais que suivre la tradition familiale des Montgomery. Pour faire son deuil, on boit.

— Tu appelles ça *faire ton deuil* ? Mais tu n'as pas encore la moindre idée de ce que ça représente !

Elle le regardait sans ciller, avec ses beaux yeux d'une honnêteté totale. Alex eut l'impression d'affronter un miroir magique qui lui renvoyait une image peu flatteuse de lui-même. La vérité était enfouie là, quelque part derrière le cristal de ses prunelles. Il y devina le vrai Alex, endurci et insatisfait, terriblement mécontent de lui-même. C'était une vision qu'il essayait habituellement de se cacher. Mais ce matin, il n'y arrivait pas.

— Je suis sincèrement triste pour ta mère, Alex, déclara Rosa. Je me rappelle qu'ici, dans cette maison de vacances, tu constituais tout son univers.

Une nouvelle bouffée de chagrin le transperça, avec la violence d'un coup de poignard, l'ébranlant au plus profond de lui-même. Il sentit sa poitrine se serrer et, contre toute attente, les larmes lui monter aux yeux.

A la différence des autres, Rosa savait mieux que personne quelle avait été son enfance.

Il hocha la tête et se détourna, espérant qu'elle changerait de sujet. Au loin, la ligne d'horizon se mit à danser devant ses yeux.

— Quand j'y repense, continua Rosa, c'était peut-être un peu lourd à porter pour un enfant d'être *tout l'univers* de sa mère. Mais elle n'en avait pas conscience, je crois. Je me rappelle comme elle te protégeait, comme elle veillait sur toi. Elle t'adorait.

A son grand désarroi, Alex se rendit compte que Rosa n'avait pas compris que l'amour de sa mère avait été un fardeau pour lui et non pas une chance. En baissant la tête, il vit qu'il avait machinalement écrasé la canette entre ses doigts.

Rosa le regardait intensément.

— C'est normal d'être en colère, tu sais.

— Je ne suis pas en colère, protesta-t-il en lançant avec force la canette dans les buissons.

Elle lui sourit, comme si les douze dernières années venaient de s'effacer.

— Tu te rappelles ? Je suis italienne. Alors, les sentiments qui débordent, ça ne me dérange pas. Au contraire.

Alex sentit l'étau qui lui broyait la poitrine se desserrer. Il était dispensé de jouer la comédie, devant Rosa ; il pouvait se laisser aller. Conscient de cette merveilleuse évidence, il éprouva enfin un sentiment de paix qui le soulagea plus sûrement que la bière et l'aspirine pour enfant.

Il entendit alors le moteur d'une voiture et se redressa.

— Je vais voir qui c'est.

Rosa se leva également.

— Tu devrais peut-être enfiler une chemise, Alex !

— Ah oui ! Tu as raison. J'avais oublié que j'étais torse nu.

— Et moi, je ferais bien d'y aller, ajouta-t-elle.

— Non ! s'écria-t-il sans réfléchir. Je t'en prie, reste !

Tandis qu'il maintenait ouverte la porte en signe d'invitation, elle hésita quelques instants avant de le rejoindre et d'entrer dans la maison. Il ne pouvait lire ses pensées sur son visage, songea-t-il en s'apercevant soudain que la simple présence de Rosa avait suffi à dissiper sa migraine.

Il attrapa un sweat-shirt, l'enfila et traversa la maison pour gagner la porte d'entrée. Au moment où il mettait le pied sur la terrasse, il entendit une portière claquer et, en découvrant ses visiteurs, il regretta d'avoir insisté pour que Rosa reste avec lui.

— Bonjour, papa. Je ne t'attendais pas.

— Rien d'étonnant à cela ! rétorqua sèchement son père.

Tiré à quatre épingles dans son costume trois pièces, M. Montgomery avait l'apparence d'un homme qui se rend à un conseil d'administration.

— Il aurait fallu que tu écoutes ton répondeur. J'ai laissé une bonne demi-douzaine de messages.

Alex avait eu d'autres soucis que de vérifier ses appels, mais il aurait perdu son temps en l'expliquant à son père qui ne comprenait rien à rien.

— Le réseau est capricieux, ici.

L'autre portière de la voiture s'ouvrit, et sa sœur apparut. Elle lui adressa d'emblée un regard fielleux.

— Tu aurais dû appeler, dit-elle. Le rapport du médecin légiste est arrivé : maman s'est suicidée. On pensait que ça t'intéresserait de le savoir.

11

Curieusement, Alex n'éprouva aucune surprise en entendant les propos de sa sœur. C'était comme s'il avait déjà vécu cette scène. Il regarda les deux êtres qui se tenaient sévèrement devant lui : sa famille… dont on aurait pu attendre qu'elle se serre les coudes dans cette épreuve. Eh bien non ! Ils étaient comme trois icebergs à la dérive, à se heurter lourdement les uns contre les autres.

— Entrez, leur dit enfin Alex.

Il n'avait pas oublié la présence de Rosa derrière lui. Tandis qu'il tenait la porte à son père et à sa sœur, un seul coup d'œil à sa mine effarée lui suffit à comprendre qu'elle avait entendu Madison.

Dans le même instant, le visage de sa sœur se figea de stupeur quand elle aperçut Rosa. Il lut sur ses traits combien elle regrettait de ne pas avoir tenu sa langue.

Quant à leur père, selon son habitude, il dissimula ses pensées derrière une attitude glaciale.

— Nous ignorions que tu avais de la compagnie, lâcha-t-il.

« La voiture de sport rouge garée devant la maison

aurait pu leur mettre la puce à l'oreille », se dit Alex. Mais il garda sa réflexion pour lui.

— Je partais, dit Rosa en franchissant le seuil.

Elle s'immobilisa un instant.

— Toutes mes condoléances, ajouta-t-elle.

Puis elle disparut, laissant la porte se fermer toute seule derrière elle.

Alex sentit une douleur fulgurante lui traverser le crâne, tandis que sa sœur le fusillait du regard et que son père gardait la posture rigide d'un chevalier dans son armure.

— Tu n'as pas mis longtemps à te faire consoler ! lui lança Madison. C'est la semaine dernière que tu as largué Portia van Deusen, si je ne m'abuse.

— Non, le mois dernier, rectifia Alex tout en se massant les tempes. D'ailleurs, c'est elle qui m'a quitté.

Il n'aurait jamais dû fréquenter cette fille. Au début, elle avait représenté pour lui une diversion plutôt agréable. Leurs familles étaient proches ; elle était belle, libre, et apparemment folle de lui. Ils avaient partagé des moments de joyeuse insouciance et avaient fini par coucher ensemble. Plusieurs fois. Dans son esprit à lui, l'aventure devait s'arrêter là. Portia, elle, avait conçu d'autres ambitions.

— C'est ce que tu cherches à faire croire : qu'elle t'a largué. Mais la vérité, c'est…

— Ça suffit !

La voix de leur père s'abattit sur eux tel un couperet,

et arrêta net leur dispute. Comme lorsqu'ils étaient enfants.

— C'est le décès de votre mère qui nous réunit ici, pas la conduite d'Alexander.

Alex serra les mâchoires de dépit. Pourquoi cette impuissance à réagir comme une famille normale ? En de telles circonstances, ils auraient dû se montrer solidaires, soucieux les uns des autres, même s'ils n'avaient jamais appris à le faire.

— Venez donc vous asseoir, proposa-t-il d'un ton neutre.

Il les précéda jusqu'au salon, une pièce claire et spacieuse, haute de plafond, avec un bow-window qui donnait sur la mer. Il retira les draps qui protégeaient les bergères et le canapé, et leur fit signe de s'installer.

En les examinant tous deux, il éprouva soudain la sensation pénible d'affronter des étrangers. Madison avait beau être sa sœur, elle lui avait toujours semblé lointaine. Elle avait fait ses études secondaires dans un pensionnat et, pendant les vacances d'été, elle partait en camp de vacances. Puis il y avait eu ses années d'université, à l'issue desquelles elle avait conclu un beau mariage. A présent, elle était une maîtresse de maison modèle. Avec son époux, Prescott Cheadle, associé dans un gros cabinet d'avocats à Boston, elle avait eu deux enfants, Trevor et Penelope, pour qui Alex avait beaucoup d'affection. Malheureusement, il connaissait bien mal leur mère, cette femme forte et séduisante, et aujourd'hui il le ressentait presque douloureusement. C'était comme un vide dans sa vie. Personne ne leur avait dit qu'un jour ils pourraient avoir besoin l'un de l'autre, et ils ne l'avaient pas compris par eux-mêmes.

Quant à leur père… Alex ne possédait pas le moindre indice susceptible de résoudre l'énigme qu'il représentait pour lui. En surface, M. Montgomery incarnait l'exemple parfait de la réussite sociale : un personnage respecté et influent qui avait su faire fructifier au-delà de toutes les attentes la fortune qu'il avait reçue en héritage. Mais aujourd'hui il n'était plus qu'un homme dont la femme venait de mettre fin à ses jours.

— C'est vraiment malheureux, dit Alex en trébuchant sur ces mots totalement inadéquats.

— Oui, c'est malheureux.

Un silence gêné s'installa. Madison se leva pour aller fureter dans la pièce.

— Alors, c'était qui, cette femme ? demanda-t-elle.

Elle n'avait donc pas reconnu Rosa ! Pour Madison et ses parents, la progéniture des domestiques faisait partie du décor. Madison n'avait jamais pris la mesure du rôle fondamental que Rosa avait joué pour lui. Elle ignorait à quel point la fille du jardinier avait illuminé son enfance de petit garçon malade, surprotégé mais bien mal aimé.

Et lui, que savait-il de la vie de sa sœur ? Presque rien.

— C'est Rosa Capoletti, répondit-il.

Madison n'eut aucune réaction.

— La fille de Pete Capoletti, intervint leur père,

comme un animateur de jeu télévisé qui fournirait un indice au candidat.

En tout cas, il n'avait pas oublié Rosa ! Alex en fut surpris. En revanche, contre toute vraisemblance, Madison semblait n'avoir conservé dans sa mémoire aucune trace du drame qui avait frappé le jardinier.

— C'est Pete Capoletti qui s'occupe de la propriété, renchérit M. Montgomery.

— Ah oui ! Un Italien très gentil, qui portait une casquette plate et qui chantait en travaillant. Il me semble que tu jouais avec sa fille à l'époque, non ?

— Voilà, c'est ça, répliqua Alex en réprimant un ricanement moqueur.

Il n'avait aucune envie de raconter son histoire avec Rosa et, de toute façon, il s'en sentait totalement incapable.

— Elle est passée me présenter ses condoléances… Bon, il serait peut-être temps que vous me racontiez pour maman.

Madison se tenait comme un mannequin posant dans une publicité pour un hôtel de luxe, avec son maquillage impeccable, ses ongles manucurés, sa chevelure blonde artistiquement mise en valeur.

M. Montgomery toussota et tendit à Alex une épaisse enveloppe kraft.

Alex sentit sa gorge se nouer tandis qu'il parcourait les documents. Parmi eux, un dossier marqué du sceau de l'Etat de Rhode Island portait deux signatures authentifiées devant notaire. A l'intérieur, il découvrit un rapport d'enquête officielle sur les causes du décès, et des expertises de médecins légistes, comme il y en a tant dans les mauvais films… Il fut pris de nausée en prenant connaissance du contenu de l'estomac de sa mère, de la quantité de substances toxiques présentes dans son corps et de la disposition des objets sur sa table de nuit.

Ses mains tremblaient quand il replaça le tout dans l'enveloppe.

— Tu ne savais pas qu'elle était déprimée ? demanda-t-il à son père, avec dépit. Tu n'aurais pas pu faire quelque chose ?

— On peut toujours faire quelque chose, répliqua M. Montgomery de manière laconique.

— Et où étais-tu pendant qu'elle avalait tous ces comprimés et tout cet alcool ? reprit Alex, exaspéré par ce calme imperturbable.

— C'est écrit là-dedans, répondit M. Montgomery en désignant les documents. J'étais dans mon bureau.

— Tu aurais pu aussi bien être sur la lune.

— Qu'est-ce que tu veux ? Que je me sente coupable ?

— J'aimerais seulement que tu ressentes quelque chose, rétorqua Alex.

— Je me sens mal. Je suis consterné.

Madison ne put retenir un rire sardonique qui frisait l'hystérie.

— Consterné ! Non, vraiment ! Tu pourrais aussi bien dire : « Je suis consterné parce que mon portefeuille d'actions s'est dévalué » ou : « Je suis consterné parce que je n'arrive pas à améliorer mon service au tennis »... Là, il se trouve que c'est : « Je suis consterné parce que ma femme vient de se donner la mort. »

— Madison ! Ça suffit !

— Je suis loin d'en avoir terminé, figure-toi ! s'écria la jeune femme, les yeux brillant de larmes. J'ai besoin qu'on m'aide à comprendre, et tu ne me donnes pas le moindre début de réponse. Toi non plus, Alex.

— Tu n'as pas un thérapeute pour ça ?

— Ce n'est pas drôle, petit frère.

— Je suis sérieux. C'est très grave, ce qui nous arrive, et je suis aussi désemparé que toi.

« Ou presque », pensa-t-il. Car, en fait, il avait une vague idée sur ce qui avait pu pousser sa mère à commettre cet acte désespéré. Mais il n'était pas prêt à leur dévoiler quoi que ce soit.

— Nous sommes pitoyables, dit Madison d'une voix pâle.

Elle se leva et se dirigea lentement vers la cuisine en regardant soigneusement autour d'elle, comme si elle craignait de voir surgir des fantômes.

— Il y a quelque chose à boire ?

— De la bière. C'est tout, répondit Alex.

Il lança un regard interrogateur à son père.

— Non, merci.

— Moi, ça me convient parfaitement, dit Madison.

Alex entendit la porte du réfrigérateur s'ouvrir et se fermer, puis le bruit caractéristique d'une canette qu'on décapsule. Madison revint s'asseoir dans le salon et avala la moitié de la bière avant de déclarer d'un air désolé :

— Je viens de me casser un ongle.

— Il repoussera, lui dit Alex.

Puis il se tut pendant qu'elle buvait encore quelques gorgées.

— Tu crois que ta petite amie va vendre la mèche ? demanda-t-elle tout à coup.

— Comment ?

— Roseanne Rosannadanna, ou je ne sais pas comment tu l'appelles… En tout cas, papa et moi, nous n'en avons soufflé mot à personne.

— C'est mieux comme ça, renchérit leur père. Pour tout le monde. Inutile d'ébruiter ce drame.

Ce qui aurait été mieux encore, songea Alex, c'est que rien de tout ceci ne se soit produit. Mais voilà… C'était la vie. « On ne sait jamais ce qu'elle nous réserve », aurait dit Rosa.

— Moi aussi, déclara Madison, je tiens à ce que personne ne l'apprenne. J'espère vraiment que cette fille va se taire.

Alex aurait voulu rassurer sa sœur, lui certifier que leur secret serait gardé… Mais en était-il absolument certain ?

— Si elle est la même qu'avant, elle ne dira rien à personne.

— Franchement, Alex, ce que tu peux être niais ! Tout le monde change. Tu devrais le savoir mieux que personne.

— Pourquoi tu dis ça ?

Sans lâcher sa canette de bière, Madison se leva, s'approcha de la cheminée et retira d'un geste théâtral le drap qui recouvrait la tablette pour dévoiler un assortiment de vases et de photographies, ainsi qu'une bonbonnière de verre.

— Ah, ah ! Exactement ce que je pensais. Voilà la preuve. Tu crois vraiment qu'on ne change pas ? Alors, regarde ça !

Elle sélectionna une vieille photographie dans un cadre en argent terni, et la tendit à son frère.

Alex ne reconnut pas le personnage sur le cliché. Et pourtant... A l'arrière du cadre était collée une étiquette avec l'écriture serrée et précise de sa mère : « Alexander IV, été 1983. » La photographie proprement dite montrait un garçon chétif à la mine blafarde. A l'époque, bien sûr, il n'avait pas conscience de la gravité de sa maladie, et sa mère avait tout fait pour qu'il ne l'apprenne pas. Mais maintenant il voyait clairement les ravages causés par son asthme, ce mal qui, comme une ombre sinistre, rôdait sur sa vie, en arrière-plan.

La photo avait été prise dans la bibliothèque, cette pièce qui avait constitué son refuge favori quand on lui interdisait de sortir. Il était entièrement vêtu de blanc : sa mère avait sans doute été inspirée par *Gatsby le Magnifique*, cette vidéo qu'elle passait en boucle. En tout cas, à l'âge de dix ans, Alex était ridicule dans cet accoutrement. Ses cheveux étaient si blonds qu'ils en étaient presque translucides, ses jambes si maigres qu'on aurait dit des pattes d'oiseau. Avec ses yeux cernés, à l'éclat presque surnaturel, et ses joues creuses, il faisait pitié.

Alex reposa le portrait, en s'interrogeant sur les raisons qui avaient poussé sa mère à le conserver.

Madison aspira les dernières gouttes de bière, puis se leva et se mit à arpenter la pièce jusqu'à ce qu'elle tombe en arrêt devant une photographie de sa mère, assise dans l'un des fauteuils en osier, le visage tourné vers l'océan. Dans les circonstances actuelles, le cliché dégageait quelque chose de sinistre.

— J'ai besoin de savoir pourquoi elle a fait ça, déclara la jeune femme. Je t'en prie, papa, dis-le-nous !

Alex, touché par la note de désespoir qui perçait dans la voix de sa sœur, s'approcha d'elle et la prit maladroitement dans ses bras. Leur père, lui, demeura assis, statue immobile et impassible, à observer la scène. Décidément, les gestes d'affection ne faisaient pas partie des traditions familiales.

— Je l'ignore, finit par répondre M. Montgomery. Et je crains que nous ne trouvions jamais la réponse. J'aimerais pouvoir t'en dire davantage, Madison, mais je ne peux pas.

Pour la première fois, Alex sentit une connivence fugace avec son père, tandis que tous deux essayaient de réconforter Madison.

— Elle gardait bien des choses pour elle, vous savez.

— Quelles choses ?

« Aïe ! Terrain glissant ! » songea Alex.

— C’était quelqu’un de secret, vous le savez bien.

— Trop secret, dit Madison. Et maintenant... ça. Mais pourquoi ?

— Elle était malheureuse, avoua leur père.

— Comment peut-on être malheureux à ce point ?

« En passant toute sa vie dans le mensonge », songea Alex.

— Si elle était malheureuse depuis très longtemps, pourquoi avoir choisi ce jour plutôt qu’un autre pour se supprimer ? demanda Madison. Qu’est-ce qu’il avait de spécial ?

Alex se passa une main sur le visage. Il était envahi par une immense lassitude.

— Nous en sommes réduits à des conjectures. A quoi ça sert de se torturer ainsi ?

— A quoi ça sert ? On peut dire la même chose de tout ! s’insurgea Madison en se laissant tomber dans une ottomane sans même prendre la peine de retirer la housse qui la protégeait.

Alex fronça les sourcils, alarmé par le pessimisme de sa sœur, et échangea un rapide coup d’œil avec son père.

— Comment tu te sens, Maddy ?

— Comme quelqu’un qui vient de perdre sa mère, répondit-elle, interloquée par cette question. Je suis anéantie.

— Comment les enfants ont-ils pris la nouvelle ?

— Ils sont effondrés. Ils adoraient leur grand-mère. Penelope a dormi avec moi les deux dernières nuits.

« Avec moi », nota Alex. Pas « avec Prescott et moi ». Mais il préféra ne pas s'attarder.

— Je prie le ciel de n'être jamais obligée de leur parler du…

Au lieu de prononcer ce mot qui lui faisait mal, elle montra l'enveloppe d'un signe de tête.

— Je ne sais vraiment pas comment je pourrais leur expliquer… ce geste.

L'angoisse de sa sœur, qui transparaissait si clairement sur son visage, déclencha chez Alex une nouvelle flambée de fureur. Sa mère avait parfaitement conscience de l'impact qu'aurait son suicide, en particulier sur Maddy et ses deux enfants. Mais ça ne l'avait pas retenue…

Chacun demeura un moment plongé dans ses pensées puis, malgré le côté totalement surréaliste de la chose, ils parvinrent à discuter des « préparatifs ». A la surprise de son frère et de son père, Madison prit la direction des opérations. Alex comprit qu'il était important pour elle d'assumer cette mission. Elle était connue dans toute la région pour la qualité de ses réceptions et son talent d'organisatrice. Elle s'estimait donc la mieux placée pour gérer les obsèques de sa propre mère. Cet objectif parvint à mobiliser entièrement son dynamisme et son intelligence. Elle avait des idées bien claires sur les fleurs et la musique qu'il convenait de choisir. Alex en était abasourdi. Comment sa sœur pouvait-elle avoir la tête à ce genre de détails ? Peut-être était-ce une manière de surmonter l'angoisse…

M. Montgomery accepta les suggestions de sa fille

sans discuter. Chaque fois que Madison sollicitait son avis, il répondait immanquablement :

— Ton choix sera le bon.

Alex en éprouva une certaine amertume. Etait-ce là tout ce qui restait de trente-six années de mariage ?

— Et l'enveloppe ? Qu'est-ce qu'on en fait ? demanda Madison.

— Je n'en sais rien, répondit Alex. Est-ce qu'on en a besoin ?

— Moi, certainement pas. Elle avait une assurance sur la vie ? De toute façon, ils refuseront de verser quoi que ce soit.

— Elle n'en a jamais souscrit, intervint M. Montgomery.

Devant l'air surpris de sa fille, il ajouta :

— Elle refusait catégoriquement.

— En fait, je ne la connaissais pas vraiment, souffla Madison, l'air hagard. Je me demande d'ailleurs si quelqu'un peut se vanter de l'avoir réellement percée à jour.

Une interrogation singulièrement déprimante et juste, songea Alex en tapotant avec gaucherie l'épaule de sa sœur.

— Moi, non. Et toi, papa ?

— Tout ceci ne mène à rien. Nous ne pourrons qu'émettre des suppositions sans acquérir la moindre certitude.

Son téléphone portable se mit alors à sonner.

— Ce sont les pompes funèbres, annonça-t-il après avoir consulté l'écran. Excusez-moi.

Et il sortit rapidement.

— Je ferai tout ce que je pourrai pour éviter à mes enfants de supporter le poids d'un secret de famille, déclara Madison en se tamponnant les yeux avec un mouchoir. J'en fais la promesse solennelle, là, maintenant. Pas de secrets. Pas de mystères.

— Excellente résolution. Bien. Est-ce que papa et toi pouvez me ramener à Providence ? Je t'aiderai à organiser les obsèques. Il faut aussi que je récupère ma voiture pour apporter ici quelques affaires d'été.

— Ta voiture n'est pas là ?

— Non, je suis venu avec des amis de Newport, expliqua Alex, sans préciser qu'il aurait été incapable de conduire.

— Et ils t'ont abandonné ? Quels drôles d'amis ! La vieille voiture de maman n'est pas dans le garage ?

— Tu n'as pas vu dans quel état il est ?

Ils quittèrent la maison, et Alex désigna les dégâts de la tempête : le toit affaissé, les cadres de fenêtres écrasés, les poutres fendues.

— Qu'est-ce que tu comptes faire ? lui demanda Madison. Cet endroit est devenu un vrai chantier ! ajouta-t-elle en parcourant du regard l'immense parc, la mare envahie d'herbes…

— Alexander, je veux que tu reconsidères ta décision.

C'était son père qui parlait sur le ton qu'Alex avait entendu des centaines de fois dans son enfance, quand il se faisait rappeler à l'ordre.

— Tu ne peux pas vivre dans cette maison : elle n'est pas habitable. Prends un appartement à Newport. Ma secrétaire peut te trouver quelque chose aujourd'hui même.

— Non, merci. Je suis bien, ici. Il y a des travaux à faire, mais j'ai tout l'été devant moi.

— Un été ne suffira pas, objecta son père avec un hochement de tête dubitatif.

— On verra.

Alex s'arrêta là, pour éviter que la discussion ne débouche sur un conflit, un art dans lequel les Montgomery excellaient, même sans entraînement.

Ils quittèrent tous trois la propriété, et Alex s'étonna de constater à quel point il avait hâte d'arriver en ville pour se débarrasser de cette épreuve redoutable des funérailles.

Pendant le trajet jusqu'à Providence, il fut assailli de doutes. Son père n'avait-il pas raison en le dissuadant de s'installer dans ce lieu hanté par les souvenirs ?

Mais quand les effets de l'alcool se furent complètement dissipés, Alex prit conscience qu'il était essentiel pour lui de partir à la découverte de ces souvenirs, ces fantômes qui erraient dans la vieille maison déserte, parce qu'ils lui révéleraient certainement qui il était.

12

Aux Galilee Docks, le port de Winslow, l'air était chargé des senteurs fortes de la pêche du jour : homards, dorades, moules, clams, bars, petites morues, thons. Rosa déambulait parmi les caisses, en compagnie de Butch qui enregistrait ses choix en cochant des cases sur un bon de commande fixé à une tablette de bois.

En tant que propriétaire et directrice du restaurant, elle aurait pu déléguer les achats à ses employés. Mais elle prenait trop de plaisir à parcourir ces quais colorés, bruyants… et si pleins de souvenirs ! Elle était dans son monde, un monde où elle se sentait entourée de mille présences chaleureuses.

Elle contempla les oiseaux de mer à l'affût sur les toits en tôle ondulée des hangars et des entrepôts réfrigérés, et prêta l'oreille au crachotement des moteurs de bateaux.

— J'adore l'odeur de poisson, le matin ! s'écria Butch en inspirant l'air salin de manière théâtrale.

— Et moi, donc ! renchérit Rosa en enjambant un filet en train de sécher qui bourdonnait de mouches.

— Mon œil !

— Je t'assure. Avant, j'accompagnais ma mère ici.

Elle sourit en revoyant Mamma, pimpante dans une robe en coton dont les frais coloris mettaient en valeur le hâle de sa peau, son sac à main accroché à un bras et son grand cabas à l'autre.

— Son *cioppino* était légendaire. Les pêcheurs se mettaient en quatre pour elle ; ils se seraient battus pour avoir l'honneur de la servir.

— Dis donc, Rosa ! Mon *cioppino* à moi est tout aussi légendaire.

« Voilà bien les chefs ! » songea Rosa. Leur talent engendrait fatalement un amour-propre sourcilleux.

— A vingt-sept dollars sur la carte, il a intérêt à être irréprochable !

— C'est à cause du safran ! protesta Butch en s'éloignant pour passer ses commandes.

Rosa salua d'un grand signe de la main Lenny Carmichael, un camarade de l'école primaire qui avait repris l'entreprise paternelle de pêche au homard. Avec ses cuissardes jaunes et sa casquette de base-ball, il ressemblait de manière frappante à son père. Rosa lui devait, comme aux pêcheurs de Galilee, la plus grande part du succès de son restaurant. Ils lui fournissaient tous des produits de première qualité.

Selon les interprétations psychologiques qu'elle avait lues ici ou là, elle essayait, à travers son établissement, de faire revivre sa mère disparue. Mais ce diagnostic ne lui avait inspiré que du mépris : « Pfff ! Je sais exactement ce que je fais et pourquoi je le fais. Personne ne me fera croire que je suis cinglée ! »

Bien sûr, elle avait idéalisé sa mère. Et alors ? Cela faisait vingt ans qu'elle était orpheline et, à ce titre, elle se sentait le droit d'affirmer que Celesta Capoletti avait incarné la mère la plus parfaite dont une petite fille puisse rêver.

Et au sujet d'Alex, que lui conseilleraient les psychologues ? La plupart d'entre eux suggéraient d'aborder de front les conflits non résolus du passé. Linda, sa meilleure amie, était d'accord sur ce point. Rosa, elle, envisageait avec la plus grande méfiance de devoir se colleter avec d'anciennes souffrances et des déchirures toujours à vif.

Butch la ramena brusquement à l'instant présent en tapant du pied de manière ostensible.

— Quand tu seras revenue sur terre, tu me préviendras.

Elle régla son pas sur le sien, tandis qu'ils déambulaient parmi les montagnes de glace pilée où abondaient toutes sortes de poissons.

— J'ai l'impression de parler dans le vide, lui reprocha Butch.

— Tu te trompes, je t'assure. C'est juste que… j'ai des problèmes. Ça arrive, non ?

— Lesquels ?

— Je vais sans doute devoir engager un gérant pendant l'été.

— Tu nous sers la même rengaine tous les ans ! C'est

secondaire, ça. La vérité, c'est que tu n'arrêtes pas de penser à Alex Montgomery.

— Pas du tout.

Tous deux savaient très bien qu'elle mentait. Cet Alex Montgomery au regard bleu tourmenté, qui venait de perdre sa mère de la façon la plus atroce qui fût, occupait en effet toutes ses pensées. Bien qu'il s'efforçât de réagir avec une retenue exemplaire, comme tout Montgomery qui se respecte, il échouait à masquer la terrible colère qui l'habitait. Il avait un travail de deuil à accomplir, et Rosa n'arrivait pas à comprendre pourquoi il luttait de toutes ses forces afin de contenir sa peine…

L'arrivée de son père et de sa sœur l'avait profondément embarrassée, au point qu'elle n'avait vu d'autre solution que de se sauver sur-le-champ. Bien qu'elle connût Alex depuis tant d'années, le fonctionnement de sa famille demeurait un mystère pour elle. Dans ces circonstances dramatiques, comment trouvaient-ils la force de s'affronter, au lieu de tomber dans les bras les uns des autres et de pleurer ensemble ?

— Il est rentré, tu sais ? lâcha Butch.

Elle affecta un air détaché, bien que son cœur eût marqué un temps d'arrêt à cette nouvelle. Alex était parti depuis deux semaines, trois jours, une heure et vingt minutes. Loin d'elle l'idée d'en tenir le compte précis, mais…

— En fait, non, je l'ignorais. Et ça m'est égal.

— Il y a eu des articles dans la presse. L'enterrement de Mme Montgomery a eu lieu à Providence, il y a quinze jours, expliqua Butch en scrutant Rosa d'un œil inquisiteur.

— Ah bon ? dit-elle avec une désinvolture forcée. Et alors ?

— Ça doit faire bizarre de savoir que sa propre mère s'est suicidée.

Rosa eut l'impression que son sang se glaçait dans ses veines.

— Quoi ?

— C'était un suicide. Tous les journaux en parlent.

Elle regarda Butch, pétrifiée.

— Tu peux terminer les courses sans moi ? Il faut que je parte.

— Qu'as-tu fait de ton amour-propre, Rosa ? lui demanda-t-il, furieux. Tu ne vas quand même pas te traîner à plat ventre devant ce type ?

— Je ne me traîne pas. Je cours !

Des mouettes s'égaillèrent devant elle tandis qu'elle se précipitait vers le parking où elle avait garé sa voiture. Il fallait qu'elle voie Alex. Et vite.

13

Rosa cogna à coups redoublés sur la porte de la maison d'Ocean Road. En vain. Alex n'était pas là. Elle lui griffonna donc un mot : « Appelle-moi. Rosa », et ajouta son numéro de téléphone portable sur un bout de papier qu'elle coinça dans un interstice du chambranle.

Elle regagna sa voiture et mit le moteur en marche, terriblement contrariée de ne pas arriver à le joindre. Malgré l'infinité de tâches qui l'attendaient aujourd'hui, il lui était impossible de penser à autre chose qu'à Alex et au désarroi qu'il devait éprouver face aux indiscrétions dont la presse s'était rendue coupable.

En longeant la kyrielle de plages où, telles des perles sur un collier, se succédaient sans interruption des parasols aux couleurs acidulées et des chapeaux de toile, une intuition la fit soudain garer sa voiture sur le bas-côté de la route littorale. Puis elle marcha vers une plage qu'Alex affectionnait jadis, où elle n'avait plus mis les pieds depuis une éternité. Peut-être s'y trouvait-il…

En s'aidant des mains et des genoux, elle grimpa un raidillon et atteignit une maison abandonnée aux murs en pierre à moitié effondrés qui, telle une sentinelle, montait la garde depuis des années, témoin de l'inconscience d'un propriétaire qui avait rêvé de vivre tout près de la mer. « Quel beau rêve ! » songea Rosa. Avant de construire ici, l'imprudent n'avait probablement jamais assisté au spectacle d'une tempête venue de l'Atlantique, dont les vents, aussi bruyants qu'un bagad de cornemuses, étaient capables d'abattre les plus épaisses murailles et de déraciner des arbres centenaires.

Après avoir parcouru une centaine de mètres sur un chemin moins escarpé, elle parvint au bord d'un estuaire envahi par les roseaux et les joncs. De l'autre côté s'étendait une crique, aussi peu fréquentée que vingt ans auparavant, lorsqu'Alex et elle l'avaient découverte. Elle recelait davantage de souvenirs qu'un journal intime. Mais l'homme qu'elle cherchait ne s'y trouvait pas.

Les mains en visière, Rosa balaya du regard le paysage du nord au sud, percevant au loin la sirène d'un bateau, les rires de kayakistes près de la côte, le claquement des voiles de dériveurs lors des virements de bord…

Et, brusquement, elle devina où il s'était réfugié.

« Pourquoi là-bas ? » murmura-t-elle en rejoignant vivement sa voiture.

Tandis qu'elle suivait une majestueuse allée bordée d'arbres et qu'elle franchissait l'entrée monumentale du parc du Rosemoor Country Club, elle éprouva soudain un malaise intense, surgi des profondeurs du passé. Elle essaya de ne pas y prêter attention, mais le poids qui pesait sur sa poitrine l'étouffait. C'était là qu'elle avait vécu l'un des épisodes les plus humiliants de son adolescence, au point que, douze ans plus tard, la scène la hantait encore épisodiquement. Elle n'était pas à sa place ici, et elle ne le serait jamais, même si elle devenait réellement célèbre grâce à son restaurant ou à tout autre motif. Là s'élevait un bastion de la tradition, réservé à des gens dont la fortune était établie depuis plusieurs générations, voire depuis l'arrivée du Mayflower.

Tout en regrettant de n'être vêtue que d'une minijupe en jean et d'un T-shirt jaune vif, elle traversa le parking. Il régnait un calme irréel en ces lieux où tous les sons, jusqu'aux cris des mouettes, semblaient filtrés, hormis le bruit assourdi et raffiné des balles.

Le bâtiment, de style Tudor, sur lequel grimpaient à profusion des rosiers anglais, était niché dans un repli du terrain, entre l'aire minutieusement entretenue du tee de départ et le green du dix-huitième et dernier trou du parcours de golf. Il ouvrait directement sur un ponton où étaient amarrés des yachts de bois superbement restaurés et de gracieux bateaux de course à la ligne élancée. Sur la terrasse dominant la mer, des membres du club, en tenue de tennis et coiffés de casquettes à visière, bavardaient gaiement.

Passant outre son aversion pour ce lieu, Rosa entra dans la salle, refusant de se laisser intimider par l'écriteau « Réservé aux membres ». Des haut-parleurs invisibles diffusaient une douce musique de fond. Derrière sa caisse, l'employé l'accueillit avec une politesse de façade, sans lui cacher qu'il l'avait cataloguée comme une intruse.

— Je cherche Alexander Montgomery, dit-elle.

— Il me semble que M. Montgomery est sur la terrasse, mademoiselle… ?

— Capoletti. Il faut prendre l'escalier là-bas ?

— Oui, mais…

— Merci, monsieur.

Inutile de se retourner. Elle savait pertinemment qu'il ne l'avait pas quittée des yeux et qu'il enverrait vraisemblablement quelqu'un s'assurer qu'elle ne créait pas de scandale.

Arrivée en haut des marches, elle parcourut du regard la foule qui déjeunait, en tenue de tennis, de golf ou de voile. Toutes les tables munies d'un parasol étaient occupées. Tout à coup, son regard se posa sur une blonde BCBG qui faisait partie de la bande, l'autre soir, Chez Celesta. Elle était, d'ailleurs, en train de la jauger avec une curiosité hostile.

— Je suis venue voir Alex, dit Rosa avec un sourire forcé.

— Il vous attend ?

— Pourquoi ? Il faut prendre rendez-vous ?

— Il essaye de faire ouvrir le bar avant l'heure réglementaire, intervint l'un des convives avec un mouvement du menton vers l'autre côté de la terrasse.

Rosa quitta l'assemblée sans ajouter un mot. Elle s'en voulait terriblement de toujours se sentir diminuée en présence de ces gens-là. Elle s'imaginait qu'ils la considéraient comme une illettrée fraîchement débarquée de son chalutier. La réalité était pire encore : elle n'existait tout simplement pas à leurs yeux !

Elle dénicha Alex accoudé au comptoir, en train de contempler d'un air mauvais les rangées de bouteilles orphelines sans leur barman. Le soleil de midi faisait danser des reflets d'or dans ses cheveux et mettait en valeur sa silhouette élancée et sportive.

Il lui tournait le dos, mais elle le vit se raidir à son approche, comme s'il se préparait à l'affrontement.

— Bien joué, Miss Capoletti ! siffla-t-il quand elle fut suffisamment près de lui pour l'entendre.

— De quoi tu parles ?

Il fit volte-face, dans un mouvement de colère.

Dieu, qu'il était beau ! songea Rosa, presque à contrecœur. Puis son regard noyé de chagrin ressuscita en elle l'ombre fugace du petit garçon qui avait été son ami, autrefois.

— Tu étais la seule à savoir pour ma mère, déclara-t-il d'une voix sourde en essayant de contenir sa fureur.

— Manifestement pas.

— Ma sœur a de jeunes enfants qui sont particulièrement vulnérables. Mais je suppose que tu n'y as pas pensé.

Elle était sûre que toute l'assemblée tendait l'oreille pour entendre leur conversation.

— Nous ne nous connaissons plus, Alex. Mais je te promets que je ne suis pas devenue celle qui pourrait commettre pareille monstruosité.

— J'ignore qui tu es devenue.

— Je peux dire la même chose de toi, rétorqua-t-elle en tâchant de ne pas s'emporter.

« A qui la faute ? » ajouta-t-elle en son for intérieur. Le moment était mal choisi pour poser cette question, en cette période de crise où une certaine presse avait éclaboussé la famille d'Alex.

— Alex, déclara-t-elle solennellement, je te jure sur ce que j'ai de plus cher que je n'en ai pas soufflé mot.

Il s'écarta du comptoir et la dévisagea longuement. La brise marine bruissait dans les roseaux le long de la plage, soulevant légèrement sa chevelure blonde. Ses yeux étincelaient au soleil, mais la colère s'y dissipait peu à peu.

Eût-il été séparé de Rosa pendant une éternité, il aurait gardé quelques certitudes à son sujet. Il savait que jamais, non, jamais elle n'aurait pu mentir avec un tel aplomb.

— J'ignore d'où vient la fuite, Alex. Je te demande de me croire.

Il plia et déplia les doigts plusieurs fois, comme pour se donner du temps.

— Ce serait tellement plus simple si je pouvais t'accuser, soupira-t-il.

— Seulement voilà : ce n'est pas moi.

— Mais je le sais, bon sang !

— Alors, pourquoi es-tu fâché ?

— Parce que si c'était toi, j'aurais pu défouler ma hargne sur quelqu'un au lieu de me détruire moi-même.

Après la candeur de cet aveu, un bref silence s'établit, durant lequel Rosa n'eut plus devant elle qu'un homme meurtri par la mort de sa mère, survenue dans des circonstances épouvantables. Comment allait-il s'en sortir ? La vie facile qu'il avait menée jusqu'alors ne l'avait pas préparé à affronter pareil séisme.

— Comment as-tu deviné que je serais ici ?

Elle retint un ricanement moqueur. Les estivants comme lui s'agglutinaient toujours dans les lieux où ils étaient sûrs de se retrouver entre eux, obéissant à une forme d'instinct comparable à celui qui pousse les saumons à remonter les rivières pour pondre.

— Disons que c'était une intuition.

Elle le plaignait, maintenant, sans pour autant lui avoir pardonné.

— On ne pourrait pas aller ailleurs ? lui demanda-t-elle. Je crois que tes amis commencent à se lasser du spectacle que nous leur offrons.

— Ne t'occupe pas d'eux. Allons faire un tour.

— D'accord.

Tandis qu'il la guidait en direction d'un escalier extérieur qui descendait vers le ponton, elle sentit des regards lui transpercer le dos. Les amis d'Alex n'avaient pas besoin de justifier leur haine. Ils la détestaient, point final. Et il en avait toujours été ainsi. Quant à ses amis à elle, ils n'aimaient pas Alex, par principe.

Elle l'observa subrepticement, dans l'espoir de déchiffrer son expression. Hélas, elle avait perdu cette faculté.

Le silence s'installa, tandis qu'ils marchaient côte à côte, évitant tout contact, le long d'un sentier jonché de galets.

Les débris échoués sur le sable ne recelaient aucun

trésor, sinon, ici et là, un fil de Nylon translucide ou un tas de varech luisant, alors qu'au temps de leur enfance Alex ne manquait jamais de découvrir quelque merveille : un morceau de verre dépoli par la mer, un coquillage rare…

— A quoi tu penses ? lui demanda-t-elle soudain.

Elle s'aperçut, en la formulant à haute voix, que sa question impliquait quelque chose d'étrangement intime qu'elle n'avait pas cherché à y mettre.

— Je ne sais pas. Je regardais juste comment le sable montait à l'assaut de la palissade.

— En hiver, le vent le pousse dans la direction opposée.

— Je ne suis jamais venu en hiver.

— Je sais.

Un ange passa de nouveau. Autour d'eux, on n'entendait que la mer, dont le grondement étouffé des déferlantes, le crépitement des galets projetés puis roulés par les vagues accompagnaient le souffle du vent léger et parfumé qui ébouriffait leurs cheveux de sa caresse.

— Mon père a hésité à envoyer des fleurs, dit-elle finalement.

— Ça n'était pas nécessaire.

— Là n'est pas la question. Simplement, il s'est occupé du jardin pendant des années, alors je suppose…

— Laisse tomber, tu veux ?

L'agacement sensible dans sa voix la surprit, mais elle l'attribua au choc émotionnel qu'il venait de subir, sans, toutefois, être absolument certaine d'avoir raison.

Où était donc l'époque où elle lisait en lui comme dans un livre ouvert ?

Le regard d'Alex continuait de peser sur elle.

— J'ai quelque chose sur la figure ? lui demanda-t-elle d'un ton hargneux.

— Pardon ?

— Tu me regardes si bizarrement…

— Excuse-moi si je t'ai mise mal à l'aise. Ce n'était pas mon intention.

— O.K. Pas de problème.

Et le silence retomba.

Rosa bouillonnait intérieurement. Elle s'en voulait de ne pas oser poser à cet homme qu'elle avait tant aimé, jadis, les mille questions qui la hantaient.

— Tu es trop silencieuse, Rosa. C'est moi qui suis mal à l'aise, maintenant.

Elle conçut une envie presque irrépressible de le toucher. Elle amorça même un mouvement du bras, puis, bouleversée par le tressaillement de désir qu'elle sentit monter en elle, elle se figea.

— Je connais le chagrin qu'on éprouve à la mort de sa mère… Même si, dans ton cas, c'est encore plus terrible.

Elle se mordit la lèvre. Comment aurait-elle réagi si sa propre mère avait mis fin à ses jours ? Quant à imaginer que les gens l'apprennent et se mettent à jaser, c'était… insupportable.

Elle s'arrêta de marcher.

— Qu'est-ce que tu vas faire ?

— Je ne sais pas encore.

— Tu soupçonnes quelqu'un d'être à l'origine de la fuite ?

— Peut-être un membre du service de médecine légale. Nous allons tout vérifier.

— *Nous ?*

— Mon père et moi.

— Mais si le journal a parlé d'une source anonyme, il ne donnera aucun nom.

— On verra.

Sa belle assurance ne faisait que piquer la curiosité. Mais Rosa refusait de se laisser fasciner par l'autorité naturelle qui émanait de lui.

— Alex, quelle importance cela a-t-il ?

— Quoi ? Que ma mère ait mis fin à ses jours ou que les journaux en parlent ? Ecoute, Rosa, reprit-il devant le mutisme de sa compagne, la façon dont elle est morte peut rester secrète ou être diffusée aux informations du soir : personnellement, je m'en fiche éperdument. Mais mon père, lui, en est très affecté. Et ma sœur, également. A cause de ses enfants. C'est ça que je trouve vraiment moche.

Il s'était bien gardé d'analyser sa propre réaction face au suicide de sa mère, nota Rosa qui ne put s'empêcher de partager son ressentiment envers la presse, même si, jusque-là, elle l'avait plutôt considérée comme une alliée sur le plan professionnel : grâce à elle, la réputation de son restaurant s'étendait maintenant jusqu'à Miami, Londres, Los Angeles…

— Je trouve ça moche, moi aussi, le viol de votre intimité. J'en suis navrée pour toi, Alex.

Elle prenait mille précautions, alors qu'en définitive Alex ne représentait plus pour elle qu'une vieille connaissance. Il était devenu un copain, rien de plus…

Pourtant, elle ne pouvait résister à l'envie de le regarder à son insu. Ah ! Si seulement il n'était pas aussi… séduisant ! Impossible de le nier : il la subjuguait. Elle revoyait en lui le petit garçon, puis l'adolescent pressé de rattraper le temps perdu, une fois que sa santé s'était rétablie. Aujourd'hui, à trente ans, il était grand et athlétique.

— Et toi, Rosa, raconte-moi, reprit-il à brûle-pourpoint.

— Pourquoi ?

— Parce que ça m'intéresse de savoir comment tu as passé toutes ces années.

« A essayer de t'oublier, mon cher », répondit-elle silencieusement.

Et la situation n'avait pas changé, malgré tout le temps écoulé.

— Il n'y a rien d'extraordinaire. Après l'accident de mon père, je suis restée à Winslow. Il était hors de question que je le quitte. Pas dans l'état où il était.

— Rosa, je suis désolé…

— Ne dis rien ! Je sais que tu as été très touché par ce qui m'arrivait.

« Mais pas assez pour rester à mes côtés », conclut-elle en son for intérieur.

Que savait-il exactement des suites du drame qui l'avait

frappée ? Une personne anonyme, par l'intermédiaire d'une société de fiducie gérée par le cabinet juridique Clagett, Banks, Saunders & Kefkowitz de Newport, avait financé les deux années de soins et de rééducation dont Pop avait eu besoin. Rosa supposait que cette intervention miraculeuse avait été l'œuvre d'un des fidèles clients de son père, et, tous les soirs, elle remerciait Dieu de cette faveur.

— Et après ? Une fois que ton père s'est rétabli ? Il y a eu ce flic, n'est-ce pas ?

— C'est le…

— Shérif. Oui. Tu me l'as déjà dit. Ce n'est pas ce que je te demande, et tu le sais très bien.

— Après… Eh bien, j'ai eu une promotion chez Mario, dit-elle en ignorant délibérément la question.

— La pizzéria qui a précédé ton restaurant ?

— Bravo ! Tu as bonne mémoire.

Elle s'efforça de tempérer sa nervosité.

— Mario cherchait à se retirer des affaires, et moi j'avais très envie d'ouvrir un bon restaurant. Le local était un peu petit, mais je me suis quand même lancée dans l'aventure et, il y a cinq ans, j'ai inauguré « Chez Celesta ». Tu vois, si j'étais allée à la fac, je n'aurais peut-être pas mieux réussi.

Elle songea alors qu'Alex devait la trouver bien différente de l'adolescente rêveuse qu'il avait connue, cette adolescente habitée par des idéaux et de nobles convictions, qui voulait devenir philosophe, diplomate, fabriquer des fusées… S'occuper d'un restaurant ? Ridicule ! aurait-elle jugé, à cette époque-là. Mais, depuis, la vie s'était chargée de lui enseigner quelques petites leçons.

Pourquoi la regardait-il ainsi, fixement, en silence ? A quoi pensait-il ? se demanda-t-elle, tout en s'interrogeant sur les véritables motifs qui l'avaient elle-même incitée à le rejoindre ici.

— Reviens au club avec moi, proposa-t-il. Je t'invite à déjeuner.

— Décidément, tu ne comprends rien, Alex ! Tu ne te rends pas compte quel supplice ce serait pour moi de côtoyer ces gens qui me méprisent ?

— D'accord. Mauvais choix. On pourrait aller chez Tata Carrie ?

Elle détourna la tête dans l'espoir de dissimuler la vive émotion qu'éveillait en elle le souvenir de ce bistrot en plein air. Elle se revoyait enfant, avec Alex : rouges de soleil, pieds nus, cheveux raidis par le sel, en train de manger chez Tata Carrie des beignets de palourdes et de la tarte aux myrtilles.

— Qu'est-ce que tu en dis ?

Elle sentit son regard comme une caresse sur sa peau.

— J'en dis que c'est hors de question.

— Rosa… Ce n'est pas fini entre nous.

Elle éclata de rire, rejeta ses cheveux en arrière d'un mouvement de tête et planta son regard dans le sien.

— Si, répondit-elle. Depuis longtemps. Tu as fait ce qu'il fallait pour ça, non ?

— J'ai commis une grosse erreur, à l'époque.

Entendre un homme — et un Montgomery, qui plus est — reconnaître qu'il s'était trompé, c'était carrément… stupéfiant.

— Tu viens de t'en apercevoir ?

— Non. J'y ai beaucoup réfléchi au fil des années.

Elle se sentit désarmée par sa franchise.

— C'est trop tard, dit-elle tout bas, d'une voix bourrue. On ne peut pas revenir en arrière.

— Tu as raison. Mais on peut faire mieux.

— Non mais qu'est-ce que tu crois, Alex ? Que je me suis morfondue en t'attendant ? Non, à vrai dire, après ton départ, j'ai relativisé notre aventure. Comme toi, je suppose.

Consciente qu'elle s'échauffait, elle prit une profonde inspiration. Décidément, Alex était loin de la laisser indifférente, avec son regard bleu pénétrant et son sourire tendre ! Comment aurait-elle pu oublier à quel point elle se sentait heureuse près de lui ? Et pourtant elle aurait bien voulu pouvoir traiter cette histoire à la légère, passer un peu de bon temps avec lui et le laisser tomber, exactement comme le lui avait conseillé Linda ! D'ailleurs, c'était généralement de cette façon qu'elle conduisait sa vie amoureuse. Mais, avec Alex, c'était impossible.

— Ecoute, dit-elle. Je tenais à te dire à quel point la mort de ta mère et l'indélicatesse des journalistes m'ont bouleversée. Mais ça n'a rien à voir avec nous. Notre histoire est terminée et…

Elle se força à arrêter le flot de paroles qui l'emportait.

— Il faut que je retourne au restaurant. Au revoir.

— Rosa, enfin, on peut quand même déjeuner ensemble !

— Désolée, je n'ai pas le temps.

Tandis qu'elle s'éloignait, elle l'entendit murmurer avec un rire ironique :

— Trouillarde !

« Ne t'arrête pas ! s'adjura-t-elle. Ne te retourne pas ! »

14

A force de volonté, Rosa parvint à empêcher l'image d'Alex de s'imposer en permanence à elle. Au bout de quelques jours, elle finit même par se persuader que la ferveur qu'elle avait cru déceler dans ses yeux lorsqu'il l'avait invitée à déjeuner n'était que le fruit de son imagination.

Son cœur, lui, qu'on ne pouvait tromper aussi facilement, se mettait de temps en temps à cogner plus fort dans sa poitrine. Longtemps, elle avait espéré tomber amoureuse d'un autre homme. Ainsi, au fil des années, elle s'était jetée tête baissée dans plusieurs aventures qui, toutes, s'étaient terminées par un fiasco.

Sa meilleure parade consistait à être sans cesse occupée et, heureusement, elle ne manquait pas de pain sur la planche. Le restaurant lui dévorait la moitié de ses journées et la majeure partie de ses nuits. Le reste de son temps, elle le consacrait à son père et à ses amis. Par exemple, elle allait s'intéresser de très près au mariage de Linda qui nécessitait d'importants préparatifs.

Ce jour-là, après un arrêt chez son amie pour déposer quelques projets de menus en vue de la réception, elle se rendit chez son père. En entrant, comme d'habitude, elle alluma et éteignit plusieurs fois la lumière du vestibule afin de signaler sa présence.

— Je suis là ! cria Pop.

Guidée par sa voix, elle se dirigea vers la pièce qui lui servait de bureau à côté de la cuisine, et le trouva assis devant l'écran de son ordinateur. Derrière lui, la télévision diffusait un match de base-ball, dont les commentaires défilaient en sous-titres à l'intention des malentendants. Le volume était réglé au maximum, ce qui ne dérangeait pas Pop le moins du monde.

Un fatras de courrier, de billets de loterie, de coupons de réduction périmés et autres documents que son père ne prenait jamais la peine de jeter était dispersé dans la pièce comme dans tout le reste de la maison, et la poubelle de tri sélectif réservée au papier débordait de journaux, dont Pop avait toujours été un lecteur fanatique. Sur Internet, il avait entré dans ses favoris une douzaine de sites de presse, tels ceux de l'*International Herald Tribune*, du *Washington Post* ou encore d'*Il Mondo* de Rome.

Rosa finit par dénicher la télécommande de la télévision et coupa le son.

— Bonjour, Pop, dit-elle en l'embrassant sur la joue. Tu n'avais pas verrouillé la porte d'entrée. J'aurais aussi bien pu être un cambrioleur.

— Un cambrioleur n'aurait pas allumé les lumières.

— Pop…

— D'accord, d'accord, la coupa-t-il pour éviter un sermon. Je vais faire plus attention.

« Tu parles ! » pensa Rosa. Mais elle n'avait pas envie de discuter.

— Tu es en train de lire tes mails ?

— J'ai reçu des nouvelles de Rob et Gloria.

Se calant dans son fauteuil, il joignit les doigts. Ses mains de travailleur, trapues et rugueuses, semblaient mal adaptées à la frappe sur un clavier. Il y avait cependant acquis une grande dextérité, et avait compensé sa surdité en s'initiant aux nouvelles technologies de la communication qui ne recelaient plus aucun secret pour lui.

Rosa s'en réjouissait car elle pouvait lui envoyer des textos sur son téléphone portable qui était muni d'un vibreur, ou bien des mails sur son ordinateur, et rester ainsi en contact avec lui.

— Alors ? Qu'est-ce qu'il raconte, Rob ?

— Ton frère et sa femme vont tous deux être affectés à la base militaire de Diego Garcia dans l'océan Indien, pendant l'été, et ils m'ont demandé d'héberger Joey.

Habituellement, Rob et Gloria, tous deux sous-officiers dans la marine, ne participaient jamais ensemble à une mission, afin que l'un d'eux s'occupe de leurs quatre enfants — qu'on pouvait difficilement continuer à appeler ainsi, d'ailleurs. Après s'être engagé dans la marine, leur aîné était actuellement en poste à Bremerton dans l'Etat de Washington. Les jumelles, Mary-Celesta et Teresa-Celesta, passaient l'été au Costa Rica dans le cadre d'un stage organisé par Youth International.

Quant au plus jeune, Joey, il devait être âgé de quatorze ans maintenant. Cela faisait plus de deux ans, depuis que la petite famille s'était installée à Guam, que Rosa ne l'avait pas vu.

— Je me demande comment c'est possible qu'ils soient en mission tous les deux en même temps, dit-elle.

— Ce sont des patriotes. Ils servent leur pays.

— Je ne suis pas sûre que leur pays ait besoin de la présence du père et de la mère de Joey au même moment.

— Regarde un peu le monde dans lequel nous vivons ! dit Pop en montrant les journaux accumulés depuis une semaine sur la table basse. C'est la moindre des choses que nous acceptions de nous occuper de leur gamin.

« *Nous ?* »

— Ça ne va pas te poser de problèmes de garder Joey tout l'été, Pop ?

— Bien sûr que non ! C'est en partie mon sang qui coule dans ses veines.

— Jusque-là, la famille de Gloria se chargeait des enfants pendant les vacances, lui fit remarquer Rosa.

— Oui… Mais, là, ils ne pouvaient pas. Ils ont des soucis, apparemment.

« Oui, c'est ça ! Le souci d'échapper à leur devoir de grands-parents, par exemple », pesta Rosa intérieurement.

— La mère de Gloria a dû subir une opération gynécologique. Je n'ai pas demandé de détails.

Rosa se reprocha aussitôt sa méchanceté. Elle n'avait

que rarement rencontré les Esposito, qui habitaient à Chicago, et elle n'avait jamais eu à se plaindre d'eux.

— Quand est-ce qu'il arrive ?

— Après-demain.

— Ils auraient pu nous prévenir un peu plus tôt ! Bon, j'irai avec toi le chercher à l'aéroport.

— Ce n'est pas la peine.

— Pop, je t'accompagne : pas de discussion.

L'expérience lui avait enseigné que, pour gagner du temps, mieux valait éviter les palabres et imposer tout simplement son point de vue à Pop.

Lui aussi était soucieux de ne pas gaspiller son temps. Il leva les bras au ciel et les yeux au plafond, dans une attitude de résignation.

— Tu es un vrai dictateur, ma fille. Exactement comme ta mère.

Rosa adorait être comparée à sa mère, et Pop le savait parfaitement.

— Je vais demander à l'entreprise de nettoyage qui s'occupe du restaurant de venir mettre la maison en état.

— Mettre la maison en état ? Qu'est-ce que tu racontes ? Il a quatorze ans. C'est un garçon. Il se fiche pas mal que le ménage soit fait ou pas.

— Peut-être, mais moi, je ne m'en fiche pas… Quatorze ans, ajouta-t-elle en secouant la tête d'un air songeur. Il n'en avait que onze la dernière fois que je l'ai vu.

Joey était alors un petit bonhomme aux bonnes joues rouges, aux yeux couleur chocolat et au sourire timide, qui avait manifesté un mélange d'inquiétude et d'enthousiasme à la perspective d'aller vivre par-delà les mers, à Guam… Finalement, c'était une bonne idée de passer l'été avec lui. Ça leur ferait sûrement du bien.

— Bref, dit-elle, il faut qu'on s'y mette. Je vais t'aider.

— M'aider ? Mais je n'ai pas besoin qu'on m'aide !

Elle considéra le désordre qui régnait dans le bureau, la pile de boîtes en carton qui, depuis des semaines, attendaient au pied de l'escalier que quelqu'un aille les ranger à l'étage. Puis elle se leva.

— Je vais préparer la chambre des garçons pour Joey, annonça-t-elle quand elle fut certaine que son père la regardait.

Il ne protesta pas quand elle s'empara d'une des caisses…

Elle n'était pas entrée dans cette pièce depuis une éternité, et Pop non plus à en juger par la quantité de toiles d'araignées. Une sensation étrange l'assaillit. La chambre des garçons, comme son père et elle continuaient à l'appeler, était figée dans le temps, telle une photographie de leur monde, le jour où ils étaient partis faire leurs classes.

Robert venait alors de fêter ses dix-huit ans et l'encre, sur son diplôme de baccalauréat, n'avait pas encore séché. Sal, plus âgé d'un an, avait continué à vivre à la maison après la fin de ses études secondaires. Rosa était trop jeune à l'époque pour comprendre pourquoi il n'avait pas suivi l'exemple de tous ses amis qui étaient partis visiter le vaste monde. Aujourd'hui, elle en connaissait la raison.

Mamma allait passer ses derniers mois sur terre. Tout le monde était au courant du pronostic, y compris l'intéressée. Tout le monde… sauf Rosa.

C'était Sal qui avait passé le plus de temps au chevet de leur mère. Il avait assuré les soins avec les bonnes sœurs et l'infirmière envoyées par la fondation Saint-Vincent-de-Paul. Rosa le revoyait encore, avec son doux sourire, faire manger sa mère à la cuillère lorsqu'elle avait été trop faible pour se nourrir seule. Ou bien encore vider et nettoyer sans broncher les tuyaux et les poches qui étaient devenus la prison de Mamma, sur la fin. Parfois, il se réfugiait dans une autre pièce pour laisser libre cours à ses larmes. Il était alors déchiré par des sanglots incontrôlables qui l'ébranlaient tout entier. Mais jamais il n'avait pleuré devant sa mère.

La plupart du temps, il était demeuré assis à côté d'elle en lui tenant la main et en lui faisant la lecture : de la Bible aux écrits animaliers de James Herriot, en passant par *La Couleur Pourpre*, qui venait d'être publié. Rosa était persuadée que, dans ces moments-là, il avait atteint un état de grâce et trouvé, au chevet de sa mère mourante, la voie à suivre. Il avait découvert sa vocation, et promis solennellement à sa mère de devenir prêtre. Et il avait respecté sa parole. Il était entré au séminaire, avec l'aimable autorisation de la marine américaine qui avait grand besoin d'ecclésiastiques. Il officiait maintenant comme aumônier, et se révélait extrêmement efficace.

Les deux frères étaient partis par une belle matinée de juin. Rosa et Pop les avaient conduits à la gare de Kingston et, sur le quai, l'air égaré, ils avaient agité les mains en signe d'adieu. Père et fille avaient ensuite regagné la maison endeuillée, où régnait un calme angoissant, comme au moment de la mort de Mamma, quelques mois auparavant.

L'après-midi de ce jour sinistre, Rosa avait accompagné son père sur son lieu de travail, parce qu'elle était trop jeune pour rester seule à la maison. C'était cet après-midi-là qu'elle avait rencontré Alex Montgomery pour la première fois.

Rien ou presque n'avait changé dans la chambre des garçons, comme si Rob et Sal venaient de la quitter. Il y avait un fanion des Winslow Spartans épinglé au mur, une étagère dédiée aux trophées de base-ball que les deux frères avaient remportés, une commode couverte de cadres aux photographies jaunies. On y voyait notamment Rosa, à six ans, en première communiante dans sa robe de mariée miniature et une autre, prise quand elle avait huit ans, où elle exhibait fièrement une dorade qu'elle avait pêchée lors d'une sortie en mer sur le bateau des Carmichael. Celles de sa mère formaient un petit autel, et leurs couleurs fanées ajoutaient encore à la beauté à la fois profonde et éthérée de Celesta, en la nimbant d'une grâce impalpable.

Rosa enfourna tous les vêtements de l'armoire dans

des sacs-poubelle, refusant d'encombrer l'Armée du Salut ou le Secours catholique avec des vieilles chaussettes et des T-shirts démodés.

Puis, vraisemblablement poussé par un mélange de curiosité et de remords, son père apparut, un plumeau dans une main, un bidon de cire dans l'autre et un rouleau de papier sous le bras. Sans un mot et sans enthousiasme, il s'attaqua au parquet. Ils travaillèrent ainsi de concert, en silence, jusqu'au moment où Rosa enleva les draps des lits superposés avec l'intention de les faire tourner dans la machine à laver du sous-sol.

— Qu'est-ce que tu fabriques ? Ils sont propres ! dit Pop.

— Ils sont pleins de poussière, répliqua la jeune femme en accompagnant ses paroles de leur traduction en langage des signes.

— Si ça te fait plaisir, marmonna-t-il en déplaçant les objets posés sur la commode.

Il essuya le dessus du meuble, puis épousseta chacune des photographies avec soin, en souriant.

Elle attira son attention.

— A quoi tu penses ?

Les yeux embués par l'émotion, Pop posa un cliché de Rob et Sal qui datait de l'époque où ils jouaient au base-ball chez les juniors.

— Je remercie Dieu pour tout ça.

Rosa eut mal pour lui. Elle savait qu'il se rappelait l'époque où il entendait parfaitement, où la maison résonnait de rires, où maladies et catastrophes n'arrivaient que dans les journaux. L'accident qui était survenu douze ans auparavant l'avait métamorphosé et rendu morose.

Elle l'aida à replacer les cadres sur la commode.

— La vie nous réserve encore plein de bons moments, Pop.

— Oui, oui, dit-il en lui tapotant la main.

Puis il étudia avec attention le visage de Rosa, comme pour lire au plus profond d'elle-même. Il avait toujours su percer ses secrets les mieux cachés.

— Tu vas renouer avec lui, hein ? Avec le fils Montgomery, je veux dire.

— Je ne sais pas encore. Peut-être, oui.

Pourquoi ces mots, alors qu'elle ne cessait de ressasser que son histoire avec Alex appartenait au passé ? C'était à cause de Pop. Il savait avant elle ce qu'elle allait faire.

— Rosa, ce garçon t'a blessée. Ce qu'il a fait est impardonnable, et la peine qu'il t'a causée t'a presque…

Il s'interrompit, au prix d'efforts considérables qui n'échappèrent pas à Rosa. Elle était convaincue qu'il songeait à la façon dont elle avait réagi après l'accident et le départ d'Alex.

— J'étais trop jeune. Je ne disposais pas encore d'armes suffisantes pour affronter la situation.

— Maintenant que tu as une vie qui te plaît, ne va pas la mettre en l'air avec un garçon comme ça ! Il ne t'apportera rien de bon.

Pour Pop, Alex resterait éternellement un gosse de riches, pourri gâté.

— Tout le monde change, dit-elle impulsivement.

Pourquoi prendre la défense d'Alex ? Vraisemblablement parce que son père l'attaquait et que tous deux adoraient les joutes verbales.

— Son mariage est tombé à l'eau, et il vient de perdre sa mère. Il cherche une épaule contre laquelle pleurer, Rosa. C'est tout.

Elle s'immobilisa de surprise.

— On dirait que tu te tiens au courant des derniers potins.

— Je lis les journaux.

— Alors, tu as dû lire également qu'il gérait une fondation destinée à dispenser des soins médicaux aux personnes en difficulté.

— Les Montgomery excellent à faire fructifier l'argent. C'est inné, chez eux.

— Tu as l'air de dire que ce n'est pas bien, même quand il s'agit de philanthropie.

— Ne t'occupe plus de ce garçon, Rosa. Tu as mieux à faire.

Sans répondre à son père, elle entreprit de remplacer les ampoules qui avaient claqué. Tandis qu'elle en dévissait une du plafonnier, des étincelles jaillirent de la douille et elle faillit tomber de la chaise sur laquelle elle avait grimpé.

— L'installation électrique est entièrement à revoir, Pop. Tu risques de mettre le feu à la maison. Tu imagines le piège ici, en cas d'incendie ?

— Je vais demander à Rudy de venir jeter un coup d'œil, promit son père.

Rudy était un électricien à la retraite qui habitait à quelques maisons de là.

— Oui, c'est indispensable. Appelle-le demain.

15

Winslow Way, la rue principale de Winslow, était bordée de boutiques de luxe dont la clientèle se composait essentiellement d'estivants fortunés. A cette époque de l'année, la plus favorable pour le jardinage et le bricolage, la quincaillerie fourmillait de monde. Pour d'autres commerces, en revanche — la librairie, le salon de coiffure, la supérette ou la bijouterie —, les affaires ne dépendaient pas des saisons.

Linda avait donné rendez-vous à ses trois demoiselles d'honneur aux « Reines d'un jour », une boutique entièrement consacrée au mariage, tenue par Ariel Cole, afin qu'elles essayent les tenues qu'elle avait sélectionnées pour elles.

Revêtues de robes trapèze sans bretelles en chantoung turquoise, Rosa et Rachel, la sœur de Linda, restèrent bouche bée devant l'image que leur renvoya le miroir, tandis qu'Ariel et Linda prenaient du recul pour les examiner.

— Il y a sûrement quelque chose qui cloche, Ariel ! s'exclama gaiement Rosa. Cette robe est magnifique ! Elle nous va trop bien !

— Et alors ? Où veux-tu en venir ?

— Les toilettes des demoiselles d'honneur ne sont-elles pas censées les enlaidir afin qu'elles n'éclipsent pas la mariée ?

— Non, pas *mes* demoiselles d'honneur ! affirma Ariel.

— Et vous, qu'est-ce que vous en dites ? demanda Rosa en se tournant vers Rachel et Sandra Malloy, une jeune femme qui était écrivain et qui s'était liée d'amitié avec Linda.

— Vous êtes géniales ! répondirent-elles en chœur.

Sandra, qui n'avait pas passé la robe, caressa son ventre arrondi.

— Maintenant, je n'ai plus qu'à espérer que le bébé naîtra avant le mariage. Mais je n'ai aucune idée de la taille que je ferai à ce moment-là.

— Si tu veux, je m'occuperai des retouches, proposa Ariel.

— On dirait une déesse de la fertilité ! lança Linda en tenant le magnifique tissu soyeux de la robe contre la future maman.

Ce tableau fit naître chez Rosa un désir fulgurant. Mon Dieu ! Comme elle aurait aimé être à la place de Sandra, épouse heureuse et bientôt mère pour la première fois ! Voilà ce qu'elle attendait de tout son cœur. Depuis longtemps. Mais la route était longue du rêve à sa réalisation…

— Reviens sur terre, Rosa ! s'écria Linda en lui donnant un coup de coude. On n'attend plus que ton vote.

— Je ne suis pas décidée, dit Rosa en chassant ses troublantes pensées. Tout ça paraît trop simple. Je suis sûre que nous manquons d'objectivité. Je préfère prendre l'avis de Twyla.

Elle se dirigea alors vers le salon de coiffure, « Aux Ciseaux Magiques », à deux pas de chez Ariel. Rosa avait toujours su gré à Twyla d'avoir respecté ses choix d'adolescente en matière de coupe de cheveux, et elle lui était restée fidèle, depuis.

Alors qu'elle marchait sur le trottoir d'un pas vif, elle remarqua un homme de haute taille, en salopette de peintre couverte d'éclaboussures, qui sortait de la quincaillerie, muni d'un énorme seau de peinture. Elle ralentit, mystérieusement séduite par sa silhouette et son allure dynamique. Il était littéralement à croquer. Elle eut envie de le héler : pourquoi ne pas lui demander de repeindre son appartement ? Mais soudain, tandis qu'il rangeait la peinture dans son coffre, elle le reconnut… et, baissant vivement la tête, elle reprit son chemin. Mais il n'était pas évident de déambuler dans la rue vêtue d'une robe longue, turquoise qui plus est, sans se faire remarquer. Un sifflet admiratif provenant du pick-up lui indiqua qu'il venait de la repérer. Elle s'arrêta avant qu'il ne recommence et qu'il attire davantage l'attention sur elle.

Il rabattit le hayon de son véhicule et la rejoignit.

— Rosa ! Quelle élégance !

Il la jaugea de la tête aux pieds une première, puis une deuxième fois. Rosa en frissonna d'émoi. « Mon Dieu !

Faites qu'il ne s'aperçoive de rien ! » supplia-t-elle en s'efforçant d'afficher la plus parfaite indifférence.

— Merci, c'est gentil, dit-elle. Mais, écoute… Bon, j'y vais, conclut-elle en tâchant de s'esquiver.

Mais il lui barra la route.

— J'ai repensé à notre conversation… au club, la semaine dernière.

« *Au club* » ! Avait-il conscience du dégoût et de la frustration que lui inspiraient ces deux mots ?

— Je suis pressée, là.

— J'étais sérieux quand j'ai dit que je voulais te voir.

— Eh bien, vas-y ! Mets-t'en plein les yeux !

Elle se planta devant lui, les bras écartés, avec un aplomb insolent, et s'exposa à son examen. Elle savait pourtant qu'elle ne pouvait rivaliser avec la beauté aristocratique de toutes les jeunes femmes qu'il côtoyait au cours de sa flamboyante existence de noctambule, dont les journaux se faisaient l'écho. Sa préférence allait toujours au même type de compagne : blonde, BCBG, longue et filiforme comme un spaghetti pas cuit.

Cependant, à l'expression de son visage, Rosa soupçonna que ces critères pouvaient fluctuer. En effet, il ne se contentait pas de la contempler : il la déshabillait du regard. A tel point qu'elle crut sentir une caresse sur ses lèvres, son cou, ses seins…

— Ça ne me suffit plus de te regarder, avoua-t-il.

— C'est tout ce que j'ai à offrir.

Elle le poussa pour qu'il libère le passage.

— Pardon. Il faut que j'y aille.

— Pas si vite ! lança-t-il en la retenant par le bras.

A ce contact, elle eut l'impression d'être traversée par un courant électrique, et elle enragea de sentir son corps la trahir par un tressaillement furtif.

— Il faut absolument que je te voie, Rosa.

Comme d'habitude, ses priorités à lui passaient en premier, au détriment des siennes. Décidément, il n'avait pas changé. Pourtant, malgré elle, Rosa se rappela le vide qu'avait créé son absence, et la difficulté qu'elle avait éprouvée à abandonner l'espoir d'un avenir à deux. Ce fut avec horreur qu'elle sentit ces images douloureuses déferler en elle, l'entraînant dans un tourbillon qui lui faisait perdre pied.

« Qu'est-ce qui m'arrive ? » se demanda-t-elle, affolée. Ils avaient changé tous les deux. Alors, pourquoi ses sentiments à elle étaient-ils toujours les mêmes ?

« Fiche le camp ! Fuis, Rosa, fuis ! » s'ordonna-t-elle... sans bouger.

Peut-être que s'il ôtait la main qui enserrait tendrement son bras, elle serait en mesure de réfléchir...

— Lâche-moi, Alex.

Loin d'obéir, il commença à l'effleurer avec son pouce, sensuellement, à la pliure du coude.

— Je n'en ai pas envie, répliqua-t-il.

— Quoi ? Et ce dont j'ai envie, moi, tu t'en soucies ? Tu ne sais même pas si je suis libre !

— Si, tu l'es. J'ai vérifié.

— Tu as mené une enquête ?

— Non. J'ai tenté le coup et tu viens de répondre à la question qui me tracassait.

« Et zut ! »

— Je n'ai nul besoin de toi dans ma vie ! siffla-t-elle d'un ton cinglant. Ni de personne d'autre, d'ailleurs. Ma situation actuelle me satisfait pleinement.

Au regard furibond de Rosa, il opposa un sourire serein.

— Je ne veux surtout pas te mettre en colère.

— Trop tard, dit-elle avec un petit rire nerveux. Si ma mémoire est bonne, tu m'as très exactement déclaré : « Nous deux, ça n'existera pas. » Il me semble que ce décret est toujours d'actualité.

Elle lut sur son visage qu'il revivait avec la même fidélité qu'elle la conversation de ce fameux soir au cours duquel il lui avait dit adieu.

— Tu ne crois pas qu'on peut avoir une deuxième chance dans la vie, Rosa ?

Elle le regarda au fond des yeux, sans répondre. Jadis, elle était capable de deviner chacune de ses pensées, chacun de ses souhaits. Où était passé ce petit garçon solitaire, d'une intelligence exceptionnelle, qui lui avait ouvert son cœur, qui s'était institué gardien de ses rêves et de ses secrets les plus intimes ? L'espace d'un instant, elle crut revoir les aspirations et le désespoir de cet enfant dans les yeux bleus de l'homme qu'il était devenu… C'était certainement la lumière qui lui jouait des tours.

— Qu'est-ce qu'il y a ?

— Tu es trop maigre, dit-elle.

Et c'était vrai. Il avait le visage émacié, des cernes sous les yeux. Nul doute qu'il ne prenait pas soin de lui depuis qu'il était revenu habiter la villa. Elle essaya de s'imaginer ce qu'il éprouvait à vivre ainsi son deuil dans la solitude, en s'interrogeant sur les raisons qui avaient poussé sa mère à se suicider, et elle ne put s'empêcher d'être émue par cette triste évocation.

— Tu devrais faire plus attention à ton alimentation.

— Si tu me nourrissais ?

— Tu n'as qu'à réserver une table au restaurant.

— Avec tes amis qui veillent sur toi comme des mères poules ? Merci bien.

— Il y a d'autres restaurants en ville. Ou bien… Oui, je sais ! Pourquoi n'apprendrais-tu pas à cuisiner ?

Avec un hochement de tête, il désigna les seaux de peinture à l'arrière de son pick-up.

— J'ai d'autres projets pour le moment.

— Pourquoi fais-tu ça toi-même au lieu de t'adresser à une entreprise ?

— Passe me voir et je t'expliquerai !

Rosa s'aperçut qu'ils attiraient les regards.

— Il faut que j'y aille.

Elle se détourna, fila vers le salon de coiffure, y entra, certaine qu'il n'oserait pas la suivre. Elle commençait à respirer… quand le tintement de la sonnette au-dessus de la porte se fit entendre. Avant même de se retourner, elle sut qui venait d'entrer.

— Ecoute, Alex…

— Mais j'écoute, Rosa.

Il ôta sa casquette de peintre et gratifia toute l'assistance d'un sourire chaleureux, qui ne manqua pas de séduire sur-le-champ Twyla et ses clientes.

— Excusez-moi, mesdames. Je voulais juste fixer un rendez-vous à…

— Je t'ai déjà dit non ! lança Rosa avec dépit.

— Voyons, ma petite fille ! Ce bel homme vous propose un rendez-vous, intervint une cliente dont la tête était couverte de bandelettes de papier aluminium. J'aimerais tant être à votre place.

— Eh bien, je vous en prie : ne vous gênez pas.

— C'est à toi que je m'adresse, Rosa. Et ce n'est pas la première fois.

— Tu devrais savoir que tu perds ton temps. Je ne changerai pas d'avis.

Il s'immobilisa, sa casquette sur le cœur. Elle pensa avoir enfin réussi à lui faire entendre raison et, pendant un quart de seconde, elle en éprouva comme du regret.

Puis le visage d'Alex s'éclaira d'un sourire. Il ajusta son couvre-chef et se dirigea vers la porte.

— Bien sûr que si, tu changeras d'avis, mon ange ! lança-t-il de manière à ce que tout le monde l'entende. Bien sûr que si !

16

— Eh bien, dis donc, Alex, tu habites un véritable paquebot ! s'exclama Gina Colombo, les yeux écarquillés de surprise.

— Attention ! Je n'ai pas mis la passerelle ! rétorqua Alex en descendant le perron pour saluer la collègue la plus dévouée et la plus fiable de son entreprise.

Elle rit de bon cœur et lui ouvrit affectueusement les bras.

— Ça fait plaisir de te voir. Comment vas-tu ?

— Panne de moteur. Je me laisse porter par le courant.

— C'est normal quand on est en vacances ! Cela dit, je sais bien que tu n'y es pas habitué.

— Je ne pense pas qu'une vie d'oisiveté me conviendrait.

Il hésita à lui avouer qu'il venait de consacrer huit d'heures d'affilée à peindre des lattes de bois, un transistor pour seule compagnie. Depuis le jour où il avait intégré la firme familiale, il ne s'était jamais accordé le moindre congé. Si on lui en avait demandé la raison, il n'aurait su que répondre. Et pourtant, il n'avait que l'embarras du choix pour se changer les idées. Outre la villa de Winslow, les Montgomery possédaient un chalet dans une station de ski paradisiaque du Vermont, et un autre dans les Catskills près de New York. De plus, si l'envie lui en prenait, rien ne l'empêchait d'aller passer quelques jours à Monte-Carlo, à Rome… Bref, où bon lui semblait.

Mais le désir de s'échapper ne l'avait jamais effleuré. Il passait donc la plupart de son temps à travailler, seul moyen pour lui de se sentir vraiment exister.

— Comment va Don ? demanda-t-il.

— Très bien. Je suis impatiente de l'emmener à Newport. Franchement, je suis ravie qu'on ait pris cette décision, Alex.

Alex avait autant confiance dans l'intégrité et les compétences de sa collaboratrice que dans les siennes. Quant à la musique italienne de son nom — Gina Colombo —, sa petite taille, sa chevelure noire et bouclée, son teint mat, sa poitrine opulente, ses lèvres charnues… si tous ces détails évoquaient Rosa, il ne fallait y voir qu'une succession de pures coïncidences. La preuve, c'est qu'elle avait son caractère bien à elle et qu'elle détenait un diplôme de l'école de commerce de Wharton. Rosa, elle, n'avait pas fait d'études !

Quand elle avait rencontré Gina, la mère d'Alex avait déclaré :

— Ma parole, tu essayes de trouver un sosie de Rosa !

Et ce n'était pas complètement faux, il le reconnaissait aujourd'hui.

En tout cas, ça ne l'avait pas empêché de nouer avec Gina une relation étroite et solide. Cette jeune femme avait le don de deviner ses pensées et de prévoir ses désirs en toute occasion. Elle aurait été parfaite pour lui... si elle n'avait pas été follement éprise de son mari.

Gina, qui s'était entièrement investie dans le projet d'ouverture d'une succursale à Newport, était en passe de décrocher la fonction d'associée au sein de l'entreprise.

— Cela dit, mettre de l'ordre dans un paquebot abandonné ne constitue pas vraiment un loisir, fit remarquer la jeune femme avec son humour et son franc-parler habituels. D'ailleurs, tu as maigri et tu as vraiment une sale tête.

— Merci mille fois ! Mais je viens de perdre ma mère. Ce dont je n'ai pas du tout l'intention de parler. Inutile d'essayer !

— Entendu, acquiesça-t-elle d'un ton léger en se dirigeant vers la porte d'entrée. Parlons boulot. C'est un meilleur sujet que la dépression ou le suicide.

« Curieux qu'elle ait mentionné la dépression ! » songea Alex. Elle était la seule à avoir osé. Mais Gina était ainsi faite qu'elle laissait toujours libre cours à ses sentiments. Sans le vouloir, elle venait de réveiller une interrogation qui le taraudait depuis qu'il avait appris la vérité. Si sa mère avait suivi un traitement contre la dépression, pourquoi cette tragédie était-elle survenue ? Et pourquoi ce jour-là plutôt qu'un autre ?

— Voilà donc la propriété familiale des Montgomery ! reprit Gina en se dirigeant droit vers le salon.

— Tu veux boire quelque chose ?

— Non, merci.

Elle regarda d'un air rêveur le panorama spectaculaire qui s'offrait depuis le bow-window, puis visita sans se presser le rez-de-chaussée, s'exclamant ici devant les fenêtres de style gothique, là devant les boiseries anciennes.

— Rien que la vue suffirait à me convaincre de vivre ici jusqu'à la fin de mes jours, dit-elle en soupirant. C'est vraiment un endroit fantastique, Alex !

Une fois dans la cuisine, elle sortit de son sac une épaisse enveloppe.

— Récapitulatifs de gains, prévisions, procès-verbaux de réunions. Rien d'urgent. C'est juste un prétexte pour venir t'espionner et satisfaire ma curiosité.

Elle se campa alors devant lui et le dévisagea longuement.

— Qu'est-ce qu'il y a ? demanda-t-il avec une certaine inquiétude.

— Tu n'as pas le même air que d'habitude. Et je ne parle pas de ta perte de poids.

— J'ai besoin de me faire couper les cheveux, dit-il en se peignant avec les doigts.

Tête penchée, sourcils froncés, elle continua à l'examiner.

— Non, ce n'est pas ça. C'est…

— Alex ? C'est moi, Rosa.

Gina écarquilla les yeux, sans cacher sa curiosité.

« Génial ! » se dit Alex en se dirigeant vers le vestibule.

Depuis l'épisode du salon de coiffure, il attendait que Rosa capitule et passe le voir. Apparemment, quelque chose avait fini par l'en convaincre. Bien sûr, elle avait mal choisi son heure. Mais peu importait. Mieux valait qu'elle vienne au mauvais moment plutôt que pas du tout.

Dès qu'il ouvrit la porte, elle entra en lui tendant, comme s'il s'était agi d'une offrande sacrée, un paquet enveloppé dans du papier d'aluminium.

— Je t'ai apporté de quoi te sustenter.

— Tu crains vraiment que je me laisse mourir de faim ? demanda-t-il en riant.

En guise de réponse, elle arbora un air dédaigneux et fila vers la cuisine, sans remarquer le désarroi d'Alex.

— Tu dépéris, c'est évident. Promets-moi de manger ça avant le coucher du soleil. Ma mère disait qu'un plat de lasagnes bien cuisinées éloigne les regrets et les mauvais rêves, à condition que…

Elle s'arrêta net sur le seuil.

— Bonjour, dit-elle, le regard rivé sur Gina.

Les découvrir ainsi face à face, presque le double l'une de l'autre avec leurs cheveux noirs et leurs formes sculpturales, fit naître chez Alex un trouble à la fois sensuel et angoissant.

— Rosa, je te présente Gina Colombo, ma collaboratrice. Gina, je te présente Rosa Capoletti. Elle dirige…

— Le restaurant « Chez Celesta. » Oui, je sais. J'ai lu votre portrait dans la revue *Entrepreneur.*

— C'est vrai ? demanda Rosa, rayonnante de fierté. Merci. Vous avez bonne mémoire.

Elle désigna le paquet qu'elle avait apporté.

— Je voulais juste déposer ça et…

— Je m'en vais ! lança Gina en joignant le geste à la parole. Il faut que j'aille à Newport visiter des appartements à louer. J'ai été ravie de faire votre connaissance, Rosa. J'espère que nous nous reverrons.

Alex raccompagna Gina à sa voiture.

En lui tenant la portière, il essaya d'éviter son regard. Sans succès.

— Vite ! Raconte-moi.

— Au revoir, Gina. Va à Newport et appelle-moi la semaine prochaine.

— Alex ! Sois sympa !

— Il n'y a rien à raconter. Vu ?

— A d'autres ! Elle t'apporte un plat de lasagnes à domicile, elle te dévore des yeux… Pour moi, ce n'est pas « rien ».

— C'est quoi, alors ?

— Du calme ! Cette jeune femme me plaît beaucoup… A bientôt, Al ! Je repasserai dans quelques jours.

— Je ne t'ai pas invitée.

— Et tu crois vraiment que ça va m'arrêter ?

Elle lui donna une dernière accolade et s'installa au

volant en prenant garde que sa jupe ne reste pas coincée dans la portière. Puis elle démarra, après avoir mis à plein volume un disque d'Eva Cassidy.

Quand il rentra dans la maison, Rosa était toujours dans la cuisine, debout dans les pâles rayons du soleil, le regard perdu sur la pelouse que son père avait entretenue pendant des décennies. Son père… Alex eut envie de lui demander ce qu'il devenait, mais il n'osa pas.

Revenant sur terre, Rosa pivota sur elle-même et lui fit face, les poings sur les hanches. Il la revit alors dans cette même maison, quand elle était une fillette filiforme aux yeux brillants et au sourire radieux. Leur amitié avait été empreinte de magie… Aujourd'hui, hélas, Rosa était devenue une belle étrangère dans la maison vide de sa mère disparue.

— Tu es arrivée au moment précis où Gina s'en allait.

— Ecoute. Je suis venue parce que je pensais qu'il fallait que tu manges correctement. Et puis, dans les circonstances actuelles, il ne me semblait pas souhaitable que tu restes seul. Mais, apparemment, je m'inquiétais pour rien. Ce n'est pas la compagnie qui te manque.

— C'est vrai. Je suis désolé.

— Mais de quoi ? Il ne faut surtout pas regretter d'avoir des amis sur qui compter quand on a besoin d'eux.

Quels sous-entendus s'étaient donc glissés derrière les paroles de Rosa ? Essayait-elle de lui rappeler à quel point elle s'était sentie délaissée à la fin du dernier été qu'ils avaient passé ensemble ? Aujourd'hui encore, après toutes ces années, la culpabilité qu'il en avait conçue continuait à lui coller à la peau.

— Au fait, Gina…

— Tu n'as rien à justifier !

— C'est juste pour que tu saches. Elle travaille avec moi. C'est tout.

— Tant mieux. Mais, de toute façon, ça ne me regarde pas, Alex. Je n'ai fait que t'apporter des lasagnes, ajouta-t-elle en désignant le plat posé sur la paillasse.

Sur ces mots, elle fit demi-tour et sortit d'un pas vif.

Il la suivit dans la cour et remarqua l'air rêveur avec lequel elle contemplait la mare, la pelouse, le gros arbre noueux auquel, jadis, était accrochée la balançoire.

Eprouvait-elle la même nostalgie que lui devant ces vestiges du passé ? La passion enfantine qui les unissait était si pure et si simple…

— Merci pour les lasagnes, dit-il soudain, pour rompre le silence. Je te promets de tout manger ce soir même.

— Il y en a beaucoup. Tu vas te rendre malade.

— Eh bien, reste ici et partage-les avec moi !

Il lui barrait le chemin, à présent, et tous deux se tenaient très près l'un de l'autre, les yeux dans les yeux.

Hypnotisé par les lèvres roses et nacrées de Rosa ainsi que par le parfum subtil qui émanait d'elle — identifiable entre tous —, Alex avait le sentiment que la chaleur de leurs corps les attirait l'un vers l'autre comme un aimant. Il en vint à rêver de la douceur de sa peau sous ses mains. Un instant, l'envie de la caresser fut si forte qu'il eut l'impression que l'air en était électrisé. Et, en la regardant, il comprit qu'elle vibrait à l'unisson de son désir.

— Rosa…

— Il faut que j'y aille.

— Tu cherchais un prétexte pour me voir, et voilà que tu prends la poudre d'escampette ! Avoue que tout ça n'est pas très logique !

— Je voulais m'assurer que tu allais bien, c'est tout. Tu viens d'être frappé par un deuil terrible, et tu es ici tout seul, dans cette grande maison. Voilà pourquoi je suis venue. C'est la seule et unique raison.

Ici, la nuit, avec pour seule lumière celle des étoiles et de la lune, avec le murmure du vent dans les roseaux et le grondement des vagues qui éclataient sur la plage, il avait vraiment découvert la solitude. Et, toutes les nuits, il essayait en vain de trouver un sens au geste de sa mère. Mais aucune explication ne tenait. Seuls ses sentiments pour Rosa étaient solides.

— Tu as envie de rester, reprit-il en tentant sa chance une seconde fois.

— N'importe quoi !

— Si tu n'en avais pas envie, tu serais déjà partie.

Cette remarque la piqua au vif. D'un mouvement de tête rageur, elle rejeta ses boucles en arrière et fixa sur Alex un regard irrité.

— Si je suis encore là, c'est parce que tu n'arrêtes pas de parler… Ah ! Enfin ! Tu te tais ! Dans ce cas, si tu veux bien me laisser passer…

— Je te téléphonerai, dit-il. Ce ne sera pas au-dessus de tes forces de me répondre, j'espère ?

— Je suis très prise.

— Oui, je sais. Par ton restaurant, avec ces types qui veulent me réduire les rotules en bouillie.

— Exact.

— Ecoute, j'aimerais parler avec toi. C'est tout.

— De quoi ?

Après un moment d'hésitation, il jugea préférable d'avouer la vérité.

— Du dernier été que nous avons passé ensemble.

Il avait déjà essayé d'aborder le sujet, et sa tentative s'était soldée par un fiasco. Pourquoi en serait-il autrement aujourd'hui ?

Rosa devint cramoisie à cette évocation, et il eut honte d'avoir provoqué chez elle une telle réaction.

— Je n'aurais jamais dû te quitter comme ça, Rosa. J'étais un jeune idiot et j'ai fait un mauvais choix. Simplement, à l'époque, je me sentais acculé. J'ai toujours voulu t'expliquer ce qui s'était passé.

— Moi aussi j'étais jeune, répliqua-t-elle en évitant soigneusement d'imiter Alex en se traitant d'idiote. Tout le monde sait que les amours de vacances ne durent jamais.

— Tout le monde, sauf les intéressés.

Un silence, rendu plus sensible par le bruit du vent et de la mer, s'installa entre eux.

— Quoi qu'il en soit, reprit-il, nous avons bien changé.

— Et alors ?

— Alors, nous devrions refaire connaissance. Ça pourrait très bien fonctionner, nous deux.

— Ça pourrait aussi être un désastre.

— Cette éventualité t'effraie ?

Elle le considéra pendant un long moment avant d'avouer :

— Oui, peut-être bien.

17

Au volant de sa voiture, Rosa ne décolérait pas. *Cette éventualité t'effraie ? Oui, peut-être bien...* Nom d'un chien, où était-elle allée pêcher une réponse aussi godiche ?

« J'essayais d'être honnête, se dit-elle en s'engageant un peu vite dans Prospect Street. Comme si la franchise m'avait déjà rapporté quoi que ce soit ! Mais c'est plus fort que moi. Quelle idée aussi de lui avoir apporté ces maudites lasagnes ! »

En pénétrant dans la maison, elle fit clignoter les lumières pour prévenir son père de son arrivée.

— On y va, Pop ! hurla-t-elle, tout à fait consciente qu'il n'entendait rien.

Mais, après son entrevue avec Alex, Dieu sait qu'elle avait besoin de hurler !

— Dépêche-toi !

Elle se mit à aller et venir dans le couloir comme un fauve en cage, observant les vieilles photographies de classe jaunies, le minuscule bénitier décoré d'une peinture représentant saint François.

Mais dès que son père apparut, elle se reprocha son irritation. Fou de joie à l'idée de voir son petit-fils, Pop s'était mis sur son trente et un : chaussures en cuir, costume, chemise blanche impeccablement repassée, cheveux et moustache parfaitement disciplinés.

— Tu es superbe ! s'exclama Rosa en traduisant simultanément ses paroles en langage des signes.

— Je vais froisser mes vêtements dans ta décapotable, grommela-t-il.

— J'ai emprunté la Toyota Camry de Vince.

Dans la zone de livraison des bagages de Green Airport, l'aéroport de Providence, Rosa et son père, pour tromper leur impatience, feuilletaient un petit album de photos qui ne quittait jamais le sac à main de Rosa. Chaque Noël, Rob joignait à sa carte de vœux des photographies de ses enfants. Joseph Peter Capoletti, le petit dernier de la fratrie de quatre, avait été d'autant plus choyé qu'il possédait dès son plus jeune âge l'air angélique et le sourire qui rendent certains enfants irrésistibles. Aux alentours de sa douzième année, sa douceur avait dû s'estomper, car les clichés s'étaient raréfiés.

A la suite de promotions, Rob et Gloria avaient tous deux été mutés à l'étranger, où leur charge de travail s'était encore accrue. L'image que Rosa conservait de Joey était celle d'un garçon timide, terrorisé par les araignées, au regard rêveur et aux yeux bruns frangés de très longs cils qu'elle lui enviait.

D'après le panneau d'affichage, l'avion de Joey venait d'atterrir. Bientôt, un flot de voyageurs commença à se déverser dans le hall, et Rosa sentit son père se raidir tandis qu'il scrutait la foule. Il y avait des hommes d'affaires avec leurs attachés-cases en cuir, des familles encombrées par des poussettes et des paquets de couches, des étudiants, des touristes étrangers… Elle assista aux retrouvailles d'un couple d'amoureux qui s'enlaçaient passionnément, indifférents au monde qui les entourait. De son siège, elle vit même la femme fermer les yeux, comme pour empêcher son bonheur de s'échapper. Rosa détourna la tête avec un serrement de cœur, tout en se reprochant son sentimentalisme.

Comme le torrent de passagers se tarissait progressivement, elle se pencha vers son père.

— Je parie qu'il a raté sa correspondance, dit-elle d'un air pessimiste.

Pop ne répondit rien. Il demeura immobile, les yeux braqués sur la porte à l'autre bout du hall, le visage impassible. Rosa suivit la direction de son regard. Il ne restait qu'un seul voyageur, un jeune homme dégingandé, aux cheveux rouges coupés à la Mohawk, aux lunettes noires et au visage décoré d'un assortiment de piercings qui faisaient mal à voir.

Rosa entendit son père débiter en italien un chapelet de jurons, et elle le poussa du coude pour le rappeler à l'ordre et à la dignité.

En espérant que Joey n'avait pas remarqué leur mouvement de surprise, Rosa l'accueillit avec un visage radieux.

— Joey ! Comme tu as grandi ! Tu as pris au moins

trente centimètres depuis la dernière fois ! s'exclama-t-elle en lui ouvrant les bras.

Joey se laissa embrasser, du bout des lèvres, manifestement gêné. Où était le temps où il se blottissait contre sa tante comme un petit animal avide de tendresse ?

— Bonjour, tante Rosa, dit-il tout bas, les yeux baissés comme s'il cherchait quelque chose par terre. Bonjour, Grandpop.

— Pop ne peut pas comprendre ce que tu dis s'il ne voit pas tes lèvres.

Joey releva la tête et, d'un geste délibérément lent, il retira ses lunettes.

— Salut, Grandpop.

Heureusement que son père n'avait pas perçu le ton ironique ! songea Rosa.

Pop saisit son petit-fils par les épaules et se dressa sur la pointe des pieds pour lui appliquer deux baisers sonores, un sur chaque joue, à l'italienne.

— Tu fais pitié ! déclara-t-il alors.

Joey fusilla son grand-père du regard.

— Mon apparence te dérange ?

— Non, tant que tu te comportes normalement. Viens, on va chercher tes valises.

Ses valises... Il s'agissait, en fait, d'un sac de marin en toile de camouflage, rafistolé avec du chatterton.

« Franchement, Rob, se lamenta silencieusement Rosa, tu n'aurais pas pu donner un sac correct à ce pauvre garçon ? »

Tandis qu'ils se dirigeaient vers la voiture, Pop toucha les cheveux hérissés, raides de gel, de Joey.

— Je suis sûr que tes parents ne sont pas au courant.

— Exact, répondit l'adolescent qui devint écarlate.

— Tu vas passer un sale quart d'heure quand ils s'en apercevront.

— Je verrai bien.

Rosa ne put s'empêcher de ressentir une certaine admiration pour son neveu.

— Je suis contente que tu sois là, Joey. On va passer un super été ensemble.

18

Pour Alex, les courses représentaient une véritable corvée, mais les sublimes lasagnes de Rosa étaient malheureusement terminées depuis longtemps. S'il voulait survivre dans ce quartier dépourvu de traiteurs et de livreurs de pizzas, il n'avait pas d'autre solution que de se rendre de temps en temps à la supérette de Winslow.

Alors qu'il cherchait de la crème à raser, il s'engagea par mégarde dans un rayon d'articles d'hygiène féminine. Dans sa hâte de fuir cet étalage embarrassant, il prit un virage trop serré et heurta un autre chariot, provoquant un charivari de bouteilles entrechoquées.

— Je suis désolé, dit-il d'un air contrit.

Puis, soudain, son visage s'illumina.

— Salut, Rosa !

— Salut, toi-même.

A la différence d'Alex, Rosa ne sourit que du bout des lèvres.

— Ça alors ! Jamais je n'aurais pensé te rencontrer ici ! lança-t-il.

Quelle remarque désespérément niaise ! se lamentat-il. Et dire qu'il passait habituellement pour un beau parleur…

Rosa était vêtue d'un haut noir à fines bretelles, d'un jean taille basse qui découvrait une bande de peau satinée d'un brun parfait et… et elle avait un piercing dans le nombril !

Alex adorait ces bijoux, bien qu'il en eût rarement observé de près, car les femmes de son milieu refusaient de « s'automutiler », comme elles se plaisaient à dire. Lui, en tout cas, il associait un tout petit anneau brillant sur un beau ventre de femme à du grand art.

Il se sentit bête, planté là, paralysé par une douloureuse bouffée de désir. Pour se donner une contenance, il se mit à examiner les achats de Rosa : tomates, raisin, différentes bottes de verdure, des boîtes de ricotta, des yaourts, trois romans à l'eau de rose et, bizarrement, un sachet de Curly « au délicieux goût de fromage », un pack de lait et un paquet d'Oreos, des biscuits au chocolat fourrés à la crème.

Rosa remarqua sa mine perplexe.

— Ne va pas t'imaginer que je me bourre de cochonneries ! lui dit-elle. Elles ne sont pas pour moi. Par contre, j'adore les romans sentimentaux.

— Ah bon ? s'étonna-t-il en s'emparant d'un volume au hasard. « L'amour entre une avocate ambitieuse et un cow-boy un peu fruste sera-t-il possible ? » lut-il à haute voix sur la quatrième de couverture. Je parie que non, déclara-t-il en reposant l'ouvrage dans le chariot de Rosa.

— Tu n'y connais rien ! lança-t-elle avec mépris. Ils réussiront à surmonter tous les obstacles.

— Pourquoi le lire si tu connais déjà la fin ?

Elle le considéra d'un air navré, en se demandant comment il pouvait se montrer aussi ignorant.

— Parce que c'est merveilleux.

« Peut-être est-elle amoureuse de l'amour ? » se dit-il. Après tout, il pouvait comprendre qu'on ne reste pas insensible à l'évocation d'émotions intenses ou d'un embrasement de passion ou de la suave douleur d'un désir irrépressible. Il connaissait ces symptômes pour en avoir été personnellement victime.

Une fois. Oui, une unique fois.

— Et le reste de ces provisions, c'est pour qui ?

— Tu es bien curieux, je trouve. En fait, j'ai mon…

Un adolescent efflanqué surgit à ce moment-là.

— Ah ! Te voilà, Joey ! Alex, je te présente Joey Capoletti.

« Nom d'un chien ! pensa Alex. Ce Joey est-il le fils de Rosa ? »

Pris de panique, il se livra à un rapide calcul. Ce garçon grand et maigre, aux cheveux hérissés, avec un anneau dans le nez, serait-il… Non, impossible. Ce gamin avait treize ans, à tout casser.

Soulagé, il tendit la main vers le nouveau venu.

— Alexander Montgomery. Enchanté.

— Bonjour, monsieur.

— Joey est mon neveu, expliqua Rosa avec un sourire espiègle qui indiqua à Alex que son moment d'affolement ne lui avait pas échappé. Il est venu passer l'été chez mon père.

Grâce à son jean noir trop grand retenu par des chaînes et à son T-shirt frappé de quelque symbole tribal, Joey affichait ostensiblement son appartenance à l'univers punk. « Message reçu », songea Alex. Joey avait apparemment hérité de sa tante le goût de l'automutilation... à la puissance dix. Il portait suffisamment de métal sur lui pour déclencher l'ensemble des alarmes d'un aéroport !

Mais Alex savait que les apparences pouvaient se révéler trompeuses, et il espérait, pour Rosa, que c'était le cas. Le magazine que Joey tenait à la main, *Scientific American*, contribua à le rassurer.

— Alors, comment tu trouves Winslow ?

— Ça va, répondit distraitement Joey.

Il dévisageait une jeune fille blonde qui parcourait avec sa mère le rayon des bandes dessinées. A peu près du même âge que lui, avec ses longues jambes et son teint de rose, elle offrait ce spectacle mystérieux d'une fillette en train de se métamorphoser en femme. Elle lui rendit son regard, et il ajouta à l'adresse d'Alex :

— C'est assez chouette ici, finalement.

— L'endroit te plaît de plus en plus, hein ? lança Rosa avec un sourire entendu.

Alex eut pitié de Joey, qui avait viré au cramoisi. S'il avait bonne mémoire, la mère de la jeune fille fréquentait le country club et s'appelait Brooks. Mais, comme il avait laissé passer l'occasion de faire les présentations, il changea de sujet.

— Quand j'étais gamin, je passais tous mes étés ici. Ta tante et moi, on se connaît depuis ses neuf ans.

— Mmm.

— En ce moment, je suis en train de retaper notre vieille villa familiale, poursuivit Alex, à la recherche d'un sujet susceptible d'éveiller l'intérêt de Joey.

C'était la première fois depuis son retour qu'il avait une chance réelle de reprendre contact avec Rosa. S'il parvenait à captiver l'attention de son neveu, peut-être accepterait-elle de lui parler… En jetant un coup d'œil au magazine de Joey, il lut que le numéro était consacré aux transits planétaires.

— Figure-toi que j'avais un vieux télescope quand j'étais gosse. J'avais l'intention de le proposer au lycée, mais s'il t'intéresse…

— Ce serait génial !

— Non, Joey ! s'interposa Rosa.

Alex fit mine de ne pas l'avoir entendue. Il s'était trouvé un allié.

— Pourquoi tu ne passerais pas le voir ? Tu es pris cet après-midi ?

— Non, répondit Joey sans davantage s'occuper de sa tante. Je travaille chez un marchand de glaces, mais c'est mon jour de congé. A quelle heure ?

— Ça te va 14 heures ?

— Pas de problème.

— Ta tante sait où j'habite. Je suis sûr qu'elle acceptera

de t'accompagner. Bien. Il faut que j'y aille, ajouta-t-il vivement, avant que Rosa n'ait eu le temps de se dérober. A tout à l'heure, vous deux !

— Au revoir, Alex.

Rosa dirigea son chariot vers le rayon des produits frais et s'éloigna d'un pas vif.

Alex fit mine de s'absorber dans l'examen de différents pains emballés sous Cellophane afin d'observer en douce où allait Rosa. Puis il jeta pêle-mêle dans son chariot quelques plats surgelés, des sachets de bretzels, du lait et des céréales, des jus de fruits et de la bière. Quand il eut réuni de quoi subvenir à ses besoins, il se hâta de régler ses achats et, une fois sur le parking, aperçut Rosa et Joey qui montaient dans leur décapotable rouge. Elle portait des lunettes de soleil, une longue écharpe à pois enroulée autour de la tête pour protéger ses cheveux du vent, et elle était en train de se passer du rouge à lèvres en se regardant dans son rétroviseur.

Ce geste si féminin anéantit en lui toute la réserve qu'il s'était imposée jusqu'alors. S'emparant de son téléphone portable, il composa le numéro qu'elle avait griffonné sur un bout de papier et coincé dans sa porte, le jour où les journaux avaient annoncé le suicide de sa mère.

— Oui, ici Rosa Capoletti, répondit-elle avec sérieux, s'attendant à un appel professionnel.

— Je t'invite à dîner.

Suivit un court silence.

— Je crains que ce ne soit pas possible, répondit-elle enfin, après s'être éclairci la voix.

— Tu n'as pas un petit moment dans ton emploi du temps ?

— Non. Il est plein. A jamais.

Elle devait enrager qu'il eût poussé Joey à venir le voir. Tant pis.

— Mauvaise excuse. Je ne l'accepte pas.

— Eh bien, c'est dommage pour toi, mais il va falloir t'y faire.

— Tu me donnes une idée ! s'exclama-t-il dans un éclat de rire. Je vais me lancer dans une filature. Qu'est-ce que tu en penses ?

— Je dois y aller, répondit-elle en démarrant.

— Entendu. Mais attention à ton écharpe : elle est coincée dans la portière.

Il vit ses stops s'allumer en même temps qu'elle reposait son téléphone et tournait la tête pour tenter de l'apercevoir. Mais, bien qu'il fût tout près, négligemment appuyé sur l'aile de son 4x4, elle ne le repéra pas.

Elle ouvrit sa portière, dégagea son écharpe et fila.

« Bon, se dit-il, il est temps de passer au plan B. »

19

Dès qu'ils eurent franchi l'entrée de la propriété des Montgomery, située à une cinquantaine de mètres de la plage, Joey se crut transporté dans un univers parallèle. Avec ses hautes fenêtres étroites, ses pignons pointus, la galerie couverte qui courait sur trois de ses côtés et l'immense parc qui la ceignait, cette imposante demeure typique de la Nouvelle-Angleterre semblait tout droit sortie d'un film fantastique.

C'est alors que Joey vit Alex, l'importun qui draguait sa tante, sortir précipitamment de la maison, comme si sa vie dépendait de leur visite. Ainsi que Joey l'avait prédit, il se décomposa en apercevant Grandpop au lieu et place de Rosa. Décidément, il en pinçait vraiment pour elle. Même un aveugle s'en serait rendu compte.

— Salut, Joey !

Voilà qu'il jouait les copains, à présent, comme si l'absence de Rosa le laissait totalement indifférent !

En revanche, quand Pop descendit de voiture pour le saluer, Joey eut l'impression qu'un vent glacial se mettait à souffler dans l'air chaud de cette belle journée d'été.

— Bonjour, monsieur Capoletti.

— Je vous présente mes condoléances, Alexander.

« Oh non ! se lamenta intérieurement Joey qui espérait que le sujet ne serait pas abordé. Bonjour l'ambiance ! »

— J'y suis très sensible.

Grandpop fit un signe de tête, puis se tourna vers son petit-fils.

— Je vais t'attendre ici, Joey.

Joey pensait qu'Alex insisterait pour que son grand-père entre dans la maison, s'asseye et boive quelque chose. Mais Alex s'éloigna sans l'inviter. Ouh là ! Le torchon brûlait entre ces deux-là.

— J'ai retrouvé le télescope : il est là ! lança Alex en se dirigeant vers un immense bow-window sous lequel était installé un coffre, qui servait aussi de banquette, dont il avait coincé le couvercle en position ouverte à l'aide d'une vieille canne à pêche.

Une lampe électrique à la main, il se plongea dans ses profondeurs infestées de toiles d'araignées et, au bout de quelques secondes, il se redressa en brandissant un vieux télescope.

Joey sentit son cœur palpiter, mais prit soin de dissimuler son enthousiasme car, en tant que benjamin d'une famille de quatre enfants, il avait appris à ses dépens que pour éviter de se voir subtiliser un objet convoité, mieux valait ne pas montrer l'intérêt qu'on lui portait.

— Est-ce que je pourrais… y jeter un coup d'œil ?

— Bien sûr ! Tiens, le voilà. Il y a d'autres accessoires qui traînent là-dedans. Je vais essayer de les trouver…

Tandis qu'Alex repartait à la pêche, Joey examina l'instrument et frotta avec son pouce la plaque en laiton terni de l'échelle des latitudes de la monture équatoriale. Il s'agissait d'un Warner & Swinburne, dont il devinait seulement qu'il était très ancien et très précieux.

— Tiens, reprit Alex en tendant à Joey un trépied, un système de visée en cuivre et différents objectifs.

— Vous m'autorisez vraiment à utiliser ce matériel ? demanda Joey d'une voix hésitante, tandis qu'Alex fouillait de nouveau dans le coffre.

— Non, répondit Alex.

Les espoirs de Joey s'effondrèrent.

— Alors, pourquoi…

— Je veux que tu l'emportes. Il est à toi, expliqua Alex en sortant de la cache un long étui noir.

— Je ne peux pas accepter ! s'écria Joey en secouant la tête. Vous ne vous rendez pas compte de ce que vous avez là.

— Si, très bien. Il s'agit d'une lunette Warner & Swinburne très rare, fabriquée à Chicago dans les années 1890. Je préfère qu'elle te permette de rêver en étudiant le ciel plutôt qu'elle reste enfouie au fond d'une vieille malle. Elle est loin d'être aussi performante que les télescopes modernes, mais c'est un instrument du même type que celui qu'utilisait Maria Mitchell pour ses observations astronomiques depuis l'île de Nantucket. Je suis fier de te l'offrir. Le meilleur endroit dans la région pour regarder le ciel, c'est Watch Hill, à un ou deux kilomètres au nord de Winslow.

— Mais pourquoi me faire ce cadeau à moi ? Vous ne me connaissez même pas.

— Tu peux me tutoyer si tu veux.

Brusquement, Joey comprit le fin mot de l'histoire.

— Mais que je suis bête ! Vous vous servez de moi pour vous rapprocher de ma tante parce que vous êtes dingue d'elle.

— C'est Rosa qui t'a dit ça ?

— Non.

— Qu'est-ce qu'elle t'a raconté sur moi ?

— Pff ! soupira Joey en hochant la tête de consternation. J'y crois pas ! Je pensais en avoir fini avec les histoires de cour de récréation !

Au lieu de s'offusquer, Alex éclata de rire.

— Avec les femmes, on n'en sort jamais ! Attends une seconde que je vérifie s'il ne reste rien qui puisse t'intéresser.

Il étala tout un fatras d'objets hétéroclites : des 33 tours des Byrds, de la musique de jazz, des vieux vêtements qu'on avait oublié de mettre à la poubelle, une pile de partitions de piano, des numéros préhistoriques de *Life* et de *Time*…

— Jette un coup d'œil là-dessus, suggéra Alex en lançant à Joey un sac plein de badges où figuraient des slogans politiques : « Nixon, maintenant plus que jamais », ou « Goldwater en 1964 ». Joey n'avait pas la moindre idée de ce qu'ils évoquaient. D'anciens candidats qui avaient perdu les élections, probablement.

Il épousseta le cadre d'une photo où une femme aux

longs cheveux roux, appuyée contre une voiture bleue, regardait l'objectif en riant.

— C'est qui ?

Le visage d'Alex se durcit imperceptiblement. Il prit le cliché des mains de Joey et le regarda quelques instants.

— C'est ma mère, il y a une vingtaine d'années.

— On m'a dit qu'elle venait de mourir. Je suis désolé.

Son grand-père lui avait tout raconté. C'était vraiment un sale coup qu'elle se soit suicidée.

— C'est nul ! ajouta-t-il malgré lui.

— Tu as raison, c'est nul, acquiesça Alex. Moi aussi je suis nul. Je ne sais plus quoi faire de moi-même. J'essaye de ne pas y penser et puis, en fait, j'y reviens toujours.

— Eh bien, ça veut probablement dire qu'il faut que tu y réfléchisses, conclut Joey en passant le plus naturellement du monde au tutoiement.

— Peut-être, admit Alex avec un sourire triste.

Puis, retrouvant son énergie, il rangea dans la malle tout le fourbis qu'il en avait extrait.

— Je crois que tu as ce qu'il te faut, Joey. Tu n'as plus qu'à essayer d'assembler toutes les pièces.

Ce soir-là, au restaurant, Rosa se comporta, comme d'habitude, en parfaite hôtesse, bien qu'elle bouillonnât intérieurement à cause d'Alex Montgomery. Heureusement, elle réussissait parfaitement à masquer sa fébrilité… Du moins le croyait-elle.

— On dirait que tu as la danse de Saint-Guy, lui glissa Vince en lui barrant le passage pour l'empêcher de sortir de la cuisine.

— Parce que tu connais les symptômes de cette maladie, naturellement ?

— Bien entendu ! rétorqua-t-il sans se démonter. Irritabilité, agitation incontrôlable, un peu d'étourderie également.

— Allez, laisse-moi passer ! lui lança-t-elle en se libérant prestement.

Au moment où elle allait franchir les portes battantes, son regard tomba sur l'écran de surveillance qui offrait une vue panoramique du parking.

— Oh ! non.

— Quoi encore ? s'enquit Vince d'un ton moqueur.

Il suivit alors le regard de Rosa.

— Eh bien ! Rosa Capoletti a un soupirant qui ne manque pas de toupet, claironna-t-il. Je vais lui montrer de quel bois je me chauffe !

Rosa était exaspérée contre elle-même de ne pas avoir su se dominer en découvrant Alex. Pourquoi fallait-il toujours qu'elle affiche ses émotions ?

— C'est bon, Vince. Je m'en occupe.

— Trop tard. Regarde : Teddy t'a devancée.

En levant les yeux, elle découvrit Alex et Teddy, nez à nez, dans une attitude de défi. Teddy était grand, massif, imposant, et l'on évitait généralement de lui chercher querelle. De toute évidence, il menaçait Alex en pointant sur lui un gros doigt boudiné. Mais son rival ne semblait pas intimidé le moins du monde.

— Oh ! non, répéta Rosa en se précipitant vers la porte de service.

Dehors, une légère brise baignait de fraîcheur la nuit d'été. Mal équipée pour courir avec sa robe noire très ajustée et ses chaussures à hauts talons, Rosa gagna le parking à petits pas rapides. Lorsqu'elle y arriva, le poing de Teddy s'abattait sur Alex et l'étendait à terre.

La jeune femme, impuissante, étouffa un sanglot, puis se mit à hurler :

— Tu es fou, Teddy !

— Ce type a refusé de déguerpir, expliqua-t-il en décochant des regards assassins au malheureux Alex qui gisait à moitié inconscient dans la poussière. Pas question qu'il mette les pieds ici : ça te fout en l'air, chaque fois !

— Mais non, voyons ! Il…

Elle s'arrêta, consciente que Teddy avait raison, et même mille fois raison ! La preuve : elle tremblait de tout son être, et ses mains étaient moites de transpiration. Oui, Alex Montgomery la mettait dans tous ses états. Mais c'était sa faute à elle si elle réagissait ainsi, pas à lui.

— Aide-le à se relever ! ordonna-t-elle.

Teddy tendit une main vers Alex qui se tâtait la mâchoire d'un air hébété. En voyant la grosse patte de Teddy s'avancer vers lui, il eut un mouvement de recul.

— Il ne recommencera pas, lui affirma Rosa.

— De toute façon, ce serait inutile, répliqua Alex avec une pointe de regret. Il m'a estourbi dès le premier coup.

Il se leva et brossa de la main son élégant pantalon beige pour enlever le sable et le gravillon qui y restaient accrochés.

— Tu devrais rentrer, Teddy, suggéra Rosa.

— Mais…

— Ne t'inquiète pas, Teddy. Tout va bien, je t'assure.

Il s'éloigna lentement, en se retournant plusieurs fois vers eux. Rosa savait qu'il allait continuer à les surveiller par l'intermédiaire des caméras.

« Serais-je comme ces dames du temps jadis en l'honneur desquelles des joutes étaient organisées ? » se demanda-t-elle en riant intérieurement.

— Ça va, Alex ?

— Tout baigne !

Mais il ne put réprimer une grimace de douleur.

— Pourquoi est-ce que tu débarques ici pour chercher la bagarre avec Teddy ? Ça me dépasse.

— C'est lui qui m'a agressé !

— Si tu n'étais pas venu, il ne serait rien arrivé.

— Je ne voulais pas faire de scandale. Je suis navré de ce qui s'est passé. Vraiment navré, répéta-t-il en se tâtant de nouveau le visage. J'aurais dû partir tout de suite.

— Oui. Exactement.

— C'est trop tard, maintenant. Tu sais, Rosa, je n'ai pas l'intention de te nuire, au contraire.

Et pourtant… Par sa seule présence, il avait rouvert d'anciennes plaies qu'elle croyait cicatrisées. Elle pria pour que l'obscurité dissimule sa douleur.

— Je vais faire passer le message auprès de l'équipe, et de Teddy en particulier.

— Merci.

Il laissa son regard errer à la recherche de la caméra de sécurité, et finit par la repérer sur le réverbère central.

— Tu penses qu'il va te croire ?

— Il sera bien obligé. Au fait, tu es venu pour dîner ?

— Je suis venu pour toi, Rosa.

Un frisson la parcourut. Elle avait passé des nuits entières à rêver qu'il lui parle ainsi, et d'autres aussi à se convaincre qu'il incarnait désormais son pire ennemi.

Elle partit d'un grand éclat de rire, comme s'il venait de lancer une boutade.

— Ah oui ! J'avais oublié. Tu m'espionnes.

— S'il faut en passer par là, je te traquerai sans relâche, dit-il avec un sourire qui, en réveillant sa douleur au niveau de la mâchoire, se transforma en grimace.

— Tu perds ton temps, répliqua-t-elle, restant sourde aux palpitations de son cœur. Nous ne sommes pas faits l'un pour l'autre, et tu as eu l'intelligence de t'en apercevoir il y a déjà longtemps. Le mieux est d'en rester là. De toute façon, mes seules ambitions sont de diriger au mieux mon restaurant.

— Tu ne veux pas vivre heureuse jusqu'à la fin des temps ?

— Je suis déjà très heureuse, Alex. Enfonce-toi ça dans le crâne une bonne fois pour toutes !

— Tu me l'as déjà dit. Je n'ose pas imaginer dans quel état tu serais si tu étais malheureuse…

— Ecoute, Alex : nous ne sommes plus des gamins. Ce qui a pu se produire entre nous dans le passé… n'a plus aucune importance, aujourd'hui.

Sans crier gare, il prit le visage de la jeune femme entre ses mains.

— C'est exactement ce que je pense.

Elle se sentit fondre sous la chaleur de sa peau, mais réussit néanmoins à se ressaisir.

— Ce n'est pas une bonne idée.

Sans retirer ses mains, il jeta un regard mauvais vers la caméra vidéo.

— Je vais aller m'asseoir au bar et…

— Je travaille. Je n'aurai pas le temps de m'occuper de toi.

— Je n'avais aucune intention de te le demander. Il faut que j'aie une petite conversation avec tes amis : Vince et Teddy.

— C'est hors de question ! s'écria-t-elle avec un mouvement de recul.

— Je ne vais pas passer l'été à essayer de te voir en cachette, comme si nous étions encore des adolescents.

— Alors, laisse tomber, Alex.

— Ça, ce n'est pas envisageable, déclara-t-il en se dirigeant vers la porte d'entrée.

Le cœur de Rosa s'arrêta un instant de battre. Alex lui proposait de partager sa vie, ni plus ni moins. Ce mirage lui inspirait envie et dégoût à la fois. Elle avait mis des années à construire son image de femme solide et, à peine revenu, il commençait déjà à l'ébranler.

— Tu as perdu la tête ou quoi ?

— Peut-être... Je serai au bar si tu souhaites me voir.

Il la dévisagea intensément.

— Il n'y aura pas de problème, Rosa, je te promets.

Après un dernier coup d'œil furibond à la caméra, la jeune femme gagna le restaurant par la porte de derrière. Quand elle se retrouva dans les vapeurs et le vacarme de la cuisine, tous les employés étaient affairés à leur poste alors que, quelques instants plus tôt, ils étaient très probablement agglutinés devant l'écran de contrôle, en train d'espionner ses faits et gestes.

— S'il décide d'entrer, lança-t-elle à la cantonade, que personne ne l'en empêche !

Incapable de résister à la tentation, elle surveilla Alex sur la télévision de contrôle. Il se trouvait bien dans la partie bar de l'établissement, et il avait même de la compagnie. Dieu sait comment, il avait réussi à persuader Vince et Teddy de s'asseoir avec lui. Il maintenait une poche de glace pilée contre sa joue, tandis que ses deux compagnons parlaient en même temps, tapant de temps à autre du poing sur la table pour renforcer leurs arguments.

Rosa éprouvait encore la douceur des mains d'Alex sur

ses joues, et elle en vibrait d'émotion. Il était revenu, et il semblait décidé à se battre pour elle, si folle que pût être cette idée.

Apparemment, elle n'avait plus affaire à l'homme qui, bien des années auparavant, lui avait ravi son cœur avant de s'enfuir comme un brigand.

Alex Montgomery n'était plus le même homme.

20

— Merci de bien vouloir m'écouter, dit Alex aux deux hommes à la mine redoutable qui étaient installés en face de lui.

Malgré le ridicule que lui valait la poche de glace qu'il appuyait toujours sur sa joue tuméfiée, il attaquait vaillamment le plan B.

— Si ce que tu as à dire ne nous plaît pas, tu vas passer un sale quart d'heure, le prévint Teddy.

Mais où Rosa dénichait-elle de pareils énergumènes ? Dans la mafia ?

— Vous vous en êtes déjà chargé, lui rappela-t-il d'un ton affable. Mais je n'ai pas changé d'avis pour autant. Je veux voir Rosa. C'est aussi simple que ça, et c'est pour cette raison que je suis ici.

— Ne joue pas au plus malin ! Tu es ici parce que Rosa nous a dit de te laisser entrer, c'est tout, rectifia Vince.

Alex se souvenait de Vince comme d'un vaurien boutonneux et maigrichon, bien éloigné du personnage à l'élégance tapageuse qu'il avait en face de lui. Dès qu'il était question de Rosa, ses yeux s'emplissaient d'une tendresse farouche.

— Bon, d'accord. Elle a une chance inouïe d'être entourée d'amis comme vous. Est-ce que vous faites subir le même traitement à tous les hommes avec lesquels elle sort ?

— Non, bien sûr que non ! répondit Vince avec un geste de dérision.

— Qu'ai-je donc de si particulier pour mériter cet accueil princier ?

Vince lui lança un regard glacial.

— Ecoutez, nous étions jeunes, Rosa et moi… Les blessures sentimentales sont monnaie courante, à cet âge-là.

— Pas comme ça.

— Comme quoi ?

Teddy et Vince échangèrent un regard.

— Rosa n'a pas souffert d'un chagrin d'amour banal, commença Teddy. Il y a eu plus grave que ça. Beaucoup plus grave.

— Rosa a tout perdu à ce moment-là, poursuivit Vince : son appétit de vivre, de…

— Elle ne mangeait plus rien, précisa Teddy.

— Une seconde, messieurs ! Je ne comprends pas bien.

Alex cherchait à rassembler les lambeaux de souvenirs qu'il conservait de cette époque. Manifestement, les deux lascars savaient quelque chose qu'il ignorait.

— Vous insinuez qu'elle a entamé une grève de la faim à cause de moi ?

— Elle aurait pu mourir, continua Teddy. Mais, bien sûr, tu es passé à côté de tout ça. Tu étais déjà loin.

Alex sentit son estomac se nouer. « Tu fuis toujours devant tes responsabilités », lui avait souvent reproché son père. Etait-ce vrai dans le cas de Rosa ?

Vince riva son regard au sien.

— Elle s'est retrouvée toute seule après l'accident de son père. Ses frères ont bien essayé de l'aider, mais ils étaient dans la marine et ils avaient très peu de permissions. Elle n'a pas bougé d'ici pendant les deux ans qu'a duré la rééducation de son père. Il a fini par tout récupérer, sauf l'ouïe.

— L'ouïe ?

— Il n'entend plus rien du tout. Il s'en sort très bien, cela dit, mais Rosa se fait un sang d'encre pour lui.

Alex eut soudain l'impression que la pièce se mettait à tourner autour de lui. Quand le père de Rosa avait amené Joey, l'autre jour, il n'avait absolument rien remarqué. Pete Capoletti, ce passionné d'opéra et de jazz, était sourd ? En une seule nuit, plusieurs vies avaient basculé...

— Le problème, reprit Vince, c'est qu'elle s'est épuisée à force de vouloir tout assumer sans rien demander à personne. Elle répétait que tout allait bien... jusqu'au jour où elle s'est écroulée par terre à la pizzéria. Les services d'urgence l'ont tout de suite emmenée à l'hôpital.

Alex posa la poche de glace sur la table. Le froid avait fini par engourdir la douleur.

— Et vous, qu'est-ce que vous faisiez pendant tout ce temps ?

Manifestement torturés par le remords, ils baissèrent la tête. Etait-ce à cause de la culpabilité qu'ils surprotégeaient Rosa, aujourd'hui ?

— Au début, personne ne s'est aperçu de rien, répondit Vince. Elle se levait à l'aube pour aller voir son père à l'hôpital. Elle ne quittait pas le travail avant minuit ; elle ne prenait jamais de congé, même le week-end, mais personne n'y trouvait rien à redire. Comme elle ne se plaignait pas, on croyait qu'elle faisait face.

Alex fut pris de nausée. Tout s'était si mal combiné. Si seulement il avait pu prévoir que les choses tourneraient ainsi ! Il avait laissé l'amour de sa vie affronter seule des épreuves inhumaines au lieu de rester à ses côtés, de la soutenir… Mais à l'époque, il avait cru prendre une bonne décision en partant. D'ailleurs, avait-il réellement le choix ? Qu'aurait-il pu faire d'autre, nom d'un chien ?

— Et puis, un beau jour, elle s'est affolée en se rendant compte que son père n'aurait plus personne sur qui compter s'il lui arrivait malheur à elle. Et elle s'est remise en un clin d'œil. Seulement, elle n'a plus jamais été la même…

Malgré son envie dévorante, Alex s'interdit de tourner la tête pour chercher Rosa du regard. Après ce qu'il venait d'apprendre, une réelle admiration se mêlait aux sentiments qu'il éprouvait déjà pour elle.

— Comment ça, *plus la même* ?

— On ne sort pas indemne de ce genre d'épreuve. Il s'en est fallu de peu que son père ne meure quand il a été renversé par ce chauffard qui a pris la fuite. Rosa a dû renoncer à poursuivre des études, comme elle le voulait tant. Vous êtes parti au moment où elle avait le plus besoin de vous, et elle a failli ne pas y survivre. Ce sont des événements susceptibles de modifier le cours d'une vie, vous ne croyez pas ?

Alex froissa rageusement une serviette en papier entre ses mains. Si au moins il avait réussi à convaincre Rosa qu'il ne s'était pas passé un jour sans qu'il pense à elle… Il avait suivi de loin, comme il le pouvait, les progrès de Pete vers la guérison mais, de toute évidence, quelques éléments lui avaient échappé. Pas étonnant que la jeune femme se soit montrée aussi amère et qu'elle l'ait envoyé promener quand il était revenu pour s'expliquer.

— Voilà pourquoi nous veillons à ce que personne ne vienne plus l'importuner, conclut Vince sentencieusement.

A ces mots, Alex sentit sa mâchoire l'élancer de nouveau.

— Rosa est une adulte, à présent. Elle n'a cessé de le prouver pendant les dernières années. Pourquoi vous ne la laisseriez pas décider par elle-même si elle veut me revoir ou non ?

— Elle ne veut pas ! trancha Vince.

— Vous le lui avez demandé ?

L'hésitation de Vince et le regard qu'il échangea avec Teddy confortèrent Alex.

— Quelles sont vos intentions exactement ? s'enquit Vince qui avait adopté le vouvoiement depuis que la tension entre eux s'était relâchée.

Alex éclata de rire mais ne put réprimer une grimace de douleur.

— Vous n'êtes pas son père, nom d'un chien ! Je répondrai à cette question quand Rosa me la posera.

— On ne te fait pas confiance, grogna Teddy. Qu'est-ce que tu fabriques ici ? Tu es revenu pour te requinquer après que ta fiancée t'a largué ?

Décidément, les chroniques mondaines empêchaient toute vie privée !

— Quel rapport avec Rosa ? lança-t-il. Et puis, de toute façon, vous n'avez rien à voir là-dedans tous les deux. Alors, fichez-moi la paix !

— On fera ce que Rosa aura décidé, déclara Teddy avec un regard menaçant.

Le silence s'abattit sur eux. Alex appliqua machinalement le sac de glace sur sa joue, tout en méditant sur lui-même. Comment un témoin extérieur interpréterait-il son comportement ? Après s'être fait assommer par un moins-que-rien, il perdait des heures à discuter avec son agresseur de ses problèmes de cœur, alors qu'il n'avait pas encore osé réfléchir au suicide de sa mère et qu'il n'avait toujours pas établi la moindre ébauche de communication avec son père. « Le syndrome Montgomery », se dit-il. Une bonne bagarre de temps en temps lui permettrait peut-être de s'en purifier…

— Tu veux boire quelque chose ? Une bière ? proposa Teddy pour faire la paix.

— Non, merci.

Il ne voulait pas qu'on le ramène chez lui ivre mort, comme la dernière fois.

A cet instant, Rosa les rejoignit. Sa robe noire, d'une élégance classique, devenait aguichante sur son corps pulpeux. Alex en conçut un désir inattendu et brutal.

— Tu arrives juste à temps pour me secourir, déclara-t-il en se levant pour l'accueillir.

— Tu as besoin d'aide ? demanda-t-elle, un peu déconcertée.

— Ces deux messieurs assurent qu'ils obéiront à tes ordres, quoi que tu décides.

Rosa haussa les sourcils.

— Parfait. J'aimerais que vous retourniez travailler. Ça vous va ?

Teddy et Vince se regardèrent, puis lancèrent un dernier coup d'œil hostile à Alex, et quittèrent les lieux.

— Tu veux qu'on boive quelque chose ensemble, Rosa ?

— Du café, répondit-elle sans s'asseoir.

Puis elle plongea son regard dans celui d'Alex.

— Chez moi, précisa-t-elle.

21

Pendant tout le trajet jusqu'à son appartement, tandis que les phares de la voiture d'Alex se réfléchissaient dans son rétroviseur, Rosa entendit sa raison lui hurler de rester sur ses gardes et de ne pas prendre de risques inconsidérés.

Habituellement, l'idée d'emmener un homme chez elle ne lui inspirait pas de crainte particulière. Mais, avec Alex, rien n'était prévisible, et surtout pas elle-même.

Dans quel état avait-elle laissé sa maison ? s'inquiéta-t-elle soudain. A priori, pas de souci du moment qu'il n'allait pas dans sa chambre. Et il avait beau être séduisant à en couper le souffle, il n'était pas près d'y mettre les pieds.

« Arrête d'imaginer n'importe quoi ! Il vient juste boire un café », se houspilla-t-elle en ralentissant pour s'engager dans le parking de sa résidence.

Alex se rangea sur une place réservée aux visiteurs, et tous deux sortirent de leur voiture.

Le bâtiment où Rosa habitait, une superbe demeure de l'époque victorienne, avait été subdivisé en appartements à la suite d'une rénovation très bien conçue. Tous les logements donnaient sur la baie, et quand la visibilité était bonne, on apercevait le ferry qui faisait la navette entre le continent et Block Island, ainsi que la flottille du port de Galilee quand elle partait en campagne de pêche. La nuit, le faisceau du phare balayait les eaux sombres où scintillaient les minuscules lumières des chalutiers.

— J'ai acheté cet appartement il y a trois ans, annonça-t-elle en essayant de contrôler sa nervosité. C'est petit, mais…

« Qu'est-ce qui me prend de pérorer comme ça ? » se demanda-t-elle, furieuse contre elle-même.

Il n'y avait rien à expliquer, rien à justifier.

Son intérieur foisonnait d'objets hétéroclites. Le restaurant l'accaparait trop pour qu'elle puisse s'attaquer sérieusement à harmoniser son cadre de vie.

Il y avait cependant un motif qui structurait l'ensemble de la décoration : une nappe très colorée, avec des dessins de fleurs et de coqs, qu'elle affectionnait tout particulièrement et que sa mère utilisait quotidiennement dans la cuisine. C'était en fonction de ce tissu qu'elle avait choisi les vases, les rideaux de chintz et les napperons en perles blanches des étagères. Un de ces jours, se promit-elle pour la énième fois, elle allait vraiment s'atteler à la tâche et peaufiner la décoration. Malgré tout, en l'état actuel, une touche extraordinairement personnelle se dégageait de l'ensemble. C'était *chez elle*. Tout, jusqu'au parfum qui flottait dans l'air, semblait la révéler en entier.

— Installe-toi. Je vais préparer des espressos.

— Merci.

Elle utilisait le même café que celui du restaurant : un produit biologique fourni par un agriculteur des îles Galapagos, et elle s'était offert un percolateur professionnel « La Pavoni Romantica », un petit bijou en laiton avec des manettes de bois.

Tout en s'affairant dans la cuisine, elle observa Alex — malheureusement sans pouvoir déchiffrer son expression — qui furetait dans la pièce principale. Elle voulait qu'il se rende compte qu'elle avait bien réussi dans la vie, que son travail lui plaisait, qu'elle était entourée d'amis adorables et d'une famille aimante.

Un canapé en chintz, un fauteuil assorti et une ottomane constituaient tout le mobilier de la pièce. Pour la présence amicale, il y avait deux chats splendides et quelque peu hautains devant lesquels Alex tomba en arrêt.

— C'est Roméo et Juliette, lui apprit Rosa. Autrefois, ils étaient amants, mais depuis que je les ai emmenés chez le vétérinaire, ils sont simplement copains.

— Ils ne griffent pas ? demanda-t-il en tendant la main vers Roméo.

— Ce sont des chats, répondit-elle en s'amusant de l'air méprisant avec lequel Roméo esquivait la caresse de leur visiteur.

Alex n'eut pas davantage de succès avec Juliette, et les deux chats se glissèrent en bas de leur perchoir d'un mouvement lent et fluide, avant de s'éloigner en trottinant.

— On dirait qu'ils se sont donné le mot avec tes amis du restaurant !

— Ça m'étonnerait : ils refusent de parler à qui que ce soit ! plaisanta-t-elle.

Alex s'intéressa ensuite aux tortues du vivarium installé sur le rebord de la fenêtre.

— Les grosses s'appellent Tristan et Iseut et leurs petits Héloïse et Abélard.

— Et Antoine et Cléopâtre, ils sont où ?

— Sous une pyramide, je suppose. Par contre, si tu jettes un coup d'œil dans le premier bocal, tu feras la connaissance de leurs copains : Bonnie and Clyde, et Napoléon et Joséphine.

Il se pencha au-dessus des cages de verre éclairées artificiellement.

— Charmants couples. C'est une coïncidence s'ils ont tous connu une fin tragique ?

— Non, seulement un manque de jugement.

— Tu n'as pas peur de leur porter la guigne en leur donnant le nom d'amants malheureux ?

— Je crois qu'ils s'en moquent.

— Je peux mettre de la musique ?

— Oui, si tu veux.

Quand il alluma le lecteur, elle se creusa la tête pour se rappeler quel CD s'y trouvait… Aussitôt, elle entendit avec horreur Andrea Bocelli roucouler l'une de ses chansons les plus atrocement sentimentales.

« Pas de quoi en faire un plat ! J'aime la musique mièvre, et alors ? » se dit-elle.

Elle dut ensuite affronter le moment où Alex examina sa bibliothèque, occupée du sol au plafond par sa collection de romans à l'eau de rose dont elle ne parvenait pas à se séparer.

Le meuble suivant était rempli de livres bien différents.

— Des manuels scolaires ? s'étonna Alex. Tu suis des cours ?

— En permanence.

— Où ?

— Là où on m'accepte.

Elle ne put s'empêcher de rire devant l'expression stupéfaite d'Alex.

— Je ne suis inscrite nulle part. Je consulte les programmes des différentes universités à la recherche de cours qui m'intéressent. A l'automne, j'explorerai celles de Georgetown et de Milan… C'est une de mes occupations.

— Tu me fais marcher !

— Tu crois que j'inventerais un truc pareil ?

— Difficile, en effet. Décidément, tu es incroyable !

Elle abaissa la manette du percolateur, et le sifflement de la vapeur interrompit leur conversation. Deux filets de café noir s'écoulèrent dans deux tasses à espresso. Quand elles furent pleines, Rosa ajouta au breuvage une goutte de Frangelico pour donner au café un parfum de noisette, puis elle les déposa sur un plateau avec deux petits gâteaux aux pignons en forme de croissants de lune.

Elle porta le tout dans le salon où l'attendait Alex. Où s'asseoir ? Sur le canapé ou dans le fauteuil ? se demanda-t-elle, soudain prise de panique, comme si sa vie dépendait de sa décision.

Alex lui prit le plateau et le déposa sur la table basse laquée de blanc. Puis, la prenant par la main, il la guida le plus simplement du monde vers le canapé.

Quand il goûta le café, son visage s'illumina d'un sourire… qui réveilla la douleur dans sa mâchoire enflée.

— Il est génial.

« Allons, détends-toi ! » s'ordonna-t-elle.

— Merci. Je voulais te dire… C'est gentil d'avoir prêté ton télescope à Joey.

— Je le lui ai donné.

— Mais il a beaucoup de valeur…

— Comment un objet peut-il avoir de la valeur s'il n'est pas utilisé ? Joey s'est découvert une passion : il faut l'encourager.

— Peut-être, mais ce n'est encore qu'un gamin. Il peut très bien le casser ou avoir tout à coup l'idée de le mettre en gage ou de le vendre sur e-bay.

— Il fait ce qu'il veut. Je le lui ai donné sans conditions.

— Très bien. D'après Pop, il l'a entièrement désossé et il a étiqueté toutes les pièces. Ce sera une bonne occupation pour ses vacances.

Un silence presque serein s'installa entre eux. Contre

toute attente, Rosa se sentait bien. Aussi la question d'Alex la prit-elle au dépourvu.

— A quoi penses-tu, Rosa ?

Bien sûr, elle pouvait mentir, mais ça n'avait jamais été son fort.

— Je pense que je suis détendue avec toi. En ce moment, du moins.

— Ce n'est pas si surprenant. On se connaît depuis vingt ans !

Le silence reprit ses droits, et ce fut la voix poignante de Bocelli qui l'envahit. Rosa observa Alex par-dessus le bord de sa tasse. Il semblait écouter religieusement *Con te partiro*, comme s'il y prenait plaisir. Et pourquoi pas, après tout ?

— Tu as étudié l'italien ? demanda-t-il. Je veux dire, est-ce que tu as suivi des cours ?

— Oh ! oui.

— « L'heure est venue de te dire adieu », traduisit-il en écoutant la chanson.

— Tu parles italien, Alex ?

— Non, mais j'ai le disque chez moi.

Et tout à coup, sans crier gare, une bouffée d'émotions la submergea. Elle était en train de tomber de nouveau amoureuse de lui !

Ce fut la déroute dans son cœur et dans son esprit. Tomber amoureuse d'Alex ? Autant se jeter du haut d'une falaise !

— Ça va ?

— Non, répondit-elle d'une voix assourdie.

— Que se passe-t-il ?

— Je n'aurais pas dû t'inviter. Excuse-moi, mais il vaudrait mieux que tu partes. Tu sais, *Con te partiro* et tout ça… c'est trop pour moi.

— Dis donc, c'était ton idée !

— Eh bien, elle n'était pas bonne. Je me suis trompée.

Il lui prit la main et son regard se fit tendre.

— Regarde, je suis ici et la terre ne s'est pas arrêtée de tourner.

Elle ne songeait même pas à retirer sa main. Elle n'en avait aucune envie car elle avait entièrement succombé à son charme. Elle venait de franchir le pas, de sauter dans l'inconnu. Et il n'y aurait personne pour la secourir. Surtout pas lui !

D'une main, il lui releva doucement le menton. Leurs lèvres se touchaient presque… Elle sentit les battements de son cœur s'accélérer, tandis qu'une vague de frissons la parcourait.

« Embrasse-moi ! le supplia-t-elle silencieusement. Mais embrasse-moi donc ! »

Il n'en fit rien, et ils demeurèrent ainsi, dans une exquise proximité, prêts à basculer…

Non ! Elle ne devait pas céder au désir. Après l'échec de son mariage et le décès de sa mère, Alex ne cherchait probablement qu'à meubler sa solitude avec un petit flirt sans lendemain…

— Tu peux quand même finir ton café, lui dit-elle.

— J'aime prendre mon temps, tu sais.

Elle baissa les yeux vers leurs mains enlacées.

— Je ne comprends pas pourquoi tu souhaites tellement me revoir.

En guise de réponse, il lui lâcha la main… pour glisser ses deux bras autour d'elle et la serrer étroitement contre lui.

— J'ai quelque chose à t'avouer, Rosa. Et je n'ai pas eu l'occasion de le faire, la dernière fois que nous nous sommes parlé.

QUATRIÈME PARTIE

22

Eté 1992

— Alors, petite, comment s'est passé ton entretien ? demanda Mario Costa, tandis que Rosa nouait son tablier décoré de la fameuse pizza ailée, le logo de Chez Mario.

— Pas mal, je crois. Maintenant, tout va dépendre du comité.

La seule pensée de cette entrevue, qui l'avait tant intimidée, lui donnait des sueurs froides. Mais le jeu en valait la chandelle. Depuis le printemps, elle savait qu'elle avait été acceptée à l'université. Et pas n'importe laquelle ! A Brown University, bastion de l'enseignement supérieur depuis plus de trois cents ans. On avait assorti son admission d'un plan de financement sur mesure, naturellement le bienvenu, mais qui ne réglait pas tous ses problèmes financiers. En revanche, si l'audition qu'elle venait de passer lui permettait de décrocher le prix Charlotte Boyle, une bourse très convoitée, le coût de ses études s'en trouverait considérablement allégé.

Pendant tout le printemps, elle avait été incapable de

penser à autre chose qu'à sa rentrée universitaire, aux cours qu'elle allait choisir, à ses professeurs…

Ses frères l'avaient fortement incitée à suivre leur exemple et à s'enrôler dans la marine. Rob était marié et avait quatre enfants — deux garçons et des jumelles. Quant à Sal, il était aumônier. Et tous deux appréciaient leur existence. Mais Rosa ne se voyait pas dans l'armée. Elle n'avait rien d'une guerrière, même si elle avait décidé de se battre pour réussir ses études.

Pendant des années, Pop lui avait caché l'état de ses finances. Mais en grandissant, elle s'était intéressée à la gestion du budget familial, et elle avait découvert, sans réelle surprise, que les traitements et les interventions chirurgicales subis par sa mère au cours des trois années de son calvaire avaient saigné son père à blanc. N'ayant pas souscrit d'assurance, il avait dû payer de sa poche tous les frais médicaux jusqu'au dernier cent.

Rosa avait réellement mesuré l'ampleur du problème lorsqu'elle avait pris en charge le travail de comptabilité afin de soulager son père. Elle s'était alors aperçue que trois de ses clients ne le payaient jamais pour les travaux exécutés dans leur propriété. Avec réticence, Pop avait fini par avouer qu'il s'agissait des médecins de Mamma : un cancérologue, un anesthésiste et un chirurgien. Il s'acquittait de sa dette en entretenant leur domaine, et il mettrait vraisemblablement des années à les rembourser…

Au printemps, quand les réponses des universités étaient arrivées, Rosa avait proposé de s'inscrire à l'université publique de Kingston pour réduire les dépenses, mais Pop avait refusé tout net en arguant fièrement qu'un diplôme de Brown University valait largement les sacrifices que tous deux allaient devoir consentir…

Tentant d'oublier son entretien et les pensées noires qu'il avait engendrées, elle se lava soigneusement les mains dans le grand évier en acier inoxydable de chez Mario, et vérifia ensuite dans une glace qu'aucune mèche ne s'échappait du filet réglementaire qui lui enserrait les cheveux. Depuis l'été où Alex Montgomery avait coupé sa queue-de-cheval de petite fille idéaliste et généreuse, elle les avait laissés pousser, et ses boucles indomptables tombaient en cascade jusqu'au milieu de son dos.

— Tu es prête pour le coup de feu de midi ? lui demanda Mario.

— Et comment !

Ils disposaient encore d'une demi-heure avant l'ouverture. Les fours chauffaient, les énormes mixeurs pétrissaient d'un mouvement régulier la pâte à pizza qui serait ensuite débitée en petits tas tout lisses.

— Je voulais te montrer deux choses, dit Rosa en fouillant dans sa poche.

Mario chaussa ses lunettes.

— Qu'est-ce que c'est ?

— Un nouveau plan de salle pour l'été. Avec la disposition que je te suggère, tu peux accueillir dix-huit clients supplémentaires, et même vingt-quatre en ajoutant deux tables sur la terrasse. Ça permettra de réduire la file d'attente et d'augmenter les recettes.

Mario s'absorba dans l'examen du schéma, sur lequel Rosa avait travaillé jusque tard dans la nuit. Il l'avait toujours encouragée à proposer des améliorations pour sa pizzéria, si bien qu'au cours des années elle avait imaginé différents moyens d'accroître l'efficacité ou de réduire les coûts et le gaspillage. Ainsi, la pose d'une vitre transparente sur la caisse à sodas avait permis d'augmenter les ventes de quinze pour cent et, depuis la mise en place d'un buffet de crudités, les clients dépensaient en moyenne trois dollars de plus par repas. La jeune femme avait également procédé à une numérotation claire des tables, supprimant ainsi bien des erreurs de commande.

Tous ces petits aménagements allaient de soi pour Rosa, tandis que Mario, lui, les considérait comme l'œuvre d'une visionnaire. La jeune femme en était arrivée à la conclusion que son patron, pour adorable qu'il fût, était un piètre homme d'affaires. Heureusement, l'emplacement du restaurant et le succès de la station palliaient la médiocrité de ses compétences.

— C'est génial ! décréta-t-il. Je demanderai à Vince et Leo de réorganiser la salle après la fermeture, ce soir.

— Vince déteste faire ça. Ne lui dis surtout pas que l'idée vient de moi !

Mario accrocha le schéma au tableau d'affichage, au-dessus de la pendule.

— Rosina, *cara ragazza*. Tu es trop modeste. Tu as un vrai talent, tu sais ?

« Ça me fait une belle jambe ! » songea-t-elle. Quel

intérêt de posséder un don pour organiser une cuisine graisseuse et étouffante afin de mieux nourrir des gens qui n'hésitaient pas à se montrer grossiers envers les serveurs ? Elle avait envie d'être bonne en mathématiques, en philosophie ou en physique nucléaire, plutôt que de se montrer ingénieuse dans la gestion d'un restaurant !

Elle lui tendit un document qu'elle avait sorti sur l'imprimante de son ordinateur.

— Jette un coup d'œil là-dessus, s'il te plaît. J'ai parlé avec un fournisseur de notre commande de boîtes en carton pour les pizzas. Si on en prend deux cents de plus, il te fait un prix.

D'un geste du bras, Mario engloba la cuisine où le personnel s'affairait déjà, dans une chaleur suffocante. Sur les étagères métalliques s'entassaient jusqu'au plafond des réserves de produits divers, certains vieux de plusieurs années.

— Je n'ai plus de place.

— Je vais en faire, je te promets.

Bien que Rosa eût conscience de s'alourdir la tâche, c'était plus fort qu'elle : elle ne supportait pas que l'entreprise pâtisse d'une mauvaise organisation et d'un tel désordre.

— En plus, si tu passes ta commande par Internet, on te l'expédiera d'un autre Etat et tu n'auras pas à payer la TVA.

— Inter-quoi ? demanda Mario avec un haussement de sourcils.

— Internet. C'est un réseau informatique. Au lieu de commander sur catalogue, tu utilises un ordinateur.

— Et c'est légal de passer par un autre Etat ?

— Autant que je sache, oui.

Mario la regarda avec un sourire radieux.

— Tu es une fée ! lui dit-il d'un air émerveillé. Le comité de délivrance des bourses va se jeter à tes pieds ! Tu leur as bien montré ma lettre de recommandation, hein ?

— Oui. Mais franchement, on aurait dit que tu me prenais pour Einstein.

— Pas du tout ! Je me suis contenté de dire la vérité.

Rosa ne put s'empêcher de sourire, malgré l'anxiété que l'entretien continuait à générer en elle.

Pour mettre toutes les chances de son côté, elle avait emprunté un tailleur à son amie Ariel, et s'était entraînée devant son miroir à parler le mieux possible tout en restant naturelle. Pour le fond, elle avait appris par cœur une série de fiches sur les sujets susceptibles d'être abordés.

Malgré tout, la séance avait été très impressionnante, en particulier quand Rosa s'était aperçue que Mme Emily Montgomery, en tant qu'ancienne étudiante de Brown University — où, entre parenthèses, elle avait rencontré son mari — siégeait au comité. Rosa s'était sentie déstabilisée à l'idée d'être jugée par cette femme qui savait tant de choses sur elle... Avait-elle soutenu sa candidature ? Non, ça paraissait improbable.

Il se pouvait aussi qu'elle eût totalement effacé de sa mémoire la fille du jardinier. Seul Alex les reliait l'une à l'autre, d'un fil d'autant plus ténu qu'il y avait une éternité que Rosa ne le voyait plus.

Alex ne venait plus à Winslow depuis qu'il était entré au lycée. Leur premier baiser avait été suivi par beaucoup d'autres, cet été-là. Ensuite, son asthme ayant beaucoup régressé, un médecin l'avait autorisé à vivre en collectivité, et il était parti en pension.

Rosa avait été surprise d'apprendre que Mme Montgomery, qui était surprotectrice, avait accepté de le voir s'éloigner d'elle. Peut-être s'était-il rebellé ? Rosa imaginait très bien la scène. Alex avait beau être chétif, quand il avait quelque chose en tête…

Il lui avait écrit une ou deux fois, au début. Il se plaisait dans sa nouvelle école, mais ce qu'il appréciait pardessus tout, c'était la liberté. Rosa avait répondu en lui expliquant qu'elle travaillait dorénavant à temps partiel chez Mario afin de mettre de l'argent de côté pour ses études. Et puis, malgré leurs bonnes résolutions, leur correspondance s'était tarie au cours de l'automne. Et Alex n'avait plus jamais réapparu dans sa maison de vacances.

L'année de ses quatorze ans, alors que l'été était passé sans qu'elle revoie Alex, Rosa s'était interdit d'espérer son retour. Néanmoins, les rares fois où elle avait croisé Mme Montgomery, qui était demeurée à Winslow et y organisait des garden-parties et des cocktails pour ses amis, elle n'avait pas manqué de demander :

— Est-ce qu'Alex vient, cet été ?

— Il a d'autres occupations, avait invariablement répondu Mme Montgomery.

Il y avait eu d'abord un interminable camp de vacances qui avait duré trois mois entiers, puis un séjour chez des amis de pension, un voyage d'étude en Europe et, enfin, un stage dans une entreprise de Wall Street. Quelque chose de très sérieux apparemment, qui n'avait cependant évoqué à Rosa que l'image d'un Alex déconfit et morfondu devant une photocopieuse. Finalement, elle avait décidé de ne plus poser de questions, de crainte de laisser trop paraître son intérêt ou, pire encore, de se ridiculiser.

Alex était-il heureux dans sa nouvelle vie ? Rosa aurait bien aimé qu'il lui envoie une ou deux cartes postales de l'île de Man ou de Mykonos. Non, c'était idiot. Qu'aurait-il pu lui écrire ? Et elle, que lui aurait-elle raconté ?

Enfants, ils parlaient le plus librement du monde. Telle était la particularité des amitiés de vacances, elle s'en rendait compte maintenant : après une floraison somptueuse mais éphémère sous le soleil généreux de l'été, on rangeait tout, en même temps que les parasols, jusqu'à l'année suivante. Ou même pour toujours.

Tout en dressant l'inventaire des étagères de la cuisine, Rosa eut un sourire amusé. Quand elle serait entrée à l'université, un module sur la psychologie de l'amitié lui conviendrait parfaitement. Ça existait certainement : il y avait tant d'options… D'ailleurs, inutile de nier qu'elle avait été intimidée par l'épaisseur du *Guide de l'étudiant* où étaient répertoriés tous les cours : un vrai Bottin. Elle ne devait pas se bercer d'illusions. Il lui faudrait batailler dur pour réussir et ne pas végéter à Winslow le reste de sa vie.

Tout en fredonnant les airs qui passaient à la radio, elle se mit à réorganiser les réserves, tandis que les commandes par téléphone commençaient à affluer. Le four à bois, que Mario avait construit lui-même, brique après brique, sur le modèle de celui de son père, à Naples, exhalait déjà une douce chaleur qui transformerait bientôt la cuisine en un enfer suffocant. Les deux cuisiniers, Vince et Leo, sortiraient alors à tour de rôle à l'arrière du restaurant pour se rafraîchir avec une serviette mouillée et fumer une cigarette…

Tandis que Vince enfournait les premières pizzas de la journée, Rosa huma l'air en fermant les yeux. Nombre de ses amies travaillaient dans des boutiques de confection ou surveillaient les plages. Certaines allaient même jusqu'à Newport pour tenir des emplois de serveuses ou de réceptionnistes dans les hôtels. Avec sa réputation de fille sérieuse et compétente, Rosa aurait pu décrocher un job plus intéressant que chez Mario, peut-être même un poste de stagiaire dans une station de radio.

Mais elle se sentait bien ici, dans le vacarme de cette cuisine trop petite et surchauffée, avec la voix sirupeuse de Tony Bennett en fond sonore et les effluves de pâte et de sauce *marinara* en train de cuire.

C'est d'un pas guilleret qu'elle se dirigea vers le comptoir pour brancher la caisse et la machine à cartes de crédit.

A travers la vitre de la devanture, sur laquelle était peinte une pizza avec des ailes, elle vit les premiers clients de la journée se rassembler sur le trottoir.

Elle retourna l'écriteau pour annoncer que le restaurant était ouvert, alluma les néons et déverrouilla la porte. Une flopée de jeunes garçons en uniforme vert de la YMCA, venus passer une journée à la mer, se bousculèrent pour entrer dans un joyeux chahut.

Leur moniteur, un beau jeune homme à la large carrure et aux cheveux blond pâle, essayait vaille que vaille de les canaliser.

Rosa brandit un carnet de commandes et un stylo.

— Bienvenue chez Mario ! Qu'est-ce que vous prendrez ?

— La vache ! Qu'est-ce que ça sent bon ! s'exclama un garçon dont le badge révélait qu'il s'appelait Cedric.

— J'ai une faim de loup, déclara un autre.

— C'est normal : t'as une tête de loup ! plaisanta son voisin.

— C'est pas vrai !

— Si !

— Vous servez du loup, ici ?

Comme l'échange commençait à dégénérer, Rosa lança un regard de détresse vers leur moniteur. Quand celui-ci ôta sa casquette, elle fut littéralement hypnotisée par ses yeux bleu océan qui se plissèrent quand il lui sourit.

Le jour se fit alors dans son esprit…

— Alex ! s'écria-t-elle d'une voix enrouée par l'émotion.

Elle sentit un sourire naître au plus profond d'elle-même, remonter lentement tout son corps comme une bulle de savon irisée flottant dans la brise, puis s'épanouir sur ses lèvres.

Alex Montgomery était revenu. Enfin ! Il semblait si… différent.

— Salut ! dit-elle.

— Salut ! répondit-il.

Elle faillit se pâmer en entendant sa voix qui était devenue grave. Presque une voix de baryton.

— On m'a dit que tu travaillais ici.

— On t'a bien renseigné.

« Quelle réplique géniale ! » se dit-elle.

Les gamins s'agitaient, le volume sonore augmentait : le moment était vraiment mal choisi pour le mitrailler de questions.

Aussi, malgré sa curiosité dévorante, Rosa prit toutes les commandes, puis les transmit en cuisine.

— Pour consommer sur place ou pour emporter ?

Elle se suspendit aux lèvres d'Alex pour écouter sa réponse, comme s'il allait lui révéler le sens de la vie.

— Sur place. Nous allons déjeuner en terrasse.

A l'extérieur étaient installées quelques tables de pique-nique, abritées du soleil par des parasols publicitaires.

— Qu'est-ce que je te dois ?

« Une explication, avait-elle envie de répondre, tandis qu'elle appuyait sur les touches de sa calculette. Où étais-tu, ces quatre derniers étés ? »

Elle lui tendit l'addition et il sortit son portefeuille.

— Hé, monsieur ! lança l'un des garçons. Vous draguez la serveuse ?

— Filez tous dehors ! ordonna Alex. Et interdit de donner à manger aux mouettes.

La troupe se précipita en désordre vers la porte latérale qui ouvrait sur la terrasse et, dans le silence qui suivit, on n'entendit plus que la voix de Tony Bennett qui déversait une chanson sentimentale.

— C'est vrai, tu sais ? dit soudain Alex en préparant sa monnaie.

— Qu'est-ce qui est vrai ?

— Ce que disait le gamin…

Il la draguait ! Avec sa voix de baryton !

Rosa s'efforça de rester calme, en espérant qu'il ne remarquerait pas la rougeur qui avait envahi ses joues.

— Où sont passées tes lunettes ? Peut-être que tu me prends pour quelqu'un d'autre.

— Lentilles de contact, ma belle, répondit-il avec un clin d'œil. A quelle heure tu quittes ton travail ?

— A 7 heures.

— C'est dans un siècle, ça ! Moi, je serai délivré de mes vauriens vers 5 heures. Je passerai à ce moment-là.

« Ne cède pas trop facilement », se dit Rosa. C'était la devise de son amie Linda.

— A 5 heures, je n'aurai pas terminé.

— Demande à ton patron de te laisser partir plus tôt.

C'était tentant. Mario ne refuserait pas… Mais non. Elle ne voulait pas. Même pour Alex.

— 7 heures. Pas avant, dit-elle d'une voix ferme.

23

La journée semblait ne devoir jamais finir. A 5 heures, Rosa bouillait littéralement. Elle aurait dû accepter de quitter le travail plus tôt. C'était un jour de semaine et la saison était loin de battre son plein. Assise sur le haut tabouret derrière le comptoir, elle était plongée dans la lecture d'un roman.

A plusieurs reprises, elle faillit décrocher le téléphone pour annoncer le retour d'Alex à Linda, sa meilleure amie. Mais elle n'était pas encore prête à partager avec qui que ce fût l'émotion que lui avait causée cette réapparition. En revanche, elle laissa un message téléphonique à son père pour le prévenir qu'elle rentrerait tard, ce soir-là.

Si seulement elle avait une mère ou une sœur ! Il y avait des moments dans la vie où une jeune fille avait besoin de sa maman : lors des premières règles ou pour l'achat d'un soutien-gorge, par exemple. Ce n'était pas le genre de sujets que l'on pouvait aborder avec les bonnes sœurs ou avec son père. En d'autres circonstances tout aussi fondamentales de l'existence, Rosa aurait également apprécié de pouvoir s'épancher auprès de quelqu'un. Le retour d'Alex Montgomery, métamorphosé en dieu grec, en faisait partie.

Une famille braillarde, puis une femme maigre qui lui chercha querelle à propos de la cuisson de sa pizza arrachèrent Rosa à sa rêverie. Elle bavarda ensuite avec un retraité, qui garnissait régulièrement de prospectus le présentoir à l'extérieur du restaurant. Malgré ces diversions, ses pensées ne cessaient de revenir à Alex et au miracle qui l'avait transfiguré en un idéal de beauté masculine. Il aurait pu poser pour la couverture des romans sentimentaux dont elle raffolait ! Si tant est qu'il eût connu l'existence de ces ouvrages, hypothèse peu probable pour quelqu'un qui, à dix ans, dévorait déjà les récits mythologiques de Bulfinch. A présent, il devait lire Proust. Dans le texte original, bien sûr !

Le soir arriva enfin. Elle regarda les familles quitter la plage et regagner leur voiture, chargées de sacs et de glacières. Les rayons rasants du soleil couchant embrasaient la mer de couleurs pourpres, tandis qu'au loin, sur la côte, le phare lançait son premier signal.

7 heures ! Keisha, une serveuse, vint libérer Rosa pour le service du soir qui, en été, se prolongeait jusqu'à minuit, sept jours sur sept. Mario devait alors embaucher des extra. D'un point de vue strictement sociologique, Keisha appartenait à la classe des estivants. Pendant l'année, en effet, sa famille habitait à Hartford, dans le Connecticut. Son grand-père était un ex-membre des Black Panthers qui avait fini par publier un livre et qui avait été élu au Congrès, propulsant du même coup sa

famille dans la bourgeoisie. Les parents de Keisha étaient tous deux avocats et elle-même, intellectuelle passionnée, allait entrer à l'université de Amherst. Pourtant, elle ne déambulait pas dans les rues en tenue de tennis comme les autres citadins en villégiature, et elle se fondait parfaitement dans la population locale.

— Pas grand monde, ce soir, dit Keisha.

— Non.

Rosa s'efforça de dissimuler son impatience en enlevant posément son tablier et le filet qui retenait ses cheveux.

— A demain, Keisha.

— Salut !

Au moment où sa collègue s'installa sur le tabouret derrière le comptoir, Rosa voulut récupérer le livre qu'elle avait dissimulé sous le bar. A sa grande stupeur, elle vit Keisha le prendre, étudier la couverture, feuilleter quelques pages et s'exclamer : « Génial ! » avant d'en commencer avidement la lecture.

Décidément, la vie réservait bien des surprises ! songea Rosa.

Dès qu'elle eut franchi le seuil, elle sentit la brise de mer chargée d'iode lui fouetter agréablement le visage. Sur la plage, des jeunes filles élancées et bronzées bavardaient avec animation autour d'un énorme feu de joie où elles faisaient griller des guimauves. Un peu plus loin, des garçons torse nu tapaient nonchalamment dans un ballon. Dans leur belle insouciance de vacanciers, ils se montraient indifférents aux habitants de Winslow qui, eux, n'avaient pas le temps de s'amuser et rentraient chez eux après leur journée de travail.

Toujours pas d'Alex en vue. Peut-être son imagination lui avait-elle joué un tour ? Peut-être l'homme qui était entré chez Mario était-il un farceur qui s'était moqué d'elle ? Il ressemblait si peu à l'Alex dont elle se souvenait.

L'image qu'elle conservait de lui était celle d'un garçon maigre et mal dans son corps, très drôle aussi, avec sa voix aiguë et son rire contagieux. L'Alex qu'elle venait de revoir était…

— Excuse-moi, je suis en retard ! lança-t-il, un brin essoufflé, tandis qu'il traversait le parking en courant pour la rejoindre. L'une des mamans n'est pas venue chercher son fils, et j'ai dû le raccompagner à Pawtucket.

— Ce n'est pas grave.

Il se tenait devant elle dans toute la splendeur de son corps de rêve. Rosa aurait pu le contempler pendant des heures.

Elle s'aperçut alors qu'il l'étudiait d'un regard caressant, avec une intensité au moins égale à la sienne.

— Tu as fini de me dévisager ? lui demanda-t-elle à voix basse.

— Et toi, alors ?

— C'est que tu as tellement changé…

— Toi aussi.

La dernière fois qu'ils s'étaient vus, il était encore rachitique et pâle ; ses yeux brillaient d'un étrange éclat maladif. Quant à elle, elle avait encore son air de garçon manqué. Aujourd'hui, par contre, les garçons sifflaient sur son passage, d'un air admiratif. Il lui arrivait de rester éveillée la nuit, tracassée par les formes excessivement féminines de son corps. Fallait-il les cacher ou au contraire les mettre en valeur ? Devait-elle en être fière ou honteuse ?

— Bien, dit-il. Qu'est-ce que tu aimerais faire ? Est-ce que tu dois repasser chez toi ou…

— Non, ce n'est pas la peine. J'ai prévenu mon père que je ne rentrais pas directement.

— Ma voiture est là-bas, dit-il en désignant une petite décapotable à deux places, étincelante. A moins que… que tu ne sois toi-même motorisée…

— Non, dit-elle en désignant une vieille bicyclette usée appuyée contre un mur. C'est avec ça que je viens travailler. Parfois, j'utilise la camionnette de mon père, mais on est obligés de se la partager.

Excessivement mal à l'aise devant les signes extérieurs de richesse qu'arboraient les nantis, Rosa se força au silence : à quoi bon noyer la réalité qui les séparait dans un flot insipide de paroles ? Eh bien, non, elle n'avait pas de voiture ! Pour poursuivre ses études, elle devait compter chaque cent.

— Mais tu pourras me ramener ici, après…

« Après quoi ? Notre dîner en amoureux ? »

— Pas de problème.

Il lui adressa un sourire, qu'elle lui rendit avec un curieux soulagement. L'espace d'un instant, elle avait reconnu l'ancien Alex, celui qui avait été son meilleur ami. Après tout, même s'il avait changé physiquement, sa personnalité profonde demeurait la même.

Puis, avec une galanterie à laquelle elle ne s'attendait pas, il lui ouvrit la portière. Elle regretta alors de ne pas être passée chez elle pour prendre une douche, se maquiller et revêtir une tenue plus séduisante.

En sortant du parking, il s'engagea sur la route littorale. La nuit était belle et le vent léger la caressait délicieusement.

Ils tendirent le bras au même moment pour allumer la radio, et leurs doigts se touchèrent.

— Pardon, dit-elle en retirant sa main.

— Ce n'est pas grave. Quelle est ta station préférée ?

Il tourna le bouton, et la chanson des Heights, « Comment parle-t-on à un ange ? », s'échappa des haut-parleurs.

— C'est celle-là, je pense : 92 Pro à Newport.

Ils continuèrent à rouler, bercés par la musique, cajolés par le vent chaud de cette soirée d'été qui leur ébouriffait les cheveux. Etait-il, lui aussi, perdu dans ses souvenirs et dévoré de curiosité ?

— C'est comment, North Beach, maintenant ? demanda-t-il quand ils eurent quitté l'agglomération.

— Exactement comme avant.

— Tu veux dire que la plage est déserte ?

— En général, oui.

— Ça te dirait qu'on aille vérifier ?

A cet instant, elle comprit le sens caché de sa question. Il voulait savoir si le moment était venu de revenir au passé, à leur amitié d'autrefois et, peut-être, de rebondir à partir de là.

— Oui. C'est une excellente idée.

Quand il passa devant la maison de ses parents, Rosa nota que la lanterne de l'entrée était allumée et les fenêtres de l'étage, éclairées.

— Tes parents sont là ?

— Seulement ma mère. Mon père est resté en ville. Quant à ma sœur, elle s'est mariée en mai dernier et elle s'est installée dans le Massachusetts.

— L'un de mes frères aussi est marié. Sa femme et lui sont officiers dans la marine. Ils ont quatre enfants. Deux garçons et des jumelles.

— Et tout ça en quatre ans ?

— Il a épousé une Italienne, figure-toi !

Alex quitta une seconde la route des yeux pour lui jeter un coup d'œil.

— Alors, ça veut dire que tu es tante, maintenant ?

— Oui. Tante Rosa. C'est dingue, hein ? Mon autre frère, Sal, est aumônier. Dans la marine aussi.

— Dis-moi où je dois tourner. Ça fait un moment que je ne suis pas venu.

— Je sais.

Elle se recroquevilla, craignant qu'il n'eût décelé une note de regret dans sa voix. En tout cas, il ne fit aucun commentaire.

Elle le guida jusqu'à une aire en gravier sur le bas-côté. Elle venait parfois méditer ici ou bien ramasser des clams pour le plat favori de Pop : les *spaghettis alle vongole*.

Le soleil était couché quand ils descendirent de la voiture, et les roseaux du marais se détachaient en ombres chinoises sur un fond rougeoyant. Du côté opposé, vers le large, ciel et mer se fondaient dans l'obscurité.

Alex précéda la jeune femme sur le sentier sablonneux, écartant les herbes des dunes qui s'inclinaient sur leur passage et les églantiers qui s'agrippaient à leurs vêtements. Ils finirent par déboucher sur la plage, dont l'étendue grandiose se déploya devant eux.

Comme chaque fois, Rosa fut saisie d'émerveillement. Depuis sa plus tendre enfance, la puissance infinie de la mer la régénérait. Devant ce spectacle illimité, tout paraissait de moindre importance ; toute volonté capitulait. Cette force indomptable rassurait Rosa.

— La première fois que j'ai fait voler un cerf-volant, c'était ici, dit Alex.

— Je sais, répondit-elle, étonnée qu'il évoque cet épisode de leur passé. J'étais là.

— C'est là aussi que j'ai vécu ma première expérience de monoski. Avec toi.

— Oui, et j'étais morte de peur.

— Ce qui ne t'a pas empêchée d'essayer, lui fit-il remarquer.

— Je ne laisse jamais la peur m'arrêter.

Puis, se sentant rougir sous son regard appuyé, elle lui proposa de marcher. Elle avait les jambes lourdes après sa journée de travail, mais la compagnie d'Alex lui insufflait un regain d'énergie. Ils s'approchèrent du bord de l'eau et enlevèrent leurs chaussures.

Elle le regarda du coin de l'œil… Il continuait de la dévisager ! Elle eut un rire gêné, et tenta de mettre un peu d'ordre dans ses cheveux que le trajet en décapotable avait inextricablement emmêlés.

— Qu'est-ce qu'il y a, Rosa ?

— C'est juste que… c'est tellement bizarre de te revoir.

— Agréablement bizarre ou désagréablement bizarre ?

— Agréablement. Sans hésitation.

Elle se rapprocha un peu de lui, jusqu'à ce que leurs épaules se frôlent.

— Alors, dis-moi, Alex, pourquoi tu n'es jamais revenu ?

— Quand je suis entré au lycée, j'ai enfin commencé à vivre.

— Quoi ? Et avant, alors ?

— Ma mère m'étouffait.

— Oui. Je me rappelle.

— Elle a fini par me laisser tranquille quand mon état de santé s'est amélioré.

— Ah bon ? Tu es guéri ?

— Pas exactement, mais comme l'avait prédit le médecin, les symptômes ont disparu au moment de la puberté. Je reste asthmatique, mais je ne suis plus esclave de ma maladie. En trois ans, je n'ai eu que deux crises et je pense que ce sont les dernières parce que je prends un tout nouveau médicament qui semble très efficace.

— C'est génial, Alex ! s'exclama Rosa avec sa spontanéité et sa gentillesse habituelles.

C'était un miracle. Un petit garçon souffreteux réapparaissait sous les traits de… d'un apollon !

— C'est difficile d'expliquer ce qu'on ressent quand, brusquement, on peut vivre comme les autres : faire du sport, respirer normalement sans avoir à traîner avec soi tout un arsenal médical. Je pense que quelqu'un qui sort de prison doit éprouver la même sensation. En tout cas, je n'avais pas très envie de passer mes étés sous la coupe de ma mère.

— Je suis contente pour toi, Alex, dit Rosa en se retenant au dernier moment de lui avouer qu'il lui avait manqué, que les étés sans lui avaient été fades.

Il ralentit le pas, comme s'il voulait prolonger ces instants de communion.

— Et toi ? demanda-t-il. Tu as changé aussi. C'est impossible de ne pas le remarquer, tu sais ?

— Je ne suis pas allée en Europe ni au Costa Rica ni en Egypte.

Elle se mordit la lèvre. Ne venait-elle pas de reconnaître implicitement qu'elle s'était renseignée sur lui ?

— Je suis restée ici tout ce temps.

— C'est bien, ici.

Elle faillit lui annoncer qu'elle avait été admise à Brown University, mais elle se ravisa. Il était encore trop tôt.

Ils s'arrêtèrent pour regarder la mer où se reflétaient les premiers éclats orangés de la lune. Au loin, le faisceau du phare perçait la nuit à intervalles réguliers. Ils n'entendaient que le clapotis des vagues qui venaient mourir à leurs pieds.

— J'aurais bien voulu revenir avant, dit Alex. Simplement, je ne pouvais plus supporter l'idée que ma mère me surveille constamment.

— Et qu'est-ce que tu as fait de toute cette liberté ?

— Je suis allé dans un lycée terriblement ennuyeux. L'académie Phillips Exeter, dans le New Hampshire. Mon père y avait été élève, son père avant lui et, pour autant que je sache, tous les Montgomery depuis la fondation de l'établissement.

— C'est censé être une école fantastique. Comment as-tu pu t'y ennuyer ?

C'est vrai qu'il était extrêmement brillant, se rappela-t-elle. Peut-être que les cours n'avaient pas su répondre à ses attentes.

— Tu as raison. Je ne me suis pas ennuyé autant que je veux bien le dire. De toute façon, j'avais tellement hâte de partir de la maison que je me serais senti bien à peu près n'importe où. J'avais absolument besoin de changer de vie.

Il croisa le regard de Rosa et ne le lâcha plus.

— Mais il y avait quelque chose qui me manquait, tu sais ?

Rosa frissonna.

— Ah bon ?

— Oh ! oui, déclara-t-il avec un sourire.

— Tu restes jusqu'à l'automne ?

« Bien, Rosa ! se dit-elle avec une certaine ironie. C'est malin de changer de sujet ! »

— C'est ce qui est prévu. Je travaille à plein temps à la YMCA.

Elle ferma les yeux pour ne pas trahir sa joie.

— Tu vas à la fac, l'année prochaine ? lui demanda-t-elle enfin.

— Oui. Et toi ?

— Moi aussi, répondit-elle en croisant les bras sur sa poitrine. A Providence. A Brown University.

Malgré l'obscurité qui s'épaississait, elle vit le sourire d'Alex : lui aussi allait étudier là-bas.

— C'est pas vrai !

— Je t'assure.

Rosa s'était parfois demandé pourquoi elle avait choisi Brown University. Parce que c'était le meilleur établissement de Rhode Island ? Parce qu'on lui avait proposé des solutions de financement attrayantes ? Ou parce que quelque chose lui avait soufflé qu'Alex avait toutes les chances de s'y inscrire ? Sa mère, son père et son grand-père étaient passés par cette institution prestigieuse. C'était là que tous les Montgomery accomplissaient leur formation universitaire. Elle se rappelait la photographie dans la bibliothèque d'Alex qui montrait ses parents assis sur les élégantes marches en pierre de Emery Hall.

Et, tout à coup, elle prit pleinement conscience que l'avenir s'annonçait sous les meilleurs auspices. Pour la première fois, elle se vit en train de traverser le campus, d'assister à un cours ou de participer à une séance de travaux pratiques dans un laboratoire. Et, désormais, Alex faisait partie du rêve.

— Tu te souviens de cette petite plage ? demanda-t-il soudain.

Il était beaucoup plus calme qu'elle. Evidemment, pour lui, entrer à Brown University allait de soi.

— Non, répondit-elle. Pourquoi ?

Intérieurement, elle se consumait. Bien sûr qu'elle s'en souvenait, avec toutes les parcelles de son corps ! Tous les jours elle en rêvait, de façon presque obsessionnelle. Oui, c'était ici, par une belle journée d'été, dans la chaleur du soleil et bercés par le murmure du vent, qu'ils étaient passés de l'amitié à… autre chose.

Brusquement, elle le vit devant elle, tout près, qui la dominait de toute sa hauteur. Elle en eut le souffle coupé.

— Menteuse ! Je suis sûr que tu t'en souviens.

Elle sentit le sang lui monter aux joues.

— Ne me dis pas que tu as oublié ton premier baiser.

— Qu'est-ce qui te fait croire que tu étais le premier ?

— Tout.

— Eh bien, tu te trompes, figure-toi !

Mais elle mentait et il le savait.

Une fois, à un bal de l'école, Paulie diCarlo avait essayé de l'embrasser, mais elle l'en avait empêché et ne lui avait plus adressé la parole de l'année.

— Je suis ravi d'avoir été le premier, murmura Alex.

— Je pourrais en dire autant.

Il n'avait pas eu d'amis à l'école. Elle en était presque sûre, bien qu'elle ne lui eût jamais posé la question. La seule fois où elle avait abordé le sujet, il s'était contenté de déclarer :

— Personne ne me parle, là-bas. Ils disent que je fais trop pitié.

Puis, d'un geste de la main, il lui avait fait comprendre qu'il n'avait pas envie de s'étendre sur le sujet…

— Rosa, est-ce que tu as un petit ami ?

— Si j'en avais un, je ne serais pas ici.

— Tant mieux.

Il la prit alors dans ses bras et l'attira contre lui. Elle fut surprise par la vigueur de son corps et la puissance qui en émanait.

Renonçant à toute réserve, elle s'abandonna entre ses bras.

— Je ne cherche pas un petit ami, Alex, souffla-t-elle dans un sursaut d'appréhension.

— Non, ce n'est plus la peine.

Et il l'embrassa.

24

En comparant leurs horaires de travail, ils avaient constaté qu'ils ne pouvaient se voir que le matin de bonne heure. Ils avaient donc rendez-vous sur la plage à 8 heures, et Rosa avait promis d'apporter le petit déjeuner.

Tout en préparant leur pique-nique matinal, elle se repassa en boucle leur baiser de la veille, la douce et enivrante brûlure des lèvres d'Alex sur les siennes. Elle disséqua chaque seconde, chaque battement de cœur dans l'espoir de découvrir le mystère de ce moment de magie. Son étreinte ne l'avait ni apeurée ni impressionnée — après tout c'était Alex qui la tenait dans ses bras — mais, au contraire, transportée dans l'excitation de l'inconnu. Ce garçon, qu'elle connaissait pourtant depuis si longtemps, éveillait en elle un sentiment totalement neuf que, jusque-là, elle n'avait jamais conçu, même en rêve.

Elle fredonnait les chansons de la radio tout en coupant, dans la couronne du *ciambellone* parfumé au citron qu'elle avait fait cuire un peu plus tôt, d'épaisses tranches qu'elle recouvrait comme toujours de mascarpone et saupoudrait de cannelle et de sucre. Si son gâteau n'avait pas tout à fait le même goût que celui de Mamma, il s'en approchait beaucoup.

« La cuisine, tu as ça dans le sang », lui disait toujours son père.

D'après elle, il n'y avait rien d'exceptionnel à être un cordon-bleu. Ce qu'elle souhaitait, c'était briller en latin, en analyse vectorielle, en psychanalyse. Pas en gastronomie.

Pourtant, on ne cessait de louer ses talents de cuisinière. Il faut dire qu'au lycée, elle avait pris l'habitude d'apporter des en-cas aux réunions du foyer ou lors des séances de travail en groupes, si bien qu'en fin d'année les footballeurs ne juraient plus que par ses *cicchetti*, tandis qu'au comité des lycéens, on discutait des mérites respectifs de différentes huiles d'olive.

Elle ajouta quelques framboises fraîches à sa préparation, prit deux bouteilles d'Orangina et déposa l'ensemble dans le panier de sa bicyclette, avant de démarrer comme une flèche. Qui aurait pu deviner qu'Alex accaparerait ainsi toutes ses pensées, alors qu'hier encore elle n'était préoccupée que par son avenir universitaire ?

Lorsqu'elle passa sous la voûte qui s'élevait à l'entrée de la plage, elle constata qu'au lieu de l'attendre, Alex disputait une partie de volley-ball. Il était tellement absorbé par le jeu qu'il ne remarqua pas son arrivée. Torse nu, avec sa chemise nouée autour de la taille, il était superbe. Comment croire qu'il avait été ce petit garçon maigre, pâle, à la respiration sifflante ?

A force d'admirer sa musculature, son ventre plat, la

manière dont ses cheveux dorés tombaient sur son front et ses longues jambes vigoureuses, elle ressentit bientôt un trouble délicieux.

Comme souvent lors des matchs de volley-ball entre garçons, les joueurs semblaient prêts à se livrer une lutte à mort. Pour les avoir rencontrés à l'école ou au restaurant, Rosa connaissait Vince, Paulie, Leo, Teddy et leurs amis. Vêtus de débardeurs et de shorts coupés dans de vieux jeans, certains arboraient des tatouages, des moustaches ou des boucs. Ils parlaient et riaient fort, et Rosa se surprit à déplorer qu'ils fussent si facilement identifiables en face de leurs adversaires : des estivants à l'allure aristocratique, aux vêtements hors de prix et aux cheveux bien coupés. Quant aux trois spectatrices qui les soutenaient sur le bord du terrain, Rosa ne les connaissait pas, mais elle supposa qu'elles s'appelaient Brooke ou Tiffany, et qu'elles fréquentaient des établissements scolaires prestigieux. Elles étaient vêtues de shorts kaki et de chemises en beau coton bleu dont elles avaient soigneusement retroussé les manches jusqu'aux coudes, et leurs cheveux blonds se balançaient gracieusement au rythme de leurs mouvements. Le peu d'importance qu'elles accordaient, en apparence, à leur tenue les distinguait de Rosa et de ses amies qui étudiaient soigneusement chaque numéro de *Glamour* et de *Cosmopolitan,* et suivaient à la lettre les nouvelles tendances de la mode.

— Salut, Rosa ! hurla Vince.

« Pas trop tôt ! » pensa-t-elle en lui faisant signe. Il était temps que quelqu'un s'aperçoive de sa présence.

— J'en ai pour une minute ! lança Alex.

La bataille devint aussi âpre que s'il s'était agi de remporter le championnat de Rhode Island.

Linda Lipschitz, la meilleure amie de Rosa, arriva alors et s'assit à côté d'elle sur le muret en béton. Linda mangeait une banane accompagnée d'une boisson Slim-Fast, sa dernière lubie pour maigrir, sans se rendre compte qu'elle devait son charme à ses rondeurs et à son sourire radieux.

— Comment s'est passé l'entretien ? demanda-t-elle en balançant ses jambes nues dans le vide.

— Bien.

— Je n'arrive pas à croire que tu vas nous quitter pour entrer en fac.

— Je ne vous quitte pas.

« Peut-être que si, en fait, » songea Rosa au moment même où elle prononçait ces mots.

— C'est ce qu'ils disent tous. Tu finiras probablement par t'installer en Europe ou en Californie, et je ne te verrai plus jamais.

— Qu'est-ce que j'irais faire en Europe ou en Californie ?

— Rejoindre l'élite.

Linda s'absorba dans le déroulement du match pendant quelques instants.

— Un jour, tu feras partie de leur monde, reprit-elle avec un mouvement de tête vers les estivants.

— Ils ne m'accepteront jamais ! répliqua Rosa dans un éclat de rire.

— C'est vrai. Il faudrait que tu te décolores les cheveux. Oh ! Et puis que tu grandisses et que tu te bandes la poitrine.

— Le type là-bas, c'est Alex Montgomery, dit Rosa en se délectant de la stupeur qu'elle lut sur le visage de son amie.

— Arrête ! Tu parles de ce ringard avec qui tu traînais, autrefois ?

— En personne.

— Oh, purée ! s'exclama Linda en portant la main à son cœur.

Rosa s'appuya sur ses bras tendus derrière elle, dans une pose qu'elle voulut désinvolte. Mais elle fut trahie par l'expression de son visage.

— Oh, la vache ! murmura Linda. Tu sors avec lui ?

— Qu'est-ce qui te fait croire ça ? demanda Rosa, le regard fixé sur l'horizon.

— Allez, Rosa, raconte !

— Il n'y a rien à raconter. Pas encore, ajouta-t-elle sans pouvoir réprimer un petit sourire de connivence.

— Oh, la vache ! répéta Linda en donnant un coup de coude amical à Rosa.

A ce moment, Alex réussit un smash qui frôla la tête de Paulie diCarlo.

— Gagné ! cria un joueur.

Paulie enleva son débardeur et le jeta rageusement à terre.

— Bande de snobinards !

— Mauvais joueur ! répliqua Alex.

Avec un rugissement de fureur, Paulie se précipita vers le filet, se baissa pour le franchir et fonça droit sur Alex.

En riant, Alex l'esquiva et voulut s'enfuir, mais Paulie le plaqua aux jambes et il tomba de tout son long. Même de là où elle se trouvait, Rosa entendit que le choc lui avait coupé la respiration.

— Oh ! non, s'écria-t-elle, redoutant aussitôt une crise d'asthme.

Il lui sembla déceler de l'affolement et du dépit dans le regard d'Alex, et elle fut prise de panique. A peine eut-elle sauté de son perchoir que, déjà, il avait repris son souffle sans l'aide d'aucun aérosol. Ensuite, il agit si vite qu'elle ne comprit pas tout de suite ce qui se passait : dans un nuage de sable, il maintenait Paulie dos au sol.

— Allez, Paulie ! intervint Teddy pour éviter que la dispute ne dégénère. C'est l'heure d'aller au boulot.

La municipalité les employait tous deux pour nettoyer les rues, la plage et les jardins publics. Vêtus de leur uniforme, ils sillonnaient la ville à bord d'une camionnette. Cependant, à la façon dont ils se pavanaient, on les aurait pris pour des figurants d'*Alerte à Malibu*.

Les élégantes vacancières les observèrent en échangeant des messes basses. Quant aux regards idolâtres et jaloux qu'elles lancèrent à Alex, ils n'échappèrent pas à Rosa. Elle pressentit que la situation allait devenir délicate.

— Dis donc, Alexander, l'interpella la plus jolie et la plus blonde, on pourrait aller chez moi. Mes parents sont partis pour la journée.

Il tourna la tête vers elles, puis vers Rosa qui aurait bien voulu disparaître sous terre. Jamais elle n'aurait dû venir ici ni accepter de lui donner rendez-vous en public. Ils appartenaient à deux univers si totalement différents que leur relation lui semblait soudain absurde. Face au monde, leur couple n'avait aucun sens.

— Merci, Portia, mais je ne peux pas, répondit-il aimablement. Je suis pris.

Là-dessus, il se passa une main sur les bras et la poitrine pour se débarrasser du sable qui y était collé, et se dirigea vers Rosa.

— Tu es prête ?

— Oui, depuis longtemps.

Derrière elle, Rosa entendit Linda suffoquer.

25

Le samedi matin suivant, Rosa se précipita vers la boîte aux lettres sitôt qu'elle eut entendu le facteur y glisser le courrier. Depuis quelque temps déjà, elle vivait sur des charbons ardents : elle attendait une réponse concernant sa bourse. Elle ne s'attarda pas sur les prospectus publicitaires et les factures, et retint sa respiration en découvrant une luxueuse enveloppe couleur crème, sur laquelle son adresse était élégamment écrite à la main. Elle provenait du centre Charlotte Boyle.

Le reste du courrier lui échappa des mains tandis que, tremblante, elle décachetait la missive.

— Oh ! non, murmura-t-elle.

Elle trouva son père dans l'allée en train de changer la chaîne de sa bicyclette.

— Il faut que je te parle, Pop.

— Qu'est-ce qui ne va pas ? demanda-t-il en s'essuyant les mains sur un chiffon rouge.

— Rien, mais je… viens de recevoir la notification pour ma bourse. Ça n'a pas marché, Pop. Ils ne me l'ont pas accordée.

Rosa était totalement abattue. Cette somme d'argent aurait tellement allégé le fardeau de son père !

Elle se demanda soudain si par hasard Emily Montgomery n'aurait pas influencé la décision du jury. Cette femme ne l'avait jamais aimée.

— Ecoute, je n'ai qu'à… repousser la fac d'une année, proposa-t-elle à son père d'un ton qu'elle voulut enjoué. C'est la meilleure solution. Je peux rester ici et travailler à plein temps.

— Attendre ? Jamais ! lança Pop en secouant la tête avec détermination.

Quand il la regarda, elle vit une lueur espiègle éclairer ses yeux.

— Il est hors de question que tu changes tes projets maintenant. Tu vas aller à la fac, Rosina.

— C'est vrai ? Vrai de vrai ?

— Bien sûr ! Tu as tellement travaillé pour ça !

Elle se jeta au cou de son père, et respira son odeur si familière et rassurante.

— Merci, Pop. Merci !

— Tu vas te salir, voyons !

L'été passait à toute allure ; Alex et Rosa étaient loin de se voir aussi souvent qu'ils l'auraient voulu.

Par un jour ensoleillé de juillet cependant, ils parvinrent à se libérer pendant vingt-quatre heures. Ils se fixèrent rendez-vous le matin autour d'un café, et Rosa se réjouit de constater qu'il se rappelait comment elle accommodait le sien : avec beaucoup de crème et de sucre. Ils mirent ensuite le cap sur Block Island sur un dériveur qu'Alex avait emprunt é au club de Rosemoor. Sans complexe, Rosa le laissa barrer seul le bateau tandis que, confortablement installée, elle s'enivrait du soleil, toute au bonheur du moment.

Le ciel déployait sa voûte lumineuse à l'infini au-dessus du petit esquif qui filait sur les flots. Où aurait-elle pu se sentir mieux qu'ici, en plein Atlantique, avec Alex pour compagnon ?

Quand l'île fut en vue, Rosa demeura bouche bée devant le spectacle grandiose de cette côte escarpée, couverte à perte de vue de fleurs sauvages et de buissons de myrtilles.

Après avoir mouillé dans une anse baignée de soleil, ils débarquèrent pour pique-niquer près de Settlers Rock, un monument à la mémoire des premiers colons. Ils ramassèrent ensuite des coquillages et des morceaux de verre dépolis par la mer.

Elle envisagea un instant de lui avouer qu'elle avait conservé le nautile qu'il lui avait offert lors de leur toute première rencontre, mais elle y renonça. Il la trouverait affreusement sentimentale, surtout si elle lui précisait qu'elle l'avait placé en évidence sur une étagère de verre près de la fenêtre de sa chambre, afin que la lumière du soleil exalte encore le brillant de sa coquille et la délicatesse de ses circonvolutions.

— Ça fait du bien de s'échapper un peu, soupira-t-elle.

Main dans la main avec Alex sur les falaises Mohegan, au milieu de touristes et d'inconnus, elle ne se sentait pas déplacée. Ils étaient simplement… des amoureux comme tant d'autres.

Il ignorait tout de ses démarches pour décrocher le prix Charlotte Boyle et du résultat de l'entretien. Peut-être même ignorait-il que sa mère siégeait au comité…

Rosa se força à chasser de son esprit le souvenir de cet échec. Il était hors de question de gâcher cette magnifique journée.

Ils ne regagnèrent le continent qu'en fin d'après-midi.

— Tu es un vrai pro, dit-elle à Alex, tandis qu'il effectuait un virement de bord.

— Tu dis ça pour que je fasse tout le travail.

Elle s'adossa au plat-bord et laissa sa main traîner dans l'eau fraîche.

— Non, je le dis parce que c'est la vérité.

Après une suite de manœuvres impeccables, ils quittèrent l'anse et firent voile vers le large. Alex semblait distrait, indifférent à la splendeur de la nature autour d'eux. Rosa eut la nette impression qu'il était… hypnotisé par ses seins. Peut-être aurait-elle dû boutonner son chemisier blanc pour cacher le haut rouge vif de son Bikini… Mais elle n'en fit rien, et renonça également à attacher son gilet de sauvetage parce que, en réalité, la façon dont son compagnon la regardait était loin de lui déplaire. D'ailleurs, ce Bikini rouge n'était-il pas précisément conçu pour attirer l'attention ?

De son côté, elle prenait plaisir à observer Alex, admirant le contraste entre ses cheveux blonds et le hâle de sa peau bronzée, sa bouche parfaitement dessinée digne d'une sculpture de Donatello… Elle adorait le goût de ses lèvres quand il l'embrassait. Ce qu'il aurait dû faire beaucoup plus souvent, songea-t-elle.

— A quoi tu penses ? lui demanda-t-il.

La question la prit tellement au dépourvu qu'elle se sentit rougir. Elle mentait si mal.

— Eh bien… je pensais à toi.

Peut-être allait-il se contenter de cette réponse…

— Ah oui ? Et alors ?

— Je suis contente que tu passes l'été ici.

Elle aurait aimé continuer à se laisser bercer et à vagabonder au gré de ses rêveries, dans une totale oisiveté. Hélas, en l'absence d'équipements adéquats, il était dangereux de naviguer de nuit, et l'éclat cendré des volutes grises du ciel annonçait la fin de la journée.

Ils unirent leurs efforts pour tirer des bords le long du chenal jusqu'au ponton de Rosemoor où ils amarrèrent le bateau.

A Winslow, dans la pâtisserie où ils s'étaient arrêtés, Rosa, absorbée par la contemplation des différents bacs de crème glacée, n'entendit pas le carillon de la porte du magasin.

Deux jeunes filles venaient d'entrer, des estivantes qui reconnurent instantanément Alex. L'une des deux promenait trois petits chiens attachés à la même laisse, ce qui n'attira aucune remarque de la part du vendeur, bien que leur présence constituât une infraction manifeste.

— Salut, Alexander ! lança leur maîtresse avec un sourire radieux qui lui permit d'exhiber une rangée de dents récemment blanchies au laser.

Comme pour ses semblables, l'apparente simplicité de sa tenue — jupe en jean, sandales et pull en coton autour des épaules — n'était qu'un leurre, vu le prix faramineux de chacun des vêtements. Mais leur élégance à toutes les deux était tellement naturelle qu'elle semblait ne leur avoir demandé aucun effort. Comment cela était-il possible ? s'interrogea Rosa qui se sentit affreusement à son désavantage, avec son vieux short effiloché, son Bikini et ses tongs. En outre, elle était couverte de traces de sueur et de sel après une journée passée en mer. Quant à ses cheveux… on aurait dit un épouvantail.

— Salut. Rosa, je te présente Hollis Underwood et Portia…

— Van Deusen, compléta la plus grande des deux filles avec une moue contrariée à l'adresse d'Alex. Ne me dis pas que tu as oublié, Alexander ! Nos pères sont très amis, quand même.

— Exact, dit Alex.

Visiblement, l'intérêt que Portia lui portait n'était pas réciproque.

— Vous travaillez à la pizzéria, n'est-ce pas ? dit Hollis à Rosa, qui acquiesça de la tête sans comprendre la pertinence de la question dans la situation présente.

— Est-ce que ces chiens vous appartiennent ? demanda-t-elle dans l'espoir de changer le cours de la conversation.

— Oui, mais temporairement. Ce sont des animaux abandonnés que j'habitue à la compagnie des êtres humains pour qu'ils puissent trouver une famille d'accueil. N'est-ce pas, Wizzy Kizzy ? dit-elle d'une voix de bébé insupportable en se baissant pour caresser les chiens. Cela vous intéresserait-il d'en adopter un ? demanda-t-elle à Rosa.

— J'aimerais bien, mais j'entre à la fac cet automne.

— Vraiment ? Où ça ?

— A Brown University, répondit modestement Rosa, tout en rayonnant de satisfaction devant la mine éberluée des deux pimbêches.

Alex se détourna ostensiblement pour passer sa commande, mais Portia, refusant de comprendre la signification de son geste, s'appuya sur la façade du présentoir.

— Dis-moi, tu as l'intention d'assister à la soirée de charité au club ?

« Le club ! » répéta Rosa pour elle-même, en imitant avec agacement l'accent de Portia.

— Oui, j'y serai, répondit Alex en sortant son portefeuille pour régler ses crèmes glacées.

Rosa cacha son étonnement et son irritation : pourquoi ne lui avait-il pas parlé de cette fête ?

Portia lança un coup d'œil à Hollis, puis à Alex.

— Et tu as une cavalière ?

— Oui, répondit-il en tendant à Rosa un énorme cône de glace pralinée recouverte de sirop d'érable fort peu commode à manger.

Rosa faillit s'étrangler de stupéfaction. « Pas de panique, se dit-elle. Nous ne formons pas un couple officiel. Il a parfaitement le droit d'avoir une partenaire. »

En quittant la boutique, elle avait l'impression d'avoir rapetissé, de n'être plus qu'un misérable insecte. Un insecte avec de gros seins… Mais dès qu'Alex lui ouvrit la portière, ce sentiment disparut. Quand elle était avec lui, elle se sentait la personne la plus importante du monde.

— Ce sont des amies à toi ? demanda-t-elle en léchant sa glace avec une désinvolture étudiée.

— On était dans le même lycée.

Elle brûlait de lui poser des questions sur cette soirée de charité et plus encore sur cette mystérieuse cavalière. Au lieu de cela, elle se concentra sur son cône qu'elle savoura avec lenteur. Mais elle était sur le point d'exploser et, finalement, elle n'y tint plus.

— Qui c'est ta cavalière ?

— Ça dépend, répondit-il en prenant son temps pour finir sa glace, puis le cornet, avec délectation.

— Ça dépend de quoi ?

Elle sentait la colère monter en elle.

— De toi. Je ne sais pas si tu accepteras ou non.

Il la regarda quelques instants, puis éclata de rire.

— Espèce de saligaud ! s'exclama-t-elle en riant et en lui bourrant l'épaule de coups de poing.

Rosa ne se départit plus de son sourire tandis qu'ils traversaient la ville. Un bal officiel ! Et pas un bal de l'école. Non ! Un vrai, pour défendre une cause. Et elle allait y participer ! Il lui expliqua que sa mère était présidente de l'association, cette année, et qu'elle avait fixé un objectif ambitieux à l'événement mondain : récolter cent mille dollars pour le musée d'art Sandoval.

— J'ai promis à mon père de ne pas rentrer tard ce soir, dit-elle en découvrant l'heure sur la pendule du tableau de bord.

— Je te raccompagne, déclara Alex.

Rosa commença par hésiter, puis s'emporta contre elle-même, contre sa réticence à lui montrer où elle habitait... Sa maison était si différente de celles où Alex avait l'habitude d'évoluer.

— Merci, dit-elle finalement. C'est très gentil.

— Il va falloir que tu me guides, dit Alex quand ils quittèrent la rue principale.

— A droite au feu.

Rosa était tendue. Malgré le nombre d'étés qu'ils avaient passés ensemble, Alex n'avait jamais vu l'endroit où elle vivait.

Au fur et à mesure qu'ils s'éloignaient de la côte, le paysage devenait moins raffiné, les maisons étaient plus petites.

— Tourne à gauche ici, dans Prospect Street.

La rue où elle avait grandi était bordée de maisonnettes de bois dont la peinture aurait eu grand besoin d'être rafraîchie. Les pelouses étaient envahies de mauvaises herbes, et des voitures à l'état d'épaves encombraient les allées.

— Voilà, on est arrivés !

Alex se gara le long du trottoir et sortit pour ouvrir la portière à sa passagère. De l'autre côté de la rue, Rosa vit un rideau bouger à une fenêtre : Mme Fortenski était à son poste.

— Merci de m'avoir raccompagnée.

— Il n'y a pas de quoi.

« Bon, se dit Rosa. Maintenant, je risque le tout pour le tout. »

— Tu veux entrer ?

— Avec plaisir.

Il n'avait même pas eu l'ombre d'une hésitation ! Elle se serait volontiers jetée à ses pieds pour l'en remercier.

Grâce aux talents de son père, le jardin était magnifiquement entretenu, contrairement à ceux des voisins. Rosa regretta que l'intérieur ne fût pas aussi pimpant. Elle s'arrangeait pour que la cuisine et sa chambre fussent toujours propres et bien rangées, et elle s'efforçait de limiter les dégâts dans les autres pièces, mais Pop avait la fâcheuse habitude de laisser tout traîner.

La jeune fille eut un pincement au cœur. Si sa mère avait encore été de ce monde, Rosa se serait précipitée dans la maison pour lui annoncer la nouvelle à propos de la soirée, et Mamma aurait été aussi excitée qu'elle. Mais Pop était un homme. Il ne comprendrait pas.

Elle prit donc une profonde inspiration, vérifia que

son chemisier était bien boutonné par-dessus son Bikini, et ouvrit la porte.

— Pop ! Je suis rentrée ! hurla-t-elle.

— Ah ! te voilà ! dit Pop en sortant de la pièce qui lui servait de bureau. Comment…

Il s'arrêta en voyant Alex.

— Bonjour, monsieur Capoletti.

— Rien de grave ? demanda Pop.

Il se méprenait visiblement sur la raison de la présence d'Alex.

— Non, non. Tout va bien, monsieur.

— Alex m'a raccompagnée en voiture. On est allés faire du bateau, aujourd'hui.

Pop soumit Alex à un examen attentif. Avec ses sourcils touffus, son regard perçant, son corps râblé et musclé, Pop avait quelque chose d'impressionnant, mais Alex soutint l'inspection sans ciller.

— Entrez, lui ordonna Pop en le guidant vers la pièce qui lui servait de bureau.

— Je vais préparer quelque chose à boire, dit Rosa.

Dans la cuisine, elle se transforma en maîtresse de maison modèle : elle disposa des petits gâteaux aux pignons en forme de croissants de lune sur une assiette, et décora les verres de limonade de brindilles de romarin. Une vraie présentation de magazine !

Quand, du seuil de la cuisine, elle vit Alex assis avec son père, elle éprouva une étrange sensation, une émotion qui l'étreignit avec une telle intensité qu'elle en oublia pendant une seconde de respirer. Sans chercher à mettre un nom sur les sentiments qui l'envahissaient, elle se contenta d'observer Alex quelques instants, consciente des changements qui étaient en train de s'opérer silencieusement, secrètement, dans son univers.

Il était là, avec son père, dans une petite pièce miteuse au sol jonché de journaux, et il donnait l'impression d'être chez lui. Lui qui mangeait tous les jours dans de la porcelaine fine, lui dont la famille possédait des maisons un peu partout sur la planète, il paraissait se satisfaire pleinement de la compagnie de son père à elle… Ce garçon était vraiment le plus sincère et le plus simple qu'elle eût jamais rencontré.

Et alors, enfin, elle comprit le sentiment qui avait déferlé sur elle. Avec toute la force de sa jeunesse et de ses aspirations, Rosa Capoletti était tombée amoureuse d'Alex Montgomery.

26

— Il a intérêt à te ramener ici avant minuit ! déclara Pop, le soir du bal.

— Evidemment ! Sinon, la méchante fée me transformera en citrouille.

Marchant de long en large devant le miroir du vestibule, débordante d'impatience et d'allégresse, Rosa attendait Alex. Elle n'avait jamais pénétré dans le majestueux bâtiment du Rosemoor Country Club, et encore moins dansé sur son parquet centenaire.

De la main, elle vérifia la mise en place de ses cheveux, qu'elle avait relevés sur le sommet de la tête et maintenus par des épingles pailletées. Un fourreau sans bretelles, rouge cerise, déniché dans une friperie et admirablement retouché par son amie Ariel, mettait sa silhouette en valeur de manière spectaculaire. D'élégants escarpins, retenus à la cheville par des lanières en faux rubis et diamants, la grandissaient de plusieurs centimètres. Bref, elle avait l'impression d'être une vraie princesse.

Elle se tourna vers son père.

— Comment tu me trouves ?

— Tu es superbe. Et il vaudrait mieux pour ce garçon qu'il se conduise bien avec toi.

— Enfin, Pop, c'est Alex, bon sang ! On se connaît depuis des années.

— Ça ne change rien. Tu ne sais jamais ce qui peut passer par la tête d'un garçon quand il se trouve en présence d'une jolie fille. Il suffit d'un rien pour qu'il devienne incapable de la moindre réflexion, comme si toute sa cervelle s'échappait par ses oreilles.

— Alex est un gentleman. Tu sais, Pop, il est aussi intelligent, aussi gentil et aussi drôle que lorsqu'il était enfant. Et, en plus… il est franchement beau, maintenant. Mais il n'en a pas conscience. Certaines filles ne savent pas quoi inventer pour attirer son attention, et il ne remarque rien.

— J'espère que tu n'agis pas comme elles, ma fille. Ce garçon n'est pas…

— On est amis, rien de plus, Pop !

Alex représentait pourtant bien davantage pour elle… Mais l'heure n'était pas encore venue de l'avouer à son père. Les sentiments qu'elle éprouvait pour Alex étaient si fragiles, si impalpables et en même temps si impétueux qu'elle souhaitait les protéger et les choyer, bien à l'abri dans son cœur jusqu'à leur complète éclosion…

Heureusement, le claquement d'une portière coupa court à la discussion.

Alex, éblouissant d'élégance dans un frac noir parfaitement coupé, remonta l'allée. Il arborait un sourire heureux qui devint radieux lorsqu'il aperçut Rosa.

— Tu es absolument superbe ! s'exclama-t-il.

— Toi aussi.

Il serra la main de Pop.

— Bonsoir, monsieur.

— Bonsoir, Alexander, répondit Pop aimablement.

Mais Rosa détecta dans son regard une lueur d'inquiétude qu'elle eut du mal à interpréter.

— Attendez un instant, tous les deux ! Je vais chercher l'appareil photo.

Il immortalisa Rosa et Alex au pied de l'escalier intérieur, puis devant les rosiers du jardin, et enfin à côté de la voiture. Cependant, Rosa avait pleinement conscience que son père et Alex gardaient leurs distances l'un vis-à-vis de l'autre, comme s'ils avaient appartenu à deux univers antinomiques.

Tout en conduisant, Alex ne pouvait s'empêcher de lancer des petits coups d'œil vers Rosa.

— Tu es vraiment fantastique, tu sais ?

— Merci, Alex. Mon cavalier n'est pas mal non plus.

— Quand je pense qu'avant, tu étais maigre et débraillée…

— Ce n'est pas vrai : je n'étais pas débraillée ! protesta-t-elle en riant.

— Je te vois encore avec tes genoux couronnés et tes cheveux en bataille.

Elle s'absorba dans la contemplation de ses mains, manucurées par Linda.

— Je ne suis plus une gosse, voilà tout !

Il se tut jusqu'à la fin du trajet, puis s'engagea sous l'arche en pierre qui marquait l'entrée du vénérable country club.

Rosa remercia d'un signe aimable le groom qui ouvrit la portière de la voiture. Il transpirait et semblait emprunté dans son costume noir et ses gants blancs, mais son regard s'éclaira quand il la salua.

— Bonsoir, mademoiselle... Euh... C'est toi, Rosa ?

— Salut, Teddy !

Elle se sentait horriblement gênée de se retrouver en face d'un camarade de lycée contraint de lui faire des courbettes.

Mais elle oublia bien vite ce moment désagréable et, au bras d'Alex, le cœur palpitant d'excitation, elle franchit les hautes portes de verre qui ouvraient sur le faste étincelant d'un décor de conte de fées.

« Ce soir, je lui dis tout », se promit-elle dans l'exaltation de cette ambiance de fête dominée par une sublime musique de jazz. Elle avait décidé de lui avouer ce qu'elle éprouvait pour lui, sans rien exiger en retour.

A l'entrée de la salle de bal, ce n'était pas Gatsby le Magnifique, dont la présence ici ne l'eût pas étonnée, mais M. et Mme Montgomery, un verre de Martini à la main, qui accueillaient les invités en trouvant pour chacun quelques paroles de circonstance. De toute évidence, Mme Montgomery s'était donné du mal pour organiser cet événement mondain, songea Rosa, tandis qu'elle attendait au côté d'Alex le moment de saluer ses parents. M. Montgomery l'intriguait tout particulièrement. Pendant toutes ces journées d'été qu'elle avait passées à Ocean Road, elle ne l'avait aperçu qu'en de très rares occasions, à peine quelques secondes avant qu'il ne s'enferme dans son bureau pour s'occuper de ses affaires qui lui prenaient tout son temps.

Elle profita de ces quelques secondes d'attente pour examiner cet homme encore très beau, plus jeune que son père à elle. Comme Alex, il avait les cheveux blonds et les yeux bleus, de solides épaules et des mains larges et vigoureuses. Contrairement à son fils, cependant, il affectait une attitude digne et raide, et un sourire contraint, comme s'il était gêné par des chaussures trop petites.

Quels secrets recelait donc ce personnage dont elle chérissait le fils ? Plus tard, peut-être, elle interrogerait Alex. Il ne parlait jamais de ses parents. Sauf un jour où il lui avait confié qu'il désespérait de jamais les satisfaire. Une appréciation qui lui avait paru bien injuste, à elle qui considérait Alex comme un fils modèle.

Quand arriva enfin leur tour de serrer la main de leurs hôtes, Alex présenta sa cavalière à ses parents avec une solennité d'un autre âge, tandis qu'eux-mêmes la saluaient tout aussi cérémonieusement. Si M. Mongomery ignorait visiblement qui elle était, son épouse, elle, reconnut immédiatement Rosa.

— Eh bien ! Mademoiselle Capoletti ! Quelle surprise !

« Une surprise désagréable, de toute évidence », devina Rosa.

Sans se départir de son sourire poli, Mme Montgomery se détourna, le temps de prendre sur un plateau en argent un verre de Martini dont elle but aussitôt une gorgée.

Rosa lutta contre une envie soudaine de l'interpeller à propos du prix Charlotte Boyle qu'on lui avait refusé. De toute façon, les dés étaient jetés, et rien ni personne ne pourrait revenir en arrière. Sans compter que ce n'était ni le lieu ni le moment d'aborder un sujet aussi brûlant.

— Ajuste ta cravate, fiston ! chuchota M. Montgomery.

Alex lui décocha un regard glacial, tout en obtempérant d'un geste furibond.

— Ça vous va comme ça, père ?

Comme l'atmosphère était tendue entre eux ! nota Rosa avec tristesse. Elle aurait tant voulu que la relation d'Alex avec son père fût empreinte de la même confiance et de la même chaleur que celle qu'elle entretenait avec Pop ! Elle savait à quel point il était important de se sentir entouré dans la vie.

— Et si tu me faisais visiter les lieux ? demanda-t-elle à Alex en glissant son bras sous le sien.

Dès qu'elle eut mis le pied dans la somptueuse salle de bal, Rosa eut l'impression de devenir le point de mire de toute l'assistance.

— Tu aurais pu prévenir tes parents que tu venais avec moi.

— Tu aurais voulu que je leur gâche la surprise ?

Un fulgurant accès de colère assaillit alors la jeune fille.

— Alors, c'est tout ce que je suis pour toi ? Un bon tour à jouer à tes parents ?

— Allons, Rosa, voyons ! En ce moment, je ne peux rien faire qui leur plaise.

Peut-être, mais il n'avait pas démenti son accusation !

— C'est un guet-apens, Alex, murmura-t-elle. Je n'ai rien à faire ici et tu le sais depuis le début.

— N'importe quoi ! Tu deviens paranoïaque, ma parole !

Avant qu'elle ait pu répliquer, deux jeunes filles s'approchèrent, que Rosa reconnut sur-le-champ : Hollis Underwood, la dresseuse de chiens, et Portia van Deusen, qui avait jeté son dévolu sur Alex. Hollis était vêtue d'une robe longue très chic, dont l'ourlet était bordé d'une frise de caniches noirs stylisés. Quant à Portia, elle avait choisi une tenue entièrement blanche, comme celle d'une débutante.

— Bonsoir, Alexander ! dit Hollis.

Puis elle se tourna vers Rosa.

— Je ne me rappelle plus votre nom.

— Rosa. Tu sais, la fille de la pizzéria !

— Excusez-nous, intervint Alex avec un sourire poli.

En un clin d'œil, il avait saisi Rosa par la taille et la guidait vers la piste de danse.

Curieusement, elle n'en conçut aucun soulagement mais plutôt une panique sourde qui lui noua le ventre : la danse ne lui offrirait qu'un intermède au long de cette soirée qui promettait une suite de rencontres embarrassantes et d'insultes à peine voilées. Même sa toilette qui, au début, lui avait semblé si élégante, était devenue pour elle le symbole d'un mauvais goût tapageur. Elle aurait voulu s'abîmer dans le néant, se glisser entre les lames du parquet et disparaître à jamais.

— Qu'est-ce qui t'arrive ? lui demanda Alex.

— J'ai l'air d'une borne d'incendie.

— Tu as surtout l'air très sexy.

— Tu es un vrai mufle. Si tu as besoin de provoquer tes parents, c'est ton problème. Mais tu n'aurais pas dû te servir de moi pour le faire.

— Je ne me suis pas servi de toi. Comment peux-tu imaginer une chose pareille ?

— Et maintenant, tu me prends pour une idiote ! Tu savais très bien ce que tu faisais en choisissant pour cavalière une pauvre petite autochtone. Quel meilleur moyen de gâcher sa soirée à ta mère ? C'est pour ça que tu sors avec moi ? C'est ça que tu avais en tête, cet été ? Défier ta mère ? La rendre folle de rage ?

Rosa sentit ses yeux la brûler mais elle réussit à refouler ses larmes.

Alex s'arrêta de danser, en plein milieu de la piste. Il

resserra son étreinte, comme s'il craignait que Rosa ne s'enfuie. Puis il riva son regard au sien.

— Je ne comprends rien à tes reproches, Rosa.

— Tu n'as pas prévenu tes parents que tu m'avais invitée. Tu ne m'as pas avertie qu'une robe rouge sans bretelles ne conviendrait pas. Tu n'as…

Il posa les doigts sur ses lèvres.

— Bon sang, Rosa ! J'étais loin de me douter que tu étais si vulnérable.

« Moi aussi », songea-t-elle.

— Mais tu n'as aucune raison de l'être. Tu es magnifique… ici comme partout ailleurs.

Elle ferma les yeux un bref instant.

— Tu veux qu'on parte ? reprit-il.

— Tu plaisantes ?

Elle réussit à esquisser un sourire.

— Continuons à danser.

Ce qu'ils firent. Et, pendant quelques secondes, Rosa s'oublia dans la chaleur magique de ses bras. Un bref répit au milieu de ce calvaire.

Le cauchemar recommença après qu'un certain Brandon Davis l'eut invitée à danser.

— Il paraît qu'il y a des affaires à ne pas manquer dans le coin.

— Des affaires ? répéta Rosa sans comprendre.

— Vous n'avez pas amené vos copines ? demanda-t-il en accompagnant son odieuse remarque de caresses appuyées.

Rosa le repoussa si violemment qu'il vacilla sur ses jambes.

— Sale type !

— Ah ! Voilà pourquoi mademoiselle a du monde à son balcon ! C'est qu'elle sait parler ! s'esclaffa-t-il méchamment.

Rosa éclata alors d'un rire inextinguible.

— Tu t'amuses bien ? demanda Alex en la rejoignant.

Son hilarité redoubla. A tel point que des larmes perlèrent à ses paupières et qu'elle craignit un instant de gâcher son maquillage.

— Oh ! oui, C'est trop génial !

Après cette explosion, Rosa envisagea la situation d'un œil plus serein. Brandon Davis lui avait rendu un fier service en lui montrant que ces individus, qui se croyaient tellement supérieurs, ne différaient en rien du reste de l'humanité et pouvaient s'avérer d'une parfaite grossièreté. Ici comme ailleurs, il y avait des gens bien, généreux, ouverts, et d'autres prétentieux, grippe-sous et même carrément vulgaires. Cette idée la rasséréna et, dès lors, elle prit plaisir à évoluer sur la piste et apprécia le luxe qui l'entourait : le service discret mais attentionné, les verres en cristal, et même la présence d'une flopée de domestiques.

Les canapés lui arrachèrent une petite grimace mais aucun commentaire. Cependant, Alex la connaissait !

— Tu n'aimes pas ça, lui glissa-t-il à l'oreille.

— Si, c'est…

— Ce n'est pas grave. Moi non plus, ça ne me plaît pas.

— C'est vrai ? Ça me rassure.

Tandis qu'il lui enlaçait la taille, elle vit Mme Montgomery, un éternel verre de Martini à la main, les foudroyer du regard. A côté d'elle se tenait un homme corpulent dont le front commençait à se dégarnir.

— Qui c'est ce monsieur qui parle avec ta mère ?

— Un avocat. Je crois qu'il s'appelle Milton Banks.

— Elle a des ennuis ?

— Je ne comprends pas, dit-il en fronçant les sourcils.

— On ne prend pas d'avocat si l'on n'a pas d'ennuis.

— Oh ! si. Les membres de ma famille sont toujours entourés d'hommes de loi. L'entreprise aussi. Leur rôle est de nous *éviter* des ennuis, précisément.

Rosa vit alors Mme Montgomery vider son verre et se resservir immédiatement.

— J'ai envie de prendre un peu l'air, dit Alex.

Il emmena Rosa dans un patio dallé entouré par un muret de pierre. Des invités s'étaient rassemblés là par petits groupes et le bruit de leur conversation flottait doucement dans la brise nocturne. Les lumières des bateaux amarrés dans la marina du yacht-club irisaient la surface de l'eau, dont on entendait le clapotis près du rivage.

Rosa jeta prestement son toast — un méchant morceau de pâte feuilletée desséchée fourrée de saumon fumé trop gras — dans une poubelle. Bien que discret, son geste n'échappa pas à Alex.

— Désolé pour le buffet, dit-il.

— Je parie qu'il a coûté les yeux de la tête, en plus ! Je suis sûre que ces gens seraient prêts à s'entretuer pour un morceau de pizza convenable.

Elle se rappelait qu'autrefois, quand une réception importante ou une fête était prévue, sa mère passait des jours à s'affairer devant ses fourneaux. Rosa grimpait sur un tabouret à côté d'elle et confectionnait des boulettes de viande avec le hachis fabriqué par sa mère. En été, elles enroulaient de fines tranches de *prosciutto* autour de billes de melon qu'elles piquaient ensuite sur des cure-dents. Les invités se régalaient avec cette préparation pourtant si simple !

— Et si on s'éclipsait ? proposa Alex.

— Tes parents ne vont pas t'en vouloir ?

— Cette soirée est organisée pour leurs amis à eux, pas pour les miens.

Il considéra un moment la foule élégante des convives qui, un verre à la main, échangeaient des banalités.

— Quand nous serons à Brown, j'ai l'impression que les fêtes seront plus amusantes que ça.

« A Brown. » Rosa en frémit de plaisir. A l'automne, tous deux découvriraient un univers entièrement nouveau. Quand ils fouleraient ensemble le campus jonché de feuilles mortes de cette respectable institution, leur différence sociale serait abolie. Là-bas, peu importait qu'on soit riche ou pauvre, fille d'immigrés ou descendant des pères fondateurs. Pouvait-on rêver contexte plus extraordinaire ?

— J'espère ! Sinon, je vais devoir reconsidérer ma décision d'aller à la fac, plaisanta-t-elle.

Le mépris que lui témoigna Mme Montgomery lorsqu'elle alla la remercier avant de partir ne la surprit pas. La mère d'Alex ne l'avait jamais aimée. Autrefois, elle tolérait juste sa présence qui était censée distraire son fils malade. Aujourd'hui, bien qu'ils aient grandi ensemble et qu'ils soient à la veille d'entrer dans la même université, elle persistait à ne voir en Rosa que la fille du jardinier, potentiellement dangereuse pour la chair de sa chair.

« Il va falloir vous y faire, ma petite dame ! » songea Rosa tout en affichant une extrême politesse.

— Félicitations pour cette soirée, madame. Et merci de m'avoir reçue.

— C'est tout naturel, voyons.

« Tu parles ! »

Rosa aurait également remercié M. Montgomery s'il n'avait pas été déjà extrêmement sollicité.

— Dis donc ! Ton père ne manque pas d'amis !

— Je ne sais pas s'ils sont ses amis mais, en tout cas, ils amassent des fortunes grâce à lui.

Rosa regarda son compagnon d'un air pensif, de nouveau désemparée par la tension palpable qui semblait régir les relations entre le père et le fils.

— Allons-y, dit-elle en passant son bras sous celui d'Alex.

Alors qu'ils attendaient dehors qu'on leur amène leur voiture, Alex laissa exploser son dépit.

— Quelle soirée nulle ! Tous ces gens sinistres, si satisfaits d'eux-mêmes…

Rosa se mordit l'intérieur de la joue pour ne pas éclater de rire, tandis qu'Alex, avec une aisance étrangement adulte, tendait un pourboire au chasseur.

— Je déteste cette habitude d'employer des voituriers ! lança-t-il dès qu'ils furent à l'intérieur du véhicule.

— Pourquoi ?

— C'est ridicule, non ? Sauf si on est handicapé, et je ne le suis pas.

« Les hommes n'aiment pas qu'on touche à leur jouet », songea Rosa avec un certain amusement.

— Où allons-nous, Alex ?

— Je n'ai pas encore décidé.

— Tu n'es pas obligé de me sortir, tu sais ?

— Tu es bien trop belle pour que je te ramène chez toi.

Rosa se sentit fondre de bonheur. Pendant toutes ses années de lycée, elle n'avait jamais eu d'aventure amoureuse. Une bizarrerie qui suscitait la perplexité de ses amies. Elle savait pourquoi, maintenant : elle avait attendu Alex !

Dans le quartier touristique de Newport, la nuit battait son plein, vibrant au rythme des airs de jazz qui s'échappaient des boîtes de nuit ou des terrasses en plein air. Alex se gara et se précipita pour tenir la portière à Rosa.

— Tu es trop jolie pour une ville comme ça, mais je n'ai rien de mieux à te proposer.

— Je t'aime ! lança-t-elle à brûle-pourpoint, comme galvanisée par une flambée de courage.

Elle se redressa et lui fit face, bravement.

— C'est vrai, Alex, je t'aime, répéta-t-elle plus posément.

Il resta un moment à la regarder, avec une expression indéchiffrable. Se sentait-il mal à l'aise parce qu'il ne partageait pas ses sentiments ?

— C'est si bizarre que ça ? lui demanda-t-elle timidement en commençant à regretter son aveu.

— Oui, dit-il.

— Eh bien, je suis désolée mais je n'y peux rien. Je voulais te le dire, c'est tout. Tu n'as pas besoin de…

— Pas besoin de quoi ?

« Dans quel pétrin me suis-je fourrée ? se reprocha-t-elle. C'est tout moi, ça. Incapable de tenir ma langue. »

Et, tout à coup, elle fut au bord des larmes.

« Bravo ! Il ne manquait plus que ça ! Je commence par lui faire une déclaration des plus encombrantes et, ensuite, j'éclate en sanglots. Les garçons raffolent de ce genre de situations, c'est connu. »

Il la regardait avec ce sourire adorable qui lui rappelait le petit Alex de son enfance. Mais que pensait-il ? Elle n'en avait pas la moindre idée.

— Je ne te demande rien, reprit-elle d'une voix enrouée.

Je veux dire… Ce n'est pas parce que j'ai dit ça que tu es obligé de me répondre la même chose.

— Non, c'est vrai, rien ne m'y oblige.

Il effleura doucement sa joue et essuya quelques larmes traîtresses avec son pouce.

— Je jure devant Dieu que j'aurais préféré le dire avant toi.

Ces quelques mots dissipèrent comme par enchantement les craintes et les incertitudes de Rosa.

— C'est vrai ?

— Je t'ai toujours aimée, Rosa. Depuis le premier instant où je t'ai vue. Je crois qu'à l'époque j'en avais déjà conscience, même si je ne savais que faire de cette découverte.

Il se pencha et lui donna un langoureux baiser, avant de murmurer tendrement au creux de son cou :

— Mais, à présent, je sais comment te montrer mon amour.

27

Rosa avait invité Alex au pique-nique annuel que Mario organisait pour son personnel, ses amis, sa famille et ses plus fidèles clients, le premier lundi de septembre, à l'occasion du Labor Day. Cette année, la fête se tenait dans le parc Roger Wheeler Beach et devait accueillir plus de cent personnes. Il était prévu que les employés se relaient à la pizzéria, ce jour-là, mais Mario avait fait une exception pour Rosa, et l'avait libérée toute la journée, conscient de l'importance que revêtait pour elle la dernière semaine qu'elle passait à Winslow avant l'université.

La jeune fille trouva son père dans le garage, la tête plongée dans le moteur de sa camionnette.

— Salut, Pop.

Il émergea de dessous le capot.

— J'espère que tu n'en auras pas besoin aujourd'hui, dit-il en s'essuyant les mains à un chiffon. Le changement de vitesse n'arrête pas de sauter.

— Pas de problème. Alex m'emmène.

Pop se renfrogna aussitôt.

— Qu'est-ce qui lui prend d'aller au pique-nique de

Mario ? bougonna-t-il tout en aspergeant le chiffon de dissolvant. Il ne rencontrera pas le genre de personnes qu'il a l'habitude de fréquenter.

— Alex s'entend bien avec tout le monde, affirma Rosa, toujours sur ses gardes dès qu'elle parlait de lui avec son père.

Néanmoins, sa belle assurance fut quelque peu ébranlée lorsqu'elle vit arriver un Alex tout droit sorti d'un catalogue de chez Brummel, avec son short kaki et sa chemise bleue pimpante dont il avait relevé les manches jusqu'aux coudes. Il était ultra BCBG !

— Qu'est-ce qui ne va pas ? demanda-t-il devant la mine effarée de son amie.

— Quelle idée de te mettre sur ton trente et un ! répondit-elle en montrant son propre short en jean et son T-shirt orné du logo de Chez Mario.

— Quelle importance ? Pourquoi tu fais toujours des histoires à propos de détails ?

— Je n'en ai aucune idée… Viens m'aider à terminer les *ciabatta bruschetta*.

Tandis qu'ils décoraient de basilic les petits gâteaux apéritifs, il en engloutit un.

— J'ai rarement goûté quelque chose d'aussi bon.

— Dans ce cas, tu vas te régaler aujourd'hui.

Et elle le serra très fort dans ses bras.

Ce fut le moment que Pop choisit pour entrer dans la cuisine. Rosa fit quasiment un bond en arrière dans sa hâte de s'éloigner d'Alex.

— Ah ! tu es là, Pop.

— Bonjour, monsieur Capoletti, dit Alex avec la timidité d'un enfant.

Pop répondit à son salut d'un signe de tête.

Sur ces entrefaites, le téléphone sonna et Pop décrocha.

— Oui, madame, dit-il en faisant signe à sa fille de ne pas l'attendre.

— Ça doit être une de ses clientes... On devrait y aller, Alex, dit Rosa en couvrant le plateau d'un film de plastique. Il nous retrouvera là-bas. Tu es prêt ?

Comment faire pour que son père et Alex s'apprécient ? se demanda-t-elle pendant tout le trajet. Leur entente comptait beaucoup pour elle parce que tous deux occupaient une place essentielle dans sa vie. Comme, d'ailleurs, tous ces gens qui avaient répondu à l'invitation de Mario et qui affluaient vers le lieu du rendez-vous, songea-t-elle pendant qu'Alex se garait.

Sur la belle pelouse ombragée, don de l'association catholique « les Chevaliers de Colomb de Winslow », des hommes disputaient une partie de pétanque. Sous l'abri de toile rectangulaire, des femmes s'affairaient à disposer le buffet, tandis que leurs maris faisaient griller des chipolatas dont l'arôme épicé aiguisait l'appétit. Quant aux enfants, ils couraient en tous sens en poussant des cris de joie.

Rosa éprouva un élan de tendresse à l'égard de tous ces gens qui constituaient son univers. Pour la première fois, son cœur se serra d'appréhension à l'idée de les abandonner.

— Prêt ? demanda-t-elle à Alex avec entrain, soudain gagnée par l'ambiance de fête.

— Bien sûr.

Pop, qui avait de toute évidence échoué à réparer son pick-up, arriva sur sa bicyclette. Il adressa à sa fille un geste de la main, puis se dirigea vers le terrain de boules où il fut accueilli par de bruyantes démonstrations d'amitié.

Alex détonnait au milieu de tous ces garçons en jean et débardeur noir. C'était West Side Story revisité, sauf qu'Alex était l'unique représentant de sa bande. Tandis qu'ils marchaient vers la tente, Rosa feignit de ne pas remarquer les regards que braquaient sur eux certains de ses camarades de lycée.

— Hé ! Rosa ! l'interpella Paulie diCarlo. Venez, on va faire une partie de rugby.

Rosa posa aussitôt une main sur le bras d'Alex.

— Tu n'es pas obligé…

— Ça ne me dérange pas. Et toi, ça te dit ?

— D'accord. Allons-y, trancha-t-elle avec un regard de défi vers Paulie.

— Une équipe enlève sa chemise, l'autre la garde. Je vote pour que Rosa fasse partie de la première équipe.

— Tu rêves ! s'écria-t-elle.

Il la détailla longuement de la tête aux pieds.

— Exact.

— Va te faire voir, Paulie !

Puis elle se tourna vers Alex.

— Fais attention : ils vont tous te prendre pour cible, lui dit-elle à voix basse.

— Ils auront du fil à retordre, répliqua-t-il avec un sourire.

Alors, il s'impliqua à fond dans le jeu et, comme Rosa l'avait prédit, le ballon arrivait sans cesse sur lui. Il parvint à attraper la plupart des passes, donnant ainsi aux joueurs adverses de nombreuses occasions de se ruer sur lui. Aussi éloignée qu'elle se trouvât, Rosa entendait les grognements qui accompagnaient leurs efforts pour plaquer Alex le plus violemment possible, et le bruit mat de son corps qui heurtait le sol. A la troisième mêlée, elle décida d'intervenir.

— Paulie, vous êtes censés jouer au rugby, pas faire une partie de catch.

— Ça va, dit Alex en se relevant et en remettant son short en place.

Il se battit comme un lion. Sans hésiter à distribuer force coups de coude et d'épaule, il parvint à zigzaguer jusqu'à la ligne d'essai, et quelques-uns des amis de Rosa furent assez honnêtes pour saluer son exploit.

Il n'y eut ni gagnants ni perdants, car Nona Fiore, la belle-mère de Mario, annonça le début du repas, déclenchant aussitôt une ruée vers le buffet qui regorgeait de *panzanella* à la tomate, de toutes les variétés imaginables de pâtes, de saucisses grillées, de poisson frais en papillotes, de gâteaux Napoléon et de *reginatta*, un dessert à base de crème glacée fondue.

Les anciens buvaient du chianti dans des verres en

carton et se parlaient en italien. En les entendant répéter à plusieurs reprises « *quel ragazzo* », Rosa sut qu'il était question d'Alex. Pourquoi ces gens qu'elle aimait le jugeaient-ils si durement avant même de le connaître ?

— Tenez, mangez donc ça. Vous en avez besoin. Vous êtes trop maigre !

Nona Fiore tendait à Alex un morceau de *trippa marinata* piqué sur un cure-dent. Rosa n'eut pas le temps d'intervenir ; Alex avait déjà obtempéré.

— C'est délicieux, dit-il en portant à ses lèvres une serviette en papier.

Quand il vit Nona s'éloigner en riant, il demanda à Rosa :

— Qu'est-ce que c'est ?

— Des tripes de bœuf marinées.

Il chancela un peu et se mit à mastiquer plus vite.

— Tu pourrais mâcher toute la nuit, ça ne servirait à rien. Il faut que tu avales tout rond.

Il obéit avec un haut-le-cœur.

— Viens, on va chercher quelque chose à boire, lui proposa-t-elle vivement.

Quand il s'approcha de la glacière pour sortir deux canettes de Coca, Mario et son beau-frère s'efforcèrent de l'inclure dans leur conversation, mais Alex, impuissant à se départir d'une timidité qui le rendait guindé, s'esquiva dès qu'il le put. Ce genre de situation se reproduisit plusieurs fois au cours de la journée. Si bien que Rosa dut se rendre à l'évidence : Alex ne cadrait pas davantage avec son mode de vie à elle qu'elle-même ne cadrait avec le sien. Il goûta à tous les plats, rit poliment à des blagues incompréhensibles, accorda son attention à des grands-mères qui ne connaissaient que quelques mots d'anglais… Plus il faisait d'efforts, plus il semblait différent des autres. Et plus elle l'aimait pour ces tentatives désespérées.

Elle l'aimait d'avoir accepté une assiette de pâtes si remplie qu'il lui avait fallu la tenir à deux mains. Elle l'aimait d'avoir poussé sans se lasser tous les enfants qui le lui demandaient sur les balançoires. Elle l'aimait d'avoir essayé de s'attirer les bonnes grâces de son père, malgré son hostilité clairement affichée. Rosa ne put trouver qu'une explication à l'acharnement d'Alex : il tenait à elle.

Insensiblement, l'après-midi tira à sa fin et, lorsque les lucioles se mirent à briller dans l'obscurité, un adulte rassembla les enfants autour du gril pour qu'ils mettent des guimauves à rôtir. Rosa regarda les visages de ses amis et de ses voisins éclairés par les flammes, puis celui d'Alex à côté d'elle, et elle se sentit de nouveau transportée de joie. Etre ainsi entourée, voilà ce qu'était le bonheur.

Mamma aurait adoré cette soirée, songea-t-elle en écoutant les femmes bavarder en italien. Mais, soudain, un doute l'assaillit : sa mère se serait-elle réjouie de la savoir amoureuse d'un riche citadin protestant ?

— Partons, lui murmura Alex.

— Si tu veux.

Les parents traînèrent leurs marmots à moitié endormis

jusqu'aux voitures. Les hommes vidèrent les glacières, les femmes rangèrent les plats et la vaisselle. Pop, quant à lui, fumait sa pipe en bavardant avec les anciens.

— Bonsoir, monsieur, dit Alex. Merci à tous de m'avoir invité.

— Oh ! on n'y est pour rien, répondit Pop. C'est ma fille.

— Mon père veut dire que tu es le bienvenu et que tout le monde est content que tu sois là, déclara Rosa. Pas vrai, Pop ?

— Oui, oui. Conduisez prudemment, répondit-il du bout des lèvres.

Rosa et Alex échangèrent un regard.

— On va au cinéma à Wakefield, déclara la jeune fille.

— Maintenant ? Il est tard, fit remarquer Pop.

— Non. Il n'est même pas 9 heures.

Elle n'avait aucune envie de se disputer avec lui. Pas ici. Pas devant Alex. Mais l'expression de son père lui faisait énormément de peine. Elle allait quitter la maison, et il se retrouverait complètement seul. Cette perspective l'angoissait.

« Ne sors pas ce soir », lui murmura une voix intérieure. Mais elle ne devait pas lui obéir. Il fallait qu'elle parcoure le monde et qu'elle se construise une vie. La séparation d'avec Pop constituait une étape incontournable du processus. C'était le cours normal des choses : les jeunes partaient de chez eux. Tout se passerait bien pour elle et son père.

28

Pour rejoindre leur voiture et s'enfuir, ils durent se frayer un chemin parmi des petits groupes d'invités qui, tous, manifestaient ouvertement leur hostilité envers Alex.

— La journée a été horrible pour toi, Alex. Je suis désolée.

— Non, non, ne t'inquiète pas.

— Tu mens vraiment très mal !

— Je sais, et c'est pour ça que je te dis toujours la vérité, Rosa. Au début, j'ai trouvé que cette fête n'avait rien d'amusant, mais je me suis aperçu qu'en fait j'avais des idées préconçues et que je n'étais tout simplement pas habitué à ce style de réunions.

« Il s'agit de *mon style à moi* », pensa-t-elle aussitôt.

— C'est idiot ce qui s'est passé avec Paulie diCarlo. C'est ma faute.

— Mais non, voyons ! De toute façon, l'agressivité ne me dérange pas. Je sais comment réagir. Par contre…

Il augmenta le volume de la radio qui diffusait *Walking on Broken Glass.*

— Par contre ?

— J'ai hâte qu'on quitte le giron familial et qu'on prenne notre indépendance.

De nouveau, elle fut envahie par un sentiment de malaise. L'atmosphère bon enfant à laquelle elle était si attachée déplaisait manifestement à Alex.

— Oui, moi aussi, répondit-elle sans être sûre d'éprouver la même impatience que lui.

Elle s'installa confortablement et regarda la nuit défiler, trouée à intervalles réguliers par le long faisceau bienveillant du phare qui balayait la mer… Parviendrait-elle à s'adapter à la vie citadine ? Elle n'avait jamais passé une seule nuit ailleurs qu'ici et, malgré son envie de découvrir d'autres horizons, cette perspective l'angoissait.

— Qu'est-ce qui t'arrive ? lui demanda Alex d'un air inquiet.

Elle tourna la tête vers lui et lui sourit, émerveillée par sa capacité à deviner ses états d'âme.

— Je ne suis pas comme toi. Je n'ai jamais voyagé.

— Tu veux dire que tu as peur de partir d'ici ? s'étonna-t-il, quelque peu déconcerté.

— Qu'est-ce que tu as contre Winslow ? lui demanda-t-elle d'un ton pincé.

— Rien, sinon qu'il existe tout un monde à côté.

« Il existe tout un monde ici même », songea-t-elle en contemplant les fumées énigmatiques qui flottaient à présent sur les marais.

— C'est différent pour toi. Quand tu seras parti, tes parents resteront ensemble ; ils se tiendront compagnie, tandis que mon père sera absolument seul.

Alex demeura longuement silencieux, le regard fixé sur la route.

— Ce n'est pas tout à fait vrai… pour mes parents.

— Comment ça ?

— Ils ne se tiendront pas compagnie. Ils ne l'ont jamais fait.

Cette remarque lui fit froid dans le dos. Etaient-ils sur le point de divorcer ? Le cas n'était pas rare parmi les parents de ses amies. C'était souvent un moindre mal, à ce qu'on disait. Peut-être… pour certains. D'autres le vivaient comme un séisme horriblement douloureux. Vince, dont les parents avaient traversé cette épreuve, quelques années plus tôt, la comparait à un incendie : après, tout était à reconstruire. D'une certaine façon, la rupture avait provoqué un choc aussi violent dans la vie de Vince et de sa famille que la mort de Mamma pour Rosa et les siens.

— Ils se séparent ?

— Oh ! non. Elle ne le quitterait pas pour tout l'or du monde !

Il se gara dans un espace aménagé sur le bord de la route, et coupa le moteur.

— Tant mieux, dit Rosa.

Il se tourna vers elle et la regarda dans les yeux.

— Il ne convient ni de s'en réjouir ni de s'en attrister. C'est comme ça, c'est tout.

— Alors, ils ne sont pas heureux ensemble ?

— Ils sont heureux quand ils sont loin l'un de l'autre.

Mon père n'a passé qu'un seul week-end ici, cet été : celui du bal du country club.

— J'ai toujours cru qu'il restait en ville à cause de son travail.

Alex eut un petit rire forcé, et passa la main sur sa poitrine, mécaniquement, comme lorsqu'il était enfant et qu'il sentait venir une crise d'asthme.

— Autrefois, je pensais que leur couple était comme tous les autres. Les enfants s'imaginent que leur vie familiale est normale. Mes parents sont extrêmement courtois l'un envers l'autre, mais ils ne se parlent pas. Leurs sujets de conversation se limitent au travail, aux voyages professionnels de mon père ou aux œuvres de charité de ma mère.

— Pourquoi se sont-ils mariés ?

— C'est un sujet tabou, mais Madison est née sept mois après la cérémonie.

Cette histoire était si accablante que Rosa en eut mal pour lui. Quel dommage qu'il n'ait pas connu la chaleur d'un foyer comme le sien, où le simple fait d'être ensemble suffisait au bonheur de chacun.

— Je te plains, Alex, dit-elle en se penchant pour l'embrasser. Ils ont réussi quelque chose, malgré tout : il y a bien quelqu'un qui t'a appris comment aimer.

Il la prit par les épaules et la regarda au fond des yeux.

— Oui. Toi.

En entendant ces deux mots, Rosa fut submergée par une bouffée d'émotion.

— Ma mère disait toujours qu'on n'a qu'une seule vie et qu'il est dommage de la passer à se sentir malheureux.

— Je suppose que mon père trouve beaucoup de satisfactions dans son travail. Quant à ma mère, elle a ses bonnes œuvres… et l'alcool. Ne jamais oublier ce paramètre.

C'était la première fois qu'il faisait allusion à l'alcoolisme de sa mère, et son visage s'assombrit.

— Qu'est-ce qui se passe, Alex ? Pourquoi es-tu si remonté contre elle ?

— Non, ce n'est pas ça… Oh, et puis zut ! Figure-toi qu'on s'est disputés tous les deux, juste avant que je vienne te chercher.

— A mon propos ?

Elle en était sûre. Son instinct le lui soufflait. Elle se dégagea de l'étreinte d'Alex et regarda loin devant elle.

— A *notre* propos, corrigea-t-il en agrippant rageusement le volant. Elle avait un peu abusé de son cocktail favori au bourbon et à la menthe. Et parfois, quand elle a bu, elle dit des trucs…

— Des trucs qu'elle ne pense pas vraiment ?

— Disons… qu'elle ne dirait pas si elle était dans son état normal.

— Elle n'approuve pas que tu me fréquentes, c'est ça ?

Rosa repensa au coup de téléphone que son père avait reçu au moment où elle était partie avec Alex…

— Elle raconte n'importe quoi. Et je le lui ai dit tout net. J'en ai marre qu'elle me harcèle sans arrêt.

Rosa supposa que cette querelle entre la mère et le fils couvait depuis le début de l'été. Et l'idée qu'ils se déchirent à cause d'elle lui était insupportable.

— Tu devrais dire à ta mère que tu regrettes de t'être énervé.

— Pas question ! Elle se trompe complètement sur nous. Elle ne comprend rien. Je lui ai dit que j'étais amoureux de toi, Rosa, que ce n'était pas une passade et que jamais je ne cesserais de t'aimer. C'est à ce moment-là qu'elle a pété les plombs. *Carrément* pété les plombs.

Alex avait parlé avec une telle fièvre que Rosa en fut à la fois transportée et vaguement effrayée.

— Ça ne t'empêche pas de t'excuser. Comment peux-tu supporter que ta mère soit furieuse contre toi ?

Alex bondit hors de la voiture et vint lui ouvrir la portière.

— Je t'annonce solennellement que le sujet est clos… Et si on renonçait au cinéma, ce soir ? murmura-t-il au creux de son oreille.

— Excellente idée. On n'a qu'à passer la soirée ensemble, rien que nous deux.

Elle se blottit alors dans ses bras. Quand elle était seule avec lui, le monde autour d'eux cessait d'exister. L'animosité de leurs amis, l'incompatibilité entre leurs familles… ces problèmes perdaient toute consistance.

Le ruban noir de la route déserte qui, au loin, se fondait dans la nuit exerçait sur elle une fascination presque hypnotique. Elle eut envie de s'y perdre avec l'homme qu'elle aimait, chaperonnée seulement par la lune qui les baignait de son aura énigmatique.

S'emparant de la couverture qu'il gardait toujours dans son coffre, elle prit Alex par la main.

— Allons-y, dit-elle en l'entraînant dans la direction de la plage.

Ils marchèrent en silence sans que leurs pas troublent le calme de la nuit. Exaltée par ces instants enchantés, Rosa était certaine qu'Alex se sentait en communion avec elle et qu'il éprouvait la même impatience mêlée d'appréhension.

La plage déserte leur tendit les bras. La villa des Montgomery était à portée de voix mais invisible de là où ils se trouvaient. La voie lactée étirait sa courbe nébuleuse à travers le ciel étoilé, et les vagues retenaient dans l'écume de leurs crêtes des perles de lune.

Rosa s'arrêta.

— Ici, c'est parfait.

— Tu es sûre ?

— Oui. A cent pour cent.

Elle chassa de son esprit ses dernières hésitations, et se tourna vers lui. Comme il était grand ! Dans l'obscure clarté des étoiles, sa beauté paraissait aussi pure que celle d'un dieu grec.

Il enveloppa de ses mains le visage de Rosa, et pressa ses lèvres contre les siennes, provoquant aussitôt en elle une fièvre dévorante, comme s'il venait d'allumer un brasier.

Elle avait faim de lui, de lui tout entier.

Avec un gémissement impatient, elle recula et se libéra de son étreinte.

— Rosa ?

Il s'était pétrifié. Elle détecta une lueur d'incertitude dans ses yeux. Et alors, de crainte de changer d'avis, elle déboutonna son chemisier sans manches, qu'elle laissa glisser à terre.

Un frémissement de stupeur l'électrisa, puis il se débarrassa à son tour de sa chemise. Mais, au moment où elle allait dégrafer son soutien-gorge, il la retint.

— Non.

Elle le regarda fixement, l'air désemparé.

Il sourit tendrement devant son désarroi.

— C'est quelque chose que j'ai toujours voulu faire, expliqua-t-il en l'enveloppant dans ses bras.

Elle s'embrasa au simple effleurement des doigts légers qui dénudaient son buste. Fermant les yeux, elle posa sa bouche sur la peau brûlante d'Alex tandis que doucement, délicieusement, ses hésitations s'évanouissaient. Elle avait confiance en lui ; elle ne faisait rien de répréhensible. Elle se trouvait très précisément là où elle devait être : en sécurité dans les bras de l'homme qu'elle avait choisi.

Il recula pour la regarder, et ce qu'elle lut sur son visage lui inspira un sentiment intense de pouvoir et de satisfaction. A genoux devant elle, il l'allongea sur la couverture avant de la presser contre son corps. Quand elle promena ses doigts sur sa poitrine, un frisson d'émerveillement la parcourut. Depuis leur enfance, une amitié très forte les liait, parcourue ici et là par des bouffées de désir fulgurant qu'ils avaient aussitôt étouffées. Aujourd'hui, pour la première fois, leurs craintes et leur réserve étaient abolies.

Pourtant, quand elle leva les yeux vers lui et qu'elle vit son expression d'adoration, elle reconnut l'Alex de son enfance. Seulement, cette fois, la franchise de son regard lui mit le feu aux joues.

Elle eut l'impression, sans pouvoir en être certaine à cause de l'obscurité, qu'il rougissait lui aussi d'avoir été surpris en train de la dévorer des yeux. Lentement, sans se cacher, il sortit de sa poche un paquet de préservatifs qu'il posa sur la couverture. Il ne pouvait déclarer plus clairement ses intentions. Alors, baignés par le clair de lune, dans un élan impétueux, ils se jetèrent l'un sur l'autre. Ils s'embrassèrent longuement, avidement. Les mains d'Alex, en investissant tout son corps, emportèrent Rosa dans un tourbillon de passion.

Ce qu'elle avait imaginé pendant ses nombreux rêves éveillés était bien en deçà de ce qu'elle était en train de vivre : un mélange subtil et enivrant d'embarras, d'éblouissement et de mystère. Renonçant à exercer tout contrôle sur elle-même, elle se coula dans l'instant et s'y perdit, avec un gémissement qui enfla, s'amplifia… Un courant violent la poussait vers lui, inexorablement, et elle se laissa emporter. Elle lui prodigua des caresses que personne ne lui avait jamais enseignées mais que, étrangement, elle semblait connaître d'instinct. Elle sentit une pression de plus en plus forte en elle, suivie d'une brève douleur… puis tous ses sens se déchaînèrent en une explosion enivrante. Elle s'entendit crier et, au même moment, Alex se raidit de tout son corps, avec un long râle, et la serra si fort qu'il faillit l'étouffer.

Progressivement, tout reprit un rythme normal : leur respiration et les battements de leur cœur, la brise nocturne et même le clapotis des vagues qui venaient mourir sur le sable. Rosa aurait voulu arrêter le temps afin de protéger ce sentiment féerique de félicité absolue, de savourer les délices de cette brûlure amoureuse si pure et si authentique qu'elle changeait la couleur même du monde.

Et Alex ? A quoi pensait-il ? se demanda-t-elle au moment où il se redressa pour lui tendre son chemisier et enfiler son propre short.

— Ça va ? murmura-t-il.

— Oui. Pourquoi ? Ça ne devrait pas aller ?

— Bien sûr que si… mais je préférais m'en assurer.

— Je vais bien. Et toi ?

Il éclata soudain de rire.

— Qu'est-ce qu'il y a de drôle ?

— Ce n'est pas la première fois qu'on me pose cette question, mais dans cette situation précise, si.

Rosa se mordilla la lèvre.

— J'en déduis… que tu as déjà connu ce genre de situation.

— N'oublie pas que j'ai vécu en internat, loin de mes

parents. Enfin, ne va quand même pas croire que… Mais, attends une minute.

Il s'écarta d'elle pour mieux l'observer.

— Tu veux dire que tu n'as pas… que tu n'avais jamais…

— Non, répondit-elle pour lui éviter l'embarras de terminer sa phrase.

— Mon Dieu, Rosa ! Je te promets que je ne savais pas.

— Il ne t'est pas venu à l'idée que je pouvais être vierge ? lui demanda-t-elle en le regardant droit dans les yeux.

— C'est tellement rare ! Tu aurais dû me prévenir… Tu es sûre que ça va ?

— Mais oui. Pourquoi cette question ?

— Je ne sais pas. Oh ! je suis sincèrement désolé, Rosa.

— Désolé de quoi ?

— Eh bien, de ne pas m'être rendu compte que… Enfin, tu sais bien, dit-il en l'attirant à lui et en lui caressant les cheveux.

Elle sourit devant sa tendresse maladroite.

— Ne t'excuse pas, Alex. Je suis contente que tu aies été le premier.

— Tu es sincère ?

— Je suis toujours sincère avec toi. Et je pensais que toi aussi tu l'étais avec moi. Je me suis trompée, de toute évidence.

Appuyé sur un coude, il détourna la tête, le regard perdu vers le large.

— Pourquoi tu ne m'as jamais parlé de tes aventures, Alex ?

— Parce que c'est très personnel.

— Je croyais qu'on ne se cachait rien.

— Peut-être que c'est vrai pour toi.

Elle se détacha de lui et s'habilla en toute hâte, tout à coup gênée par sa nudité.

— Je n'ai tout simplement jamais envisagé la possibilité que tu aies des secrets pour moi.

Il s'assit et enfila sa chemise.

— Nous n'avons passé ensemble que quelques mois par an. Le reste du temps, j'ai continué à vivre.

— Bon, dit-elle. Alors, raconte-moi, maintenant. Je t'écoute. Ne te retiens pas.

— Oh ! Mais, comme tu as pu le constater, je ne me suis pas retenu !

— Ha, ha ! Très drôle.

— Ah bon ? Tu as trouvé que c'était drôle ?

— Non. C'était…

Elle frissonna. « Merveilleux » fut le premier mot qui lui vint à l'esprit. Mais elle devait se méfier, maintenant. Comment pouvait-elle lui confier quoi que ce soit si elle ignorait ce qu'il ressentait ? Il disait l'aimer… Pourtant, sous bien des aspects, il restait pour elle un inconnu, et leurs différences empoisonnaient leur relation.

— C'était… ?

— Ma première fois. Je ne comprends pas ce qui a pu

me faire penser que c'était la même chose pour toi. J'ai deux frères, pourtant. Je devrais savoir que ce n'est pas pareil pour les garçons… Alors, tu as une petite amie quelque part ?

Elle fit le gros dos en attendant sa réponse.

— Bien sûr que non, voyons, Rosa ! J'ai juste eu quelques aventures, à l'école, et puis une fois, l'été, en camp de vacances. Je t'en prie, crois-moi ! Elles n'ont pas compté. Avec toi, c'est complètement différent. J'étais sûr que ça se passerait comme ça, ajouta-t-il en se rapprochant d'elle.

— Je ne regrette pas de t'avoir attendu, avoua-t-elle, incapable de mettre en doute plus longtemps la tendresse qu'elle lisait dans son regard.

Il lui ouvrit les bras, et elle s'adossa à sa poitrine, les yeux levés vers les étoiles.

— Quand on sera à la fac, ce sera le paradis.

— Oui, vraisemblablement, dit-elle.

Mais elle avait la gorge nouée tellement son départ imminent pour le monde inconnu de l'université lui paraissait irréel.

Elle entendit le hurlement d'une sirène au loin. Une fête organisée à l'occasion du Labor Day qui avait mal tourné, songea-t-elle.

— Comment ça « vraisemblablement » ? Il est trop tard pour changer d'avis !

— Mais ce n'est pas ce que je fais. J'irai à Providence quelques jours avant la rentrée pour trouver un travail.

— Quel genre de travail ?

— Je ne sais pas. Serveuse, peut-être. Un job que je puisse faire le soir, en tout cas.

A cette annonce, Alex eut un grognement de déception qui la fit sourire.

— Qu'est-ce qu'il y a ? lui demanda-t-elle avec un air faussement ingénu. Tu peux t'exprimer plus distinctement ? Je sais que c'est difficile quand on est né avec une cuillère en argent dans la bouche, mais fais un petit effort, s'il te plaît !

Il ne se vexa pas. Comment l'aurait-il pu, d'ailleurs ? Il savait pertinemment que Rosa avait raison.

— Ça va être dur de mener de front études et boulot.

— C'est toujours mieux que la marine. Je travaille depuis l'âge de quatorze ans, ajouta-t-elle, autant pour elle-même que pour Alex. Ce n'est pas la mer à boire.

— Peut-être mais ça n'a rien de marrant !

— C'est la vie, dit-elle sans pouvoir retenir un soupir de frustration.

— Qu'est-ce qu'il y a ?

Même dans le noir, il semblait deviner ses états d'âme.

— Rien. J'ai déjà de la chance de pouvoir aller là-bas.

Et c'était vrai. La petite ville de Winslow n'offrait guère de débouchés. Linda allait entrer dans un cabinet d'experts-comptables, et Ariel aiderait sa mère à tenir sa boutique de retouches de vêtements. Vince, lui, devait partir à Newport pour travailler comme serveur dans un restaurant chic. Quant à Paulie diCarlo, il serait employé par son oncle dans son entreprise de traitement de déchets. Certains de ses amis commettraient la grossière erreur, selon elle, de se marier. Rares étaient ses anciens camarades de lycée qui auraient la chance de poursuivre des études supérieures. Elle était ravie de profiter elle-même de cette opportunité, même si elle allait devoir travailler parallèlement pour réaliser son rêve.

Elle se retourna entre les bras d'Alex.

— Tu sais quoi ? On n'a qu'à changer de sujet de conversation, une fois de plus.

— Bonne idée.

Il l'embrassa langoureusement, tandis qu'elle glissait les mains sous sa chemise.

Au moment où il fouillait dans sa poche à la recherche d'un autre préservatif, elle regarda sa montre.

— Il faut que je rentre.

— Reste avec moi, murmura-t-il de sa voix sensuelle.

— J'ai promis à mon père d'être rentrée pour 11 heures.

Il n'insista pas, malgré sa déception.

Devant la maison de Rosa, ils s'enlacèrent. La tendresse de leur baiser la transperça et, contre toute attente, elle sentit des larmes lui brûler les paupières, tandis qu'elle se hissait sur la pointe des pieds pour lui murmurer :

— Je t'aime.

Il l'embrassa de nouveau, plus longtemps, plus fiévreusement.

— Au revoir, Rosa.

Elle était sur un nuage.

— Pop ! Je suis là ! cria-t-elle en entrant.

Pas de réponse. Il n'y avait rien d'extraordinaire à cela car son père se couchait tôt et avait le sommeil profond.

Rosa préféra malgré tout aller le secouer pour l'avertir qu'elle était rentrée.

Son lit était vide, mais elle ne s'en inquiéta pas outre mesure : il avait dû se rendre chez les Fiore après le pique-nique et oublier l'heure. En ce moment même, il était probablement assis sur leur terrasse en train de bavarder en fumant sa pipe.

Elle avait donc inutilement interrompu son tête-à-tête avec Alex, songea-t-elle, alors que les minutes qu'elle passait avec lui étaient d'autant plus précieuses qu'elles étaient rares ! Heureusement, la rentrée n'était plus très loin... Leurs chemins se rejoignaient enfin. Ils pourraient se voir sans se soucier de leur famille ni de leurs amis. Peut-être que leur histoire allait durer toujours ? En tout cas, elle semblait en prendre le chemin...

Rosa s'examina un long moment dans le miroir du vestibule, et s'étonna de voir que son apparence extérieure n'avait pas changé, alors même que tout son monde s'était transformé. Elle avait fait l'amour pour la première fois, sans l'avoir prémédité, maladroitement. Mais l'aventure s'était révélée une pure féerie. Quelle importance, après tout, qu'elle n'ait pas été la première femme pour Alex ? Il ne servait à rien de vouloir réécrire le passé.

Elle débordait d'amour pour lui et lui avait offert tout ce qu'elle possédait : son corps, son cœur, son âme. Elle espérait que cela était suffisant.

« Je t'aime, Rosa. Je t'ai toujours aimée. »

Elle serra contre son sein ce cadeau invisible qu'il lui avait confectionné avec ses mots.

Incapable de dormir tant elle se sentait euphorique, elle alla dans la cuisine se verser un petit verre de *Mosto d'Uva*, un jus de raisin voluptueusement fruité, puis décida d'attendre son père dans sa tanière en regardant la télévision. Il y avait certaines choses dont elle ne parlerait jamais avec Pop, mais rien ne l'empêchait de partager avec lui ce bonheur intense qui la submergeait. Elle piaffait d'impatience en pensant à la faculté, à son avenir. Pourtant, elle savait que Pop s'inquiétait de la voir partir.

Ce soir, elle avait acquis la certitude que tout se passerait bien, et elle avait hâte de le lui annoncer.

Elle zappa un moment, sans parvenir à se concentrer. Quand elle se surprit à dodeliner de la tête, elle se força à s'intéresser aux résultats du téléthon qui s'affichaient sur l'écran. Mais la deuxième fois qu'elle se sentit sombrer, elle renonça à lutter et s'étendit sur le canapé.

Alex occupait ses rêves et ne cessait de lui murmurer à l'oreille : « Je t'aime. » Elle fut donc franchement contrariée d'être réveillée par une sonnerie insistante.

C'était le téléphone. Elle se leva péniblement et tituba jusqu'au vestibule.

— Voilà, voilà, j'arrive !

Ça devait être l'un de ses frères qui appelait de l'autre bout du monde. Ou, mieux encore, c'était Alex qui ne pouvait pas se passer d'elle…

— Allô !

— Est-ce que je suis bien chez… Pietro Capoletti ? demanda une voix masculine qu'elle ne reconnut pas et dont le ton officiel lui fit l'effet d'une douche froide.

Elle se réveilla d'un coup.

— C'est sa fille, Rosina. Qui est à l'appareil ? Que se passe-t-il ?

Avant même d'avoir la réponse, elle se prépara à recevoir une mauvaise nouvelle.

— Mademoiselle Capoletti, votre père est aux urgences de l'hôpital de South County. Il vient d'avoir un accident…

29

Au cours des jours qui suivirent, la vitesse à laquelle s'enchaînèrent les événements fit perdre à Rosa toute notion du temps. Elle courut d'abord frapper à la porte de la voisine, Mme Fortenski, pour la réveiller afin qu'elle la conduise sans attendre à l'hôpital. Là, seule dans la lumière crue du service des urgences, elle écouta le diagnostic tomber comme un couperet : son père, victime d'un chauffard qui avait pris la fuite, était gravement blessé et souffrait, entre autres, d'un profond traumatisme crânien qui l'avait plongé dans le coma.

Au bord de la panique, Rosa passa une série de coups de téléphone : à ses frères pour les appeler au secours, aux amis de la famille pour les informer de la situation et enfin, au petit matin, à Mme Montgomery, en demandant à parler à Alex.

Mme Montgomery lui répondit sèchement qu'elle transmettrait le message à son fils quand il serait réveillé, puis lui raccrocha au nez.

De retour chez elle, Rosa dut accueillir un flot continu de voisins, de paroissiens, de collègues et de clients de la pizzéria. La dernière fois que la maison avait connu pareille invasion remontait à l'époque de la maladie de sa mère.

Des prières furent dites et des larmes versées. Des questions furent chuchotées, qui restèrent sans réponses, sur les raisons de la présence de M. Capoletti à cet endroit à une heure aussi tardive.

Dès le lendemain, quand les frères de Rosa furent arrivés, les médecins donnèrent leur diagnostic : l'état de Pop était sérieux mais susceptible d'amélioration, à condition que le malade suive pendant des mois un traitement intensif dans un établissement privé, comme Sheffield House à Newport, capable d'assurer la prise en charge des malades vingt-quatre heures sur vingt-quatre.

Une assistante sociale expliqua ensuite à Rosa et à ses frères qu'il fallait être couvert par une excellente police d'assurance pour supporter les frais d'un séjour de longue durée à Sheffield House. Comme leur père n'était pas assuré et qu'il ne disposait pas de revenus suffisants pour faire face par lui-même au coût d'une telle hospitalisation, il serait transféré vers un établissement public.

Après ce verdict, il y eut des réunions avec les instances de la paroisse, la banque, les amis… Aucune alternative n'existait : Pop devait être soigné dans une institution publique où ses chances de guérison étaient quasiment nulles. Rosa se rongeait tellement les sangs qu'elle ne trouva pas le temps de s'interroger sur le silence et l'absence d'Alex.

Quelques jours plus tard, le père Dominique se présenta chez les Capoletti avec une nouvelle incroyable : un mystérieux bienfaiteur avait chargé un cabinet juridique de Newport de régler tous les frais médicaux de Pop, y compris ceux occasionnés par sa rééducation dans une clinique privée, quelle qu'en fût la durée.

Bien entendu, tout le monde se questionna sur l'identité de ce sauveur, et, finalement, on préféra croire qu'il s'agissait d'un miracle. Néanmoins, la jeune femme fit temporairement une croix sur ses études universitaires.

Cet automne-là, après que ses frères eurent regagné leurs pénates à la fin de leur permission, elle resta donc seule dans la maison de Prospect Street et continua son travail chez Mario.

Ce ne fut pas une tâche aisée pour Rosa que d'abandonner son rêve. Elle prit contact avec les professeurs responsables des cours qu'elle avait prévu de suivre, et tous sans exception lui envoyèrent un descriptif détaillé de leur programme, accompagné de conseils de lecture. Pour tromper l'ennui et ne pas devenir folle, elle s'attela à la tâche avec fougue et détermination, tout en se promettant de partir vivre sa vie dès que Pop serait de nouveau sur pied.

Mais voilà qu'en mettant à jour les comptes de l'entreprise de son père, elle s'aperçut avec horreur que celui-ci avait contracté un emprunt à très fort taux d'intérêt dont il n'allait bientôt plus pouvoir honorer les remboursements. Il était au bord de la ruine. Dès lors, comment pouvait-elle envisager d'aller à l'université ?

C'est à cet instant précis, tandis qu'elle tapait des chiffres sur sa calculette, que Rosa quitta définitivement l'enfance pour entrer dans l'âge adulte. Le changement passa inaperçu mais quand elle referma le registre et se leva de sa chaise, elle n'était plus la même. Elle avait tiré un trait sur ses ambitions. La porte qu'elle poussa ce jour-là ouvrait sur de longues journées de labeur et un maigre chèque au bout de la semaine.

Pour ajouter encore à son chagrin, Alex ne donna pas signe de vie. Pas une seule fois. Blessée et déconcertée par son silence, elle téléphona à la faculté pour obtenir son numéro. Elle l'appela à plusieurs reprises, mais raccrocha toujours à la première sonnerie. Enfin, un soir, tard, dans un accès de colère et de solitude, elle l'appela pour de bon. Une voix qu'elle ne connaissait pas répondit.

— Hé ! Montgomery ! Une nana pour toi…

Quand Alex prit le combiné, elle lui demanda d'un ton cassant :

— Tu avais l'intention de me téléphoner un jour ?

— Non. Je… non. Mais je voulais que tu saches à quel point je suis désolé pour ton père…

— Pour que je le sache, il aurait fallu que tu m'appelles.

— Si j'avais pu agir autrement, Rosa, je n'aurais pas hésité. C'est plus compliqué que tu ne l'imagines.

— Quoi ? De me parler ?

Il y eut un silence.

— Je n'ai pas vraiment d'excuses. J'ai tort sur toute la ligne. Je suis impardonnable de ne pas t'avoir fait signe. Et puis je n'aurais pas dû te laisser croire que je… que nous… Ecoute, Rosa. On s'est bien amusés, l'été dernier, mais maintenant tout est différent. On a chacun notre vie. Enfin, bref… Je te souhaite tout le bonheur du monde, dit-il avec une détermination… empreinte de regret, semblait-il. Mais nous deux, ça n'existera pas. J'espère que tu comprends…

— Eh bien, justement non. Je ne comprends strictement rien. Qu'est-ce qui t'a fait changer d'avis ? Est-ce que ta mère a fini par te convaincre que tu ne devais pas fréquenter une fille comme moi ?

— C'est moi qui ai pris la décision, déclara-t-il d'une voix blanche.

— Dans ce cas, il n'y a rien à ajouter, balbutia-t-elle avant de raccrocher.

Elle était en état de choc. Elle ne parvenait toujours pas à croire ce qui arrivait. La nuit de l'accident avait débuté comme un rêve merveilleux et s'était transformée en cauchemar. Et maintenant… tout le bonheur qu'elle avait éprouvé dans les bras d'Alex venait d'être anéanti.

Après cet été-là, personne ne retourna dans la villa. Ni Mme Montgomery ni Alex. Et Rosa en fut soulagée car elle aurait difficilement supporté de le voir arriver à la pizzéria de Mario avec ses copains de faculté et de devoir s'occuper de lui, vêtue de son tablier de serveuse, avec son filet réglementaire sur les cheveux.

Elle essaya de rationaliser sa rupture avec Alex, dans l'espoir de la rendre plus tolérable : elle savait qu'ils étaient très jeunes et qu'ils venaient de milieux totalement différents. N'empêche qu'elle avait toujours senti entre eux un lien invisible mais bien réel. Et elle y avait cru si fort qu'elle avait bien du mal à admettre qu'elle s'était peut-être fourvoyée.

Au cours des mois interminables qui suivirent, Rosa perdit le sommeil et l'appétit. Elle travaillait à plein temps chez Mario et faisait des heures supplémentaires chaque fois que l'occasion se présentait, tout ça pour éviter de se retrouver seule dans la maison déserte de Prospect Street à penser à Alex et à ressasser ses souvenirs.

Peut-être avait-il déjà compris, lui, ce qu'elle était en train de découvrir par elle-même au prix de bien des souffrances : l'éloignement facilite l'oubli.

30

Eté 1994

A la fin d'une journée de travail harassante, Rosa réfléchissait à un projet secret. Mario, qui envisageait de prendre sa retraite, aurait souhaité passer la main à son fils, Michael. Hélas, ce dernier ne voulait pas en entendre parler.

Rosa, en revanche, était intéressée. Elle rêvait de transformer l'établissement de Mario en un restaurant gastronomique. Son idée n'était pas encore parvenue à totale maturation, mais elle savait pouvoir compter sur le soutien de Mario qui veillait sur elle depuis l'hospitalisation de Pop. En outre, elle avait six années d'expérience dans la restauration.

La sonnerie du téléphone la fit sursauter et la ramena sur terre d'un seul coup.

— Rosa ? Bonjour. C'est le Dr Ainsley, de Sheffield House.

La jeune femme sentit son cœur s'arrêter de battre, comme chaque fois qu'on l'appelait au sujet de Pop.

— Il y a un problème ?

— Non, pas du tout. Au contraire. Votre père va pouvoir rentrer chez lui.

Rosa fondit en larmes et se mit à trembler de tout son corps. Cela faisait des semaines que le personnel de la clinique lui promettait que son père sortirait dès qu'il aurait recouvré suffisamment d'autonomie.

Tout en sanglotant, elle nota avec soin les indications que lui transmettait le médecin.

Deux ans s'étaient écoulés depuis l'accident, songea-t-elle. Deux ans d'un long périple… Pop avait récupéré. Il avait partiellement perdu l'ouïe, mais il pouvait de nouveau marcher, parler, bref vivre pratiquement comme tout le monde…

En l'observant, à sa sortie de l'hôpital, petite silhouette maigre et fragile appuyée sur sa canne, avec son éternelle casquette vissée sur le crâne, Rosa se sentit profondément émue. Il avait vieilli, certes, mais son sourire débordait d'amour pour elle.

Grâce aux repas gastronomiques qu'elle lui confectionna, il reprit rapidement des forces. Une fois qu'elle fut rassurée sur son état, elle laissa s'écrouler le mur invisible dont elle avait protégé son cœur, et s'autorisa à respirer et à vivre de nouveau sa jeunesse.

L'une des premières décisions qu'elle prit alors fut d'accepter les avances de Sean Costello, le jeune adjoint du shérif qu'elle avait rencontré au cours de l'enquête concernant l'accident. C'est lui qui s'était démené pour rassembler des indices, passant au peigne fin le fossé dans lequel le chauffeur d'un semi-remorque avait trouvé le père de Rosa, à la recherche de traces permettant d'identifier le chauffard qui l'avait renversé. En dépit de tous ses efforts, l'énigme n'avait jamais été résolue, et l'opinion publique en avait conclu qu'il ne s'agissait pas d'un habitant de la région mais d'un étranger qui ne serait jamais appréhendé.

Sean commandait des pizzas chez Mario au moins trois fois par semaine et, à chaque visite, il tentait de conquérir Rosa. C'était un garçon séduisant, doux, posé, sérieux, un catholique d'origine irlandaise issu d'une famille nombreuse fort chaleureuse. Il avait même réussi à gagner les faveurs de Mario. A présent que Pop était à la maison et que sa santé s'améliorait à vue d'œil, Rosa se trouvait à court d'excuses pour ne pas réintégrer le monde des vivants.

Cet été-là, Sean emmena Rosa au cinéma, puis danser à Newport. Tous les dimanches, elle le voyait à l'église et l'invitait à dîner chez elle avec Pop. Il lui faisait la cour dans les règles et lui apportait même de temps en temps des fleurs à son travail. Tout semblait annoncer un heureux dénouement…

Malheureusement, malgré sa bonne volonté, Rosa ne parvenait pas à tomber amoureuse de Sean. Elle y mettait pourtant du sien, tellement elle avait hâte de sentir de nouveau les délicieuses brûlures de l'amour qui l'avaient plongée dans un océan de bonheur… Hélas, la passion ne se contrôle pas davantage que le temps qui passe.

A la fin de l'été, elle se rendit à l'évidence et jugea normal d'en informer Sean. C'était un type bien ; il méritait une femme qui l'aimerait pour lui-même et non pas pour payer une dette dont elle s'estimerait redevable…

C'était la fin de l'après-midi. Sean, sanglé dans son uniforme kaki, ses bottes et son étui de revolver impeccablement astiqués, partait prendre son poste pour la nuit. Rosa hésitait : fallait-il lui parler maintenant ou attendre le lendemain matin quand il aurait fini son travail ?

« Maintenant », décida-t-elle.

Ainsi, lors de sa garde au commissariat, il rencontrerait des collègues à qui il pourrait peut-être se confier… En tout cas, il ne se retrouverait pas seul avec son chagrin.

Rosa s'arma de courage.

— Sean, il faut que je t'avoue quelque chose. J'ai décidé de ne plus te voir.

— Comment ça ? Qu'est-ce que tu racontes, Rosa ?

— Il faut que tu trouves quelqu'un qui te mérite, quelqu'un qui puisse t'aimer. Je ne suis pas la bonne personne.

Elle prit ses mains dans les siennes et les serra très fort.

— Je suis sérieuse, Sean. Je regrette de ne pas être celle qu'il te faut.

— Oh ! Rosa… Je me doutais bien que tu n'étais pas amoureuse de moi, mais je pensais qu'avec le temps…

— Moi aussi je le croyais… Mais non. Et je n'y peux rien. Je te demande pardon. J'aurais aimé pouvoir te dire autre chose.

A cet instant précis, une Mustang flambant neuve se gara le long du trottoir et un homme en descendit.

Rosa ne sut jamais comment elle avait réussi à ne pas s'évanouir.

— Qui c'est celui-là ?

— Il s'appelle Alex Montgomery. Excuse-moi, j'en ai pour une minute.

Elle descendit l'escalier du perron pour aller se camper devant Alex.

— Tu n'es pas le bienvenu ici.

Elle percevait distinctement les pulsations sourdes de son cœur qui battait la chamade.

— Je m'en doutais un peu.

Il avait changé. Il était plus grand et ses cheveux étaient plus longs. L'étudiant américain type.

— Rosa, est-ce qu'on pourrait parler tous les deux ? Seul à seule, ajouta-t-il après un coup d'œil en direction de Sean.

Quelle audace ! Deux années sans le moindre signe de vie, et voilà qu'il voulait lui parler en tête à tête, toutes affaires cessantes !

— Certainement pas.

En entendant le ton agressif de Rosa, Sean s'approcha d'eux. Mais la jeune femme le retint en lui prenant la main.

— Il paraît que ton père va mieux… Je n'espère rien, Rosa, je te le jure, dit Alex. Je veux simplement t'expliquer pourquoi je suis parti.

— Inutile. Je le sais très bien.

— Vraiment ?

— Tu es parti parce que tu n'étais qu'un jeune idiot,

incapable de te lancer dans autre chose qu'une aventure de vacances. Tu ne voulais pas t'engager, surtout pas avec une fille qui traversait une situation particulièrement pénible. Je comprends, mais je ne te pardonne pas pour autant. Je ne te pardonnerai jamais.

Scandalisée par l'aplomb d'Alex, elle bouillonnait de rage. Elle avait eu désespérément besoin de lui quand la vie de son père ne tenait qu'à un fil. Où était-il, alors ?

— Tu ferais mieux de partir, Alex.

— Vous avez entendu ce qu'elle vient de dire ? menaça Sean, la main sur l'étui de son revolver. Fichez le camp !

Alex hésita. Après un rapide coup d'œil à Rosa, puis à Sean, puis à leurs mains jointes, il ouvrit brutalement la portière de sa voiture, s'y installa et démarra en trombe.

— Désolée, dit Rosa en essayant de contrôler le tremblement de son corps. Il n'est rien pour moi. Juste un type que j'ai connu autrefois.

— C'est à cause de lui que tu me rejettes, n'est-ce pas ?

Cela semblait une évidence pour Sean.

CINQUIÈME PARTIE

31

Bercée par les chansons sirupeuses d'Andrea Bocelli, Rosa ne pouvait détacher ses yeux d'Alex qui se tenait là, à son côté, sur son canapé à elle, en train de boire le café fort et brûlant qu'elle venait de lui préparer… La scène lui paraissait irréelle.

— Dis-moi, Alex : tu as vraiment quelque chose de nouveau à me révéler à propos de cette fameuse nuit ?

— Oui, Rosa.

— Tu sais des choses sur l'accident de Pop. Des choses dont on ne m'aurait pas parlé ?

— Non. Pas sur l'accident.

— Sur quoi, alors ?

Il baissa les yeux, croisa et décroisa nerveusement ses doigts.

— Qu'est-ce que tu veux me dire ? insista-t-elle, intriguée par l'embarras qu'il manifestait.

La profonde tristesse qu'exprimait le regard d'Alex lui rappelait sa propre douleur au moment où son existence avait si brutalement basculé. En même temps, son père s'était engagé dans une lutte qui allait durer deux années entières. Alex, de son côté, avait suivi le chemin tracé pour lui depuis toujours : université, école de commerce. La voie royale pour occuper enfin une bonne situation dans la firme familiale.

— Quand j'ai appris que ton père était gravement blessé, je n'ai pas su comment t'aider.

— Tu aurais pu décrocher ton téléphone ou, mieux encore, te mettre au volant de ta chouette petite MG et venir me voir.

— Non, dit-il posément. Je ne pouvais pas.

Etait-il en train de se payer sa tête ? Elle scruta son visage, mais n'y déchiffra que gravité.

— Comment ça ? lança-t-elle avec un rire nerveux. Un groupe de révolutionnaires clandestins t'avait-il pris en otage ?

— Non. J'étais prisonnier d'une promesse que j'avais faite.

Il posa ses poignets délicats sur ses genoux, mains jointes, un geste familier que Rosa reconnut instantanément comme le signe d'une réflexion intense.

— Une promesse que j'avais faite à ma mère, compléta-t-il en rivant ses yeux aux siens.

Tandis qu'elle sondait le bleu profond de son regard, elle se rappela une caractéristique d'Alex qu'elle avait découverte dès le premier jour de leur rencontre : il lui était impossible de mentir.

— Attends un peu que j'essaye de récapituler : tu as promis à ta mère que tu me laisserais tomber ?

— Oui.

Bondissant du canapé, Rosa alla se poster à la fenêtre

dont la vitre lui renvoya l'image de son visage tourmenté. Elle attendit d'être calmée avant de reprendre, en se tournant vers lui :

— Pourquoi ?

— Je pensais que je n'avais pas d'autre choix. J'ai conclu un marché avec ma mère.

— Lequel ?

— Elle s'est engagée à régler les frais médicaux de ton père.

Rosa se pétrifia.

— Tu peux répéter ? demanda-t-elle après un long silence.

— Oui. Elle a payé l'intégralité de ses soins, jusqu'au jour où ton père a quitté la clinique.

Rosa eut l'impression que tout se mettait à tourner autour d'elle.

— Quand ? Comment ? balbutia-t-elle.

— Dès que j'ai appris l'accident, j'ai couru à l'hôpital. Je n'ai pas réussi à te voir : tu étais avec ta famille. Mais le père Dominique m'a expliqué la situation en même temps qu'il appelait les clients de ton père pour les informer du drame. Le lendemain, ma mère a tout arrangé.

— Je n'en avais pas la moindre idée. Mais pourquoi a-t-elle fait ça ? C'est incroyablement généreux de sa part.

Ses idées se bousculaient dans sa tête avec une rapidité qui lui donnait le vertige. Après toutes ces années, le mystérieux bienfaiteur qui avait permis à son père de reprendre une existence presque normale était enfin démasqué.

— Nous avons essayé par tous les moyens d'identifier l'auteur de ce geste formidable, mais le directeur du cabinet juridique a stipulé que jamais nous ne devions l'apprendre. Je le regrette sincèrement. Ta mère a accompli un miracle. J'aurais vraiment souhaité la remercier. Sans compter que si nous avions été au courant, ma famille l'aurait remboursée…

— Ce n'était pas ce qu'elle cherchait.

Il ne la quittait pas des yeux, tandis qu'elle arpentait la pièce. Elle s'immobilisa brusquement, et se tourna vers lui.

— Qu'est-ce qu'elle voulait, alors ?

Elle pensait connaître la réponse, mais elle avait besoin de l'entendre de la bouche d'Alex.

— Que je cesse de te voir.

Voilà donc quel avait été le marché !

Rosa croisa les bras sur sa poitrine en frissonnant.

— Mais pourquoi ? Tu lui as posé la question ?

— Bien sûr. Depuis toujours, elle avait prévu pour moi un certain style de vie.

« Comme celui sur lequel elle avait façonné sa propre existence ? songea Rosa. Avec pour résultats un mariage raté et un suicide ? »

Elle était à la fois furieuse et écœurée d'avoir été ainsi manipulée. Mais contre qui diriger sa colère, maintenant que la personne qui en était la cause avait quitté ce monde ?

— J'ai du mal à comprendre qu'elle ait dépensé une telle somme d'argent dans le seul but de t'éloigner de moi.

Il croisa de nouveau les doigts.

— Je ne me l'explique pas davantage que toi. Quelque chose la rendait visiblement malheureuse. A moins que ça n'ait été la vie elle-même, ajouta-t-il d'une voix qui trahissait une intense souffrance.

Rosa en eut le cœur serré. Alex n'avait pratiquement jamais parlé du suicide de sa mère, et il cachait si bien ses émotions qu'elle en aurait presque oublié l'épreuve qu'il endurait.

Il se perdit dans la contemplation d'une marine qu'elle n'avait jamais pris le temps d'accrocher, comme s'il essayait de trouver des réponses dans ce paysage transfiguré par l'œil de l'artiste.

— Tu as donc jugé plus facile de partir que de m'exposer la situation ?

— Elle ne voulait pas que ça se sache. Par la suite, quand ton père s'est rétabli, je suis revenu pour tout te raconter.

Il se tut un instant, et la regarda avec attention.

— J'ai bien vu qu'il était trop tard, reprit-il. Tu sortais avec quelqu'un d'autre et tout avait changé.

— Je ne voulais plus entendre parler de toi.

— C'est bien ce que j'ai compris. Je suis parti directement à l'aéroport, ce jour-là, pour aller étudier en Angleterre, à la London School of Economics. Une fois mon diplôme en poche, j'ai intégré une école de commerce. Après quoi… tout semblait si loin. Comme si toute cette histoire était arrivée à d'autres personnes, dans une autre vie.

Il se leva du canapé.

— Je pensais sincèrement que c'était la meilleure solution, Rosa. Je ne voyais pas comment nos vies auraient pu se rejoindre. Alors, je t'ai quittée.

Il traversa la pièce pour lui prendre la main.

— Tout est différent, maintenant. Je vois très bien comment faire, dit-il en souriant.

Abasourdie, elle dégagea sa main.

— Sur quoi tu t'appuies pour avoir une telle certitude ?

— Sur l'expérience et, surtout, sur l'amour.

Elle alla s'asseoir sur le canapé. Elle se sentait partagée entre tristesse et colère.

— Pourquoi t'être adressé à ta mère plutôt qu'à ton père ? demanda-t-elle en massant distraitement son pied nu.

— La question ne s'est même pas posée. Voilà. Il n'y a rien d'autre à ajouter.

La brusquerie avec laquelle il détourna les yeux et sa volonté manifeste de clore la discussion eurent pour effet de troubler Rosa et de l'intriguer.

— Si, Alex, voyons ! Il y a tant de choses à ajouter. Comment veux-tu que notre relation fonctionne si tu commences par me cacher des choses ? Moi, je te dis tout, comme par le passé. Toi, non. Je suppose qu'il en a toujours été ainsi, mais que je n'en avais pas tout à fait conscience, auparavant. Mon amour pour toi est transparent, alors que tes sentiments sont si tortueux…

Tout à coup, elle se rendit compte… qu'elle venait de se dévoiler. Autant à lui qu'à elle-même, d'ailleurs.

— Termine ton histoire, Alex. Sinon, je ne vois pas ce qu'on peut se dire de plus tous les deux.

Ecrasé par le chagrin, il vint s'asseoir à côté d'elle et lui caressa la joue d'un geste doux et résigné.

— Nos parents couchaient ensemble. J'ai failli les surprendre, le soir du pique-nique de Labor Day.

Après un long moment au cours duquel Rosa se demanda de quels « parents » il était question, elle fut prise d'une furieuse envie de rire devant l'absurdité d'une telle accusation. Mais elle se contenta de hocher la tête avec un air de dérision.

— Tu aurais dû me mettre au courant il y a longtemps. Je n'aurais eu aucun mal à te prouver que tu te fourvoyais complètement.

— Je t'assure, Rosa, que je préférerais me tromper. Hélas…

Il paraissait si sûr de lui, alors qu'il se méprenait incontestablement…

— Qu'est-ce que tu as vu, au juste ? demanda-t-elle en croisant lentement ses mains sur ses genoux.

— Cette nuit-là, après que… après que je t'ai laissée devant chez toi, je suis rentré directement à la maison. Je pensais à ce que tu m'avais dit. Tu sais, que je devrais m'excuser auprès de ma mère après notre dispute. Je suis donc parti à sa recherche, et c'est là que je les ai entendus… dans la chambre de ma mère.

« Non ! Non ! Non ! » hurla Rosa intérieurement.

Le sang lui martelait les tempes.

— Mais tu ne les as pas vus !

— Ecoute, Rosa. J'étais peut-être un peu niais, mais pas à ce point-là, quand même !

Elle se sentait nauséeuse, vidée de toute substance. Pop et Mme Montgomery ? Impossible.

— Je ne te crois pas. C'est du délire.

— Je suis certain de ce que j'avance, Rosa. Je ne te l'ai pas dit plus tôt parce que je pensais que tu ne t'en remettrais pas. Il me semble que j'avais raison.

— Comment oses-tu inventer pareilles inepties dans le seul but d'excuser ta fuite ?

— Décidément, tu ne comprends rien à rien !

— Et toi, tu es fou !

Un peu honteuse de son explosion de colère, Rosa s'exhorta au calme et se força à reconstituer les événements de cette nuit de cauchemar, en y intégrant ce nouvel élément. Une question était toujours restée sans réponse, lors de l'enquête : que faisait son père, sur sa bicyclette, à cet endroit-là, en pleine nuit ?

Quand il avait repris connaissance, bien des semaines plus tard, il n'avait conservé aucun souvenir de la soirée. Pour la première fois, Rosa se demanda s'il n'avait pas feint l'amnésie.

Si elle envisageait cette hypothèse, comment continuer à refuser l'éventualité que son père ait eu une maîtresse ?

Et pas n'importe laquelle ! Emily Montgomery en personne… Cette idée l'horrifiait, sans qu'elle puisse la rejeter complètement. Emily Montgomery était une belle femme. Elle se sentait seule aux côtés d'un époux qu'elle n'aimait pas, et Pop était encore en pleine force de l'âge quand il avait perdu sa femme. Peut-être que…

Rosa regarda Alex. Elle savait que la question qui allait franchir ses lèvres serait la preuve qu'elle adhérait à sa thèse.

— Est-ce que quelqu'un d'autre est au courant ?

— Non, je ne crois pas, répondit-il après un bref instant d'hésitation. En tout cas, je te promets que je n'ai rien dit à personne.

Comme il avait dû souffrir de devoir porter ce secret, sans rien laisser paraître devant ses parents, songea Rosa.

— Et ton père ? ajouta-t-elle dans un murmure.

Alex laissa son regard se perdre dans les profondeurs du lointain.

— Même s'il avait des soupçons, il est resté aussi muet que moi, déclara-t-il en jouant avec ses mains comme si elles appartenaient à quelqu'un d'autre.

Un frisson glacé la parcourut.

— C'est d'un… sordide ! Ils auraient dû se douter que rien de bon ne sortirait de leur histoire. Ils n'avaient pas lu *L'Amant de Lady Chatterley* ?

Elle jeta alors à Alex un coup d'œil inquiet.

— Qu'est-ce qui t'arrive ? Il n'y a pas de quoi rire, il me semble !

— Excuse-moi. C'est nerveux.

Il passa son bras derrière elle et lui massa doucement la nuque. Elle faillit en gémir de plaisir, mais se retint et s'écarta de lui.

— Tu as bien conscience que mon père fait partie de ma vie et que je ne l'abandonnerai jamais ?

— Pourquoi faut-il que tu organises ton existence autour de ton père ?

— Parce que je suis faite comme ça.

Elle le regarda droit dans les yeux.

— Il est hors de question que j'abandonne Pop. Prends-le comme tu veux, ajouta-t-elle en détournant la tête, mais j'ai l'impression qu'il ne t'apprécie guère plus que toi tu ne l'apprécies.

— Tout ce qu'il peut me reprocher, c'est d'avoir gardé le secret sur son acte répugnant et d'avoir laissé sa fille tranquille, comme il le voulait.

— Il ne voulait pas…

Elle s'arrêta net. Bien sûr que si !

En proie à une vive agitation, elle se remit à faire les cent pas, hébétée et meurtrie comme si elle-même venait d'être victime d'un accident.

— Tu ferais mieux de t'en aller, Alex.

— Je ne partirai pas.

— Pourquoi ? C'est ta spécialité, pourtant !

Il lui décocha un regard irrité.

— Bon. C'est vrai que j'ai mérité cette pique, admit-il.

— Et moi, j'ai mérité un peu de repos et de calme. Il

est tard, et j'aimerais réfléchir à tout ça. Je suis sérieuse, Alex. S'il te plaît.

Elle s'efforça de rester impassible sous son regard scrutateur.

— Je t'appellerai, dit-il en se levant pour partir.

Les déménageurs avaient fait le vide dans le bureau d'Alex à Providence, et ils avaient tout emporté à Newport, excepté sa table de travail en érable, de style danois, dont il était en ce moment même en train de vider les tiroirs : une ancienne règle à calculer de bois qui avait appartenu à son grand-père, une photographie de Madison avec ses enfants, un plumier… il y trouva l'œuf de roussette offert par Rosa, un trésor qu'elle nommait bourse de sirène et qui, selon elle, possédait des pouvoirs magiques. Il le prit. La petite poche noire ne pesait rien dans sa main.

— Alexander ?

Son père entra dans la pièce, tiré à quatre épingles comme toujours, avec un masque désapprobateur sur le visage.

Alex glissa prestement le cadeau de Rosa dans sa poche.

— Je finissais de ranger ici.

— Il n'y a rien d'urgent, tu sais ?

M. Montgomery transporta un carton dans le couloir.

— Ce n'est pas la peine. J'ai un diable.

— Cela ne me dérange pas de te donner un coup de main.

Quand il souleva le deuxième carton, le fond céda et son contenu se répandit par terre.

— C'est quoi, tout ça ? demanda M. Montgomery en se baissant pour ramasser des lettres, des cartes et des feuilles de toute taille, dont la plupart étaient écrites à la main.

— Du courrier professionnel, répondit Alex en s'emparant d'un rouleau de papier collant pour refermer le carton.

Mais il n'avait pas été assez rapide : son père était déjà en train de parcourir sa correspondance.

— Il est question du fonds d'accès aux marchés financiers destiné aux petits porteurs, constata M. Montgomery en lisant une des lettres à voix haute : « Merci de m'avoir offert cette occasion… ». Puis une autre qui, à en juger d'après l'écriture tremblotée, émanait d'une personne âgée : « Vous m'avez ouvert un avenir dont je n'osais plus rêver. »

A certaines, étaient jointes les photographies des maisons des clients, de leurs enfants ou petits-enfants, de jeunes gens brandissant leurs diplômes universitaires…

Alex observa son père tandis qu'il parcourait les messages et que son visage passait de la surprise à la perplexité. Il était contrarié. Il ne se vantait jamais d'avoir monté cette opération, mais elle revêtait une importance capitale à ses yeux, même si elle ne rapportait quasiment rien à la firme familiale. Il fit le gros dos, prêt à essuyer les sarcasmes de son père qui avait toujours considéré d'un mauvais œil cette branche peu rentable de son entreprise.

Quelle ne fut pas sa stupeur de lire une émotion sincère sur le visage de son père au moment où il rangeait les documents dans la boîte.

— Moi, tout ce que je reçois de mes clients, c'est une bouteille de Glenfiddich à Noël, dit-il en s'assurant que le carton était soigneusement fermé.

Ce fut un moment fugace d'intimité qui s'évanouit aussi vite qu'il était venu.

— Tu connais un certain Sean Costello ? demanda M. Montgomery. C'est le shérif de South County.

Alex sentit son cœur s'arrêter de battre.

— Non, pas personnellement. Pourquoi ?

— Il m'a laissé un message. Il faut que je le rappelle. Je me demande ce qu'il veut.

— C'est peut-être à propos des dégâts causés par la tempête.

Alex tourna le dos à son père et continua à emballer ses affaires, tout en pensant à ce Costello dont il ne savait rien. A une époque, il avait essayé de se convaincre qu'il ferait un bon mari pour Rosa. Le jour où il les avait vus tous les deux, main dans la main, il avait filé tout droit à l'aéroport, hanté par l'image du couple qui s'était gravée de manière indélébile dans son esprit. Il avait essayé de se réjouir pour eux. Elle était jeune, belle et seule au monde, si l'on excluait son scélérat de père. Comment avait-il pu imaginer qu'elle allait l'attendre ?

Tandis qu'il enveloppait une photographie de sa mère, son cœur se serra malgré lui. Etait-ce à cause du drame qui les avait frappés qu'il remarquait enfin la tristesse de son regard ? Avant, il n'avait vu que froideur sur ses traits, et n'avait éprouvé que de la colère devant tous les efforts qu'elle avait déployés pour le séparer de Rosa. Il fourra sans ménagement le cadre dans un carton.

— Est-ce que maman et toi vous vous êtes… ?

Que voulait-il savoir au juste ?

— Est-ce que vous étiez heureux ensemble ?

— Nous avons été mariés pendant trente-six ans.

— Cela ne répond pas à ma question.

— Bien sûr que si !

32

Quelques jours plus tard, s'armant de courage, Rosa résolut enfin de rendre visite à son père pour parler avec lui des révélations qu'Alex lui avait faites… et trouva la maison vide. Aucune trace de Pop. Personne ne lui répondit lorsque, comme à l'accoutumée, elle fit clignoter les lumières. Mais la porte qui menait au garage était entrouverte.

— Ouh ouh ! cria-t-elle en pénétrant dans l'atelier mal éclairé qui était contigu au garage. Joey ! Tu es là ?

— Salut, tante Rosa ! dit l'adolescent en sursautant.

— Bonjour. Qu'est-ce que tu fabriques ? demanda-t-elle après un coup d'œil à l'établi où étaient étalés des objets bizarres.

— Je finis d'assembler le télescope. Alex a retrouvé le mode d'emploi, dit-il en brandissant une fine brochure jaunie.

— Tu es allé chez lui ?

— Oh non ! Tu ne vas pas recommencer avec tes histoires de maternelle ! protesta Joey en levant les yeux au ciel.

— Il t'a donné ça, aussi ? demanda-t-elle en désignant

deux containers en carton portant le nom du groupe financier Montgomery.

— C'est des trucs qu'il voulait jeter. Il fait des travaux dans sa maison et il a une benne pleine de cochonneries.

Rosa remarqua que son neveu semblait gêné et fuyant.

— Tout va bien, Joey ? Tu n'as pas d'ennuis, n'est-ce pas ?

— Pas vraiment, non ! s'exclama-t-il sur un ton sarcastique. Avec qui veux-tu que j'en aie ? Il n'y a personne ici.

Elle le considéra un moment. Il avait cessé de s'enduire les cheveux de gel ; leur couleur rose s'était un peu atténuée, et il ne lui restait qu'un seul piercing apparent, dans le lobe de l'oreille droite. Il était plutôt beau garçon quand il n'essayait pas de s'enlaidir à tout prix.

— Tu as bien rencontré des gens sur ton lieu de travail ?

— Oui, mais je n'ai pas envie de traîner avec eux.

— Et cette jolie fille qui vient sans arrêt acheter de la glace caramel aux amandes ? insinua Rosa en se rappelant un potin qu'on lui avait rapporté. Tu sais, celle qui ressemble à Keira Knightley… Eh oui ! Voilà ce que c'est de vivre dans une petite ville : tout le monde est au courant de tout… Bon. Et ton grand-père ? Où est-il ?

— Il est parti travailler chez quelqu'un. Les… Chilton. Ça te dit quelque chose ?

— Oui. Je vais tâcher de le coincer là-bas. Ne fais pas de bêtises, hein ?

— Mais non !

Impatiente d'en avoir terminé avec son père et la conversation délicate qui les attendait, elle força un peu sur l'accélérateur et ne mit pas longtemps avant d'apercevoir le pick-up de Pop garé devant une maison typique de la Nouvelle-Angleterre, construite face à la mer.

Son père se trouvait à l'arrière du bâtiment, occupé à rassembler en un gros tas les branches qu'il venait de tailler. Elle agita les bras pour attirer son attention.

Le visage du vieil homme s'illumina aussitôt.

— Ça va, Pop ? demanda-t-elle en déposant un baiser sur sa joue. Tu as une minute ?

— Bien sûr ! Une heure même, si c'est pour toi, déclara-t-il en retirant ses gants.

Elle prit une profonde inspiration. Ce qu'elle s'apprêtait à dire changerait peut-être leur relation de manière irréversible. Mais il fallait qu'elle sache.

— Les Chilton sont là ?

— Non, ils ne viennent que le week-end. Qu'est-ce qui ne va pas, Rosa ?

Elle respira une nouvelle fois à fond, se planta devant lui et commença à lui parler, en accompagnant ses paroles d'une traduction en langage des signes pour être certaine qu'il comprenne tout ce qu'elle disait.

— Pop, après ton accident, Mme Montgomery a réglé tous tes frais médicaux. Tu le savais ?

Rosa vit défiler sur le visage de son père une succession de réactions — stupeur, incrédulité, doute et enfin étonnement — sans déceler la moindre trace de culpabilité ni aucun indice qui aurait prouvé qu'il eût été au courant.

— C'est la vérité, ajouta-t-elle. Elle voulait que personne ne le sache. C'est Alex qui me l'a dit, et il m'a aussi appris la raison de ce geste généreux.

— Quelle est donc cette raison ?

— Tu étais avec Emily Montgomery, la nuit de l'accident. Dans sa chambre à coucher.

Et là, confirmant les pires craintes de Rosa, la culpabilité apparut sur le visage de Pop.

— C'est monstrueux, lui dit-elle. Je sais bien que tu devais te sentir seul, mais une femme mariée, quand même…

Les traits de Pop se durcirent.

— C'est Alexander Montgomery qui t'a raconté ça ? Il t'a dit que j'avais séduit sa mère ?

— Il n'a pas utilisé ce terme.

Pop sortit un bandana de sa poche arrière pour s'éponger le front.

— Voyons, Rosina. Comment as-tu pu me croire un seul instant capable d'une chose pareille ? Ce garçon ne pense qu'à salir la mémoire de sa mère.

— Tu démens catégoriquement ?

— Comment ose-t-il m'accuser d'une telle infamie ?

— Il ne sait plus où il en est. Si tu peux lui fournir une explication claire, je t'en prie, fais-le.

— Ça suffit, Rosina ! lança Pop en renforçant ses

paroles d'un geste de la main. Ne renoue pas avec lui. Il recommencera à te faire du mal. D'ailleurs, tu vois : il a déjà commencé !

Voilà qu'il essayait de dévier la conversation, pour ne plus en être l'objet. Mais Rosa n'était pas dupe de sa manœuvre. Et elle ne lâcherait pas prise.

— Dis-moi ce qui s'est passé cette nuit-là, Pop. J'ai besoin de savoir.

— Je n'ai pas eu de liaison avec Mme Montgomery, déclara-t-il en regardant sa fille droit dans les yeux. C'est tout ce que tu as besoin de savoir.

— Si ce n'était pas une liaison, alors qu'est-ce que c'était ?

— Un malentendu, répondit-il en se voûtant.

Rosa refusa de se laisser attendrir.

— Allez, raconte !

Prenant appui sur son râteau, Pop s'assit sur un muret de pierre.

— Quand je suis rentré à la maison, ce soir-là, elle m'a appelé. Elle était très préoccupée pour son fils.

— A cause de moi ?

Il acquiesça de la tête.

— Elle n'allait pas bien, Rosa. Je suis allé la voir parce que j'étais inquiet.

« Elle n'allait pas bien », se répéta Rosa pensivement.

— Elle avait bu ?

Autre signe de tête affirmatif.

— Elle était toute seule et vraiment mal en point.

Je l'ai emmenée dans sa chambre et là, j'ai essayé de la calmer pour qu'elle s'endorme. Sans résultat. Elle a continué à s'agiter pendant ce qui m'a semblé une éternité. Ce qu'Alex croit avoir entendu… c'étaient les cris d'une femme hystérique que je tâchais d'aider. Il était presque minuit quand je l'ai quittée. Voilà les faits, ma petite Rosina. Je regrette d'avoir prétendu ne rien me rappeler, mais c'est là mon seul mensonge.

Rosa aurait bien voulu que cette révélation efface tous ses doutes.

— Les choses auraient peut-être tourné différemment si vous nous aviez laissés tranquilles, Alex et moi. Seulement voilà, vous étiez aussi déterminés l'un que l'autre à nous séparer.

— Tu n'as rien perdu, tu sais, Rosina. Tu as seulement évité un chagrin d'amour. Alexander était encore un enfant. Il aurait certainement traité tes sentiments avec beaucoup trop de légèreté, non parce qu'il est mauvais de nature, mais parce qu'il n'était pas prêt à s'engager. Et, à mon avis, il ne le sera jamais.

— Tu as détruit toutes nos chances d'en avoir le cœur net.

— Non, Rosina. Vos chances se sont envolées quand il est parti. Quand il t'a quittée.

Rosa surveillait la fermeture du restaurant, comme chaque soir, quand son téléphone portable émit un gazouillis d'oiseau, la sonnerie réservée à son père. Il était presque minuit. Or, d'habitude, à 10 heures, Pop dormait déjà. Elle se sentit donc légèrement inquiète tout en affichant le message sur son écran : « Joey pas là. »

Rien d'autre que ces trois mots... Ses mains tremblaient en tapant la réponse.

— Je pars ! cria-t-elle à Vince. Il faut que j'aille voir mon père tout de suite.

Vince, arc-bouté contre un énorme chariot de linge sale, se redressa.

— Il va bien ?

— Oui, je crois, répondit la jeune femme tout en fouillant dans son sac à la recherche de ses clés. N'oublie pas de nettoyer les pompes à bière et de mettre le cadenas sur le couvercle de la benne à ordures ! Les ratons laveurs pullulent cette année et...

— Oui, oui, je sais tout ça par cœur. Allez ! Va-t'en !

Rosa se mordit la lèvre et s'excusa d'un signe de tête contrit avant de courir vers le parking.

Bien qu'elle eût abaissé la capote de sa voiture, elle était trop préoccupée pour remarquer la beauté du ciel étoilé et l'agréable fraîcheur de l'air nocturne. Où Joey avait-il bien pu aller ?

De nombreux jeunes se retrouvaient au cinéma en plein air de White Rock Road, bien qu'aucun film n'y eût été projeté depuis 1989. Le parking abandonné était devenu le théâtre de soirées improvisées et l'écran géant, la cible de projectiles divers — pierres, peinture, bouteilles de bière... Si ce n'était pas un endroit idéal pour Joey, il ne présentait pas non plus de dangers particuliers. Mais, de toute façon, rien ne prouvait qu'il fût là-bas. Il y avait aussi le vidéo-club, le parc public et les maisons des copains… Rosa se demandait par où commencer. Elle connaissait très peu Joey, finalement. Elle devrait passer davantage de temps avec lui, dorénavant. Mais le restaurant l'accaparait tellement !

Elle se gara dans l'allée de son père, qui l'attendait à la porte. Il avait l'air perdu et plus vieux de dix ans.

— Je me suis levé pour aller boire un verre d'eau, expliqua-t-il, et j'en ai profité pour jeter un coup d'œil dans la chambre de Joey, comme je le faisais avec toi et tes frères quand vous étiez petits.

Rosa se rappela avec nostalgie cette impression de sécurité qu'elle ressentait en entendant Pop ouvrir la porte de sa chambre et pousser un petit soupir de satisfaction avant de retourner se coucher.

— Tu as regardé partout ?

— Oui. Dans toutes les pièces de la maison. Sa veste n'est plus là, et le vélo non plus. Je vais appeler le shérif.

— Attends encore un peu.

Rosa se précipita à l'étage dans la chambre de Joey.

— Il n'est pas parti pour de bon, dit-elle à son père, qui l'avait suivie. Regarde : son ordinateur portable est ouvert sur la commode avec, en économiseur d'écran, le « Starship Enterprise ». Il n'irait nulle part sans son…

Elle s'interrompit. Une idée venait de germer dans son esprit.

— Est-ce que ce vieux télescope qu'il réparait est toujours dans l'atelier ?

Pop courut vers l'escalier, les yeux brillant d'espoir.

— J'ai regardé pour vérifier si la bicyclette était là, mais je n'ai pas pensé au télescope.

Il guida sa fille à travers le garage — lequel n'avait jamais abrité de voitures en raison du bric-à-brac qui l'encombrait — jusqu'à l'atelier où régnait une odeur de vieille huile moteur mêlée à celle des fertilisants, et où s'entassait le rebut de plusieurs années : pièces de moteur, bobines de fil de canne à pêche, engrais, granulés contre les limaces, chaînes de vélo accrochées à des clous sur le mur…

— Il a disparu, dit Pop. Le petit *parte di merda* est sorti pour observer les étoiles. Mais pourquoi ne m'a-t-il pas prévenu ?

— Ça me dépasse, avoua Rosa. Bon, qu'est-ce qu'on fait ? On attend qu'il revienne ou je pars à sa recherche ?

— Je n'ai pas très envie de rester debout toute la nuit à me ronger les sangs.

Rosa ne pouvait le lui reprocher. Elle savait qu'il ne parviendrait pas à dormir tant qu'il ne serait pas certain que Joey était sain et sauf.

— Bien. Où a-t-il bien pu aller ?

Elle tambourinait avec ses doigts sur l'établi. « Pas très loin, puisqu'il est à vélo », songea-t-elle. Quelque part en hauteur et où il ne serait pas gêné par les lumières de la ville. Au moins une douzaine d'endroits répondant à ces critères lui vinrent à l'esprit. La nuit allait être longue.

Accompagnée de son père, Rosa retourna dans la maison.

— Attends-moi ici, dit-elle en joignant des gestes à ses paroles. Et s'il revient, avant de le trucider, demande-lui de m'appeler.

— D'accord. Et toi, envoie-moi un message si tu le trouves.

— Bien sûr ! Ne t'inquiète pas, je suis sûre que tout va bien pour lui. On ne pourra peut-être pas en dire autant après la raclée que je vais lui flanquer.

Elle regagna sa voiture. Où aller ? A la Pointe Judith ? Aux Singing Bluffs ? Quel était le meilleur endroit pour observer les étoiles ?

Elle saisit son téléphone dans son sac et composa un numéro.

— C'est moi, annonça-t-elle. J'espère que je ne te réveille pas…

33

— Je veux que tu saches, dit Joey à la jeune fille qui se tenait à son côté, que c'est la première fois pour moi.

— Pour moi aussi, murmura Whitney Brooks, alors que rien ne l'obligeait à baisser la voix.

Ils se trouvaient en effet au sommet de Watch Hill, dans un endroit complètement désert.

— Tu n'as qu'à faire du mieux que tu peux et puis voilà, dit-elle.

Dissimulé par l'obscurité, il la considéra d'un air attendri. Il n'avait jamais rencontré de fille comme elle. Comme l'avait remarqué Rosa, elle ressemblait un peu à Keira Knightley, et elle avait un air indomptable qui le fascinait. Elle pratiquait l'escalade extrême et le kiteboarding, elle savait confectionner des kamikazes en mélangeant du jus de citron vert et de la vodka, et elle avait réussi à se faire tatouer un phénix à la base des reins grâce à une fausse carte d'identité. De plus, elle était remarquablement intelligente et partageait les mêmes aspirations que lui…

Il ne distinguait pas son visage dans le noir.

— Il ne se passe rien, dit-il en inclinant la tête vers l'avant.

« Faites que ça marche, faites que ça marche ! » supplia-t-il silencieusement.

Et alors… une sensation inouïe s'empara de lui. Une exaltation fulgurante, un sentiment de triomphe si puissant que, pendant un instant, il craignit d'exploser.

— Wow ! s'exclama-t-il dans un murmure rauque.

Elle se rapprocha de lui, le frôlant de son corps ferme et musclé.

— Attends, laisse-moi…

Elle tendit la main vers lui.

— C'est mon tour, dis donc !

— Fais attention, dit-il bêtement.

« Quel ringard ! se dit-il à lui-même. Un vrai bébé ! »

— Ne t'inquiète pas, répondit-elle. Je sais ce que je fais.

— Je croyais que c'était ta première fois.

— Eh bien, tu vois…

Au moment où elle se pencha, elle émit un long gémissement de bonheur.

— C'est formidable, Joey. C'est… c'est tout simplement merveilleux. On n'aurait pas pu espérer mieux.

Joey retint sa respiration, heureux de partager son plaisir.

Il rayonnait de fierté en observant la jeune fille en train de regarder dans le télescope. L'événement astronomique de cette nuit était d'une rareté tellement exceptionnelle que tous les télescopes, ceux des professionnels comme ceux des amateurs, étaient pointés vers le même coin de ciel. Mais ici, ils étaient seuls, lui et Whitney. A tour de rôle, ils contemplaient le passage de Mercure devant la lune.

— Tu es bien silencieux, dit Whitney à son compagnon. A quoi tu penses ?

— Je me dis que j'ai de la chance de t'avoir rencontrée.

Comme il était facile d'être franc quand on était protégé par l'obscurité !

— Moi aussi, je suis contente de te connaître. Si je n'avais pas autant adoré la glace au caramel, peut-être qu'on ne se serait jamais parlé.

— C'est vrai, dit-il avec un sourire.

A la seconde même où elle avait mis le pied dans le magasin, il avait eu l'impression que l'atmosphère s'électrisait. Peut-être éprouvait-elle la même chose que lui car elle s'était attardée : elle avait pris deux fois de la glace et demandé trois verres d'eau. Ensuite, elle était venue tous les jours et, à la fin de la première semaine, il connaissait son nom, il savait qu'elle fréquentait Marymount School, un lycée catholique de New York, et que ses parents possédaient une maison de vacances dans Ocean Road. Vraisemblablement vaste et somptueuse comme celle d'Alex Montgomery, s'était dit Joey. Au départ, ils ne semblaient pas avoir grand-chose en commun, jusqu'à ce qu'il lui parle du télescope. Dès lors, elle était devenue sa meilleure amie.

Ils s'étaient mis à échanger régulièrement des SMS et des courriels et, même s'il n'avait pas été officiellement établi que ce soir représentait leur premier rendez-vous amoureux, tous deux le savaient pertinemment. Et la nature avait participé à cet événement important en leur offrant une nuit d'une pureté de cristal ainsi qu'une manifestation céleste.

Whitney aussi était passionnée par les étoiles et les planètes. Joey rêvait de devenir astronaute, tandis qu'elle avait toujours été attirée par l'astronomie. A eux deux, ils constituaient une véritable encyclopédie vivante sur le sujet.

— C'est la plus belle nuit de ma vie, déclara-t-elle.

Se l'imaginait-il ou s'était-elle réellement rapprochée de lui ? Il respira l'odeur de son shampooing et sentit la chaleur de son corps quand elle l'effleura. Peut-être que s'il s'inclinait davantage, il pourrait passer son bras autour d'elle, comme par accident… D'habitude, Joey ne se montrait pas particulièrement timide avec les filles. Enfin, il avait eu en tout et pour tout deux petites amies qui riaient bêtement, sans motif, et ne parlaient que de leurs boys bands préférés. Whitney, elle, était posée, patiente, et bien qu'elle ne parlât pas beaucoup, il savait qu'elle réfléchissait à des tas de choses.

— Tu devrais m'embrasser, déclara-t-elle à brûle-pourpoint.

— Pourquoi tu dis ça ? demanda-t-il, un peu troublé.

— Parce que tu en as envie et moi aussi.

— Ça va être bizarre si on planifie chacun de nos gestes.

Elle partit d'un éclat de rire et se glissa encore plus près de lui.

— Je ne pense plus qu'à ça depuis que je t'ai rencontré. J'attends ce moment-là.

Il se mit à transpirer. Décidément, elle était vraiment très différente des autres, avec sa franchise désarmante et son regard direct.

Comment fallait-il s'y prendre ? se demanda-t-il dans un accès de panique.

Il essaya de se calmer. Allons, il était à côté d'une fille dont il était follement amoureux et qui lui demandait de l'embrasser. Il n'allait quand même pas refuser !

Quand il posa ses mains sur ses épaules, elle se blottit contre lui. Il remercia intérieurement son grand-père de l'avoir obligé à retirer ses piercings de la langue et du nez... Il se préparait au plus beau baiser de sa vie, un baiser qu'il allait donner avec toute son âme, avec passion, sans se soucier de savoir s'il était réglementaire.

Il prit une profonde inspiration et se lança...

— Ne bougez plus !

Le faisceau aveuglant d'une matraque lumineuse, tel un sabre de lumière, s'abattit sur eux.

Whitney poussa un cri bref, tandis que Joey reculait, le cœur battant à tout rompre.

— Vous êtes bien mademoiselle Brooks ? s'assura le shérif. Vos parents sont morts d'inquiétude, jeune fille.

Suivez-moi, ordonna-t-il en dirigeant le rayon de sa torche vers la route en contrebas.

« Le shérif ! Rien que ça ! se dit Joey. Il a vraiment du temps à perdre ! »

— On ne fait rien de mal, se défendit-il quand il eut enfin recouvré l'usage de la parole. On est montés ici pour regarder le passage de Mercure devant la lune.

— Je me fiche complètement de ce que tu regardes, mon gars. M. et Mme Brooks m'ont chargé de retrouver leur fille qui a fait le mur.

— Comment vous avez su que j'étais ici ? demanda Whitney d'un ton hautain d'enfant gâtée que Joey ne lui connaissait pas.

— Vous aviez laissé votre boîte de messages ouverte. Vos parents se sont contentés de regarder votre ordinateur.

Joey retint un soupir de dépit. Comment avait-elle pu être assez bête pour ne pas fermer sa messagerie avant de partir ? Il échangea un regard avec elle, mais son air buté ne lui révéla rien. Rien de bon, en tout cas. Il ramassa le télescope et le trépied.

— Hé, toi, aboya le shérif en portant la main à son revolver, lâche ça !

— C'est juste un télescope, protesta Joey. Il ne m'appartient pas et je ne veux pas le casser.

— Je t'ai dit de lâcher ça !

— Mais…

— Tu es sourd ou quoi ?

Joey sentit qu'il commençait à perdre son calme.

— Non, dit-il en posant avec beaucoup de délicatesse la lunette sur le sol. Non, je ne suis pas sourd. Je veux simplement ranger cet instrument dans son étui.

— S'il vous plaît ! plaida Whitney.

— Oui, s'il vous plaît ! répéta Joey.

Après un temps d'hésitation, le policier donna son accord d'un signe de tête, et Joey s'agenouilla pour disposer les éléments du télescope sur le velours de la vieille mallette. L'opération terminée, le shérif emmena les deux jeunes gens sur le sentier rocailleux.

Joey décida de se montrer très gentil et très docile avec M. le shérif. Après quoi, il rentrerait à la maison en douce… et voilà, le tour serait joué !

Il se berça ainsi d'illusions jusqu'au moment où, en arrivant au pied de la colline, il vit, garée à côté de la voiture de la police, une petite décapotable rutilante et, non loin, deux personnes.

Tante Rosa s'avança vers lui.

— Ça va barder, mon coco.

Joey avala sa salive avec une nervosité qu'il ne put dissimuler.

Finalement, les choses ne se présentaient pas bien du tout. Sa tante envoya un texto à Grandpop pour le prévenir que son petit-fils était sain et sauf, et Alex attacha les deux vélos en déclarant qu'il viendrait les chercher le lendemain matin.

— Je vais embarquer le télescope, dit le shérif.

— Non, je le prends ! lança Alex. C'est moi qui l'ai offert au gamin.

Joey se sentait furieux et humilié. Voilà, il n'était qu'un gamin pour ces gens. Un misérable punk, même ! Dire que, quelques minutes auparavant, au milieu des étoiles, il était sur le point d'embrasser la fille dont il était amoureux…

Alex rangea le télescope dans le coffre de l'Alfa, puis il rabattit le hayon, et Joey se résigna à ne jamais plus revoir ce fabuleux instrument.

Mais le pire était encore à venir… Il se produisit lorsqu'on les fit monter, Whitney et lui, dans la voiture de police, derrière la grille, dans cet espace que Joey fut surpris de découvrir dépourvu de poignées et de serrures intérieures.

Il entendit alors tante Rosa remercier le shérif… en l'appelant par son prénom. « Génial ! Il ne manquait plus que ça ! »

— Pas de problème, répondit Sean. Il m'arrive encore d'assurer des gardes de nuit. Ça me permet de rester en contact avec les jeunes.

Il fut convenu que le shérif amènerait les deux fugitifs chez les Brooks et que, lorsque Joey se serait excusé, sa tante le raccompagnerait à Winslow.

— Tu vas te conduire correctement, c'est compris ?

— Oui, monsieur.

Joey aurait voulu protester qu'ils n'avaient rien fait de mal, mais il préféra tenir sa langue. Mieux valait laisser passer l'orage. Il savait d'expérience que les adultes perdaient leur sang-froid quand les jeunes s'absentaient sans permission. Il avait eu suffisamment d'occasions de le constater chez lui, avec ses deux sœurs qui, au grand dam de leurs parents, adoraient faire la fête.

Et lui qui avait toujours été si sage ! La vie n'était vraiment pas juste.

Il se tourna vers Whitney, toujours enfermée dans son mutisme, les yeux fixés droit devant elle.

— Ça va ? lui demanda-t-il doucement.

— Tais-toi, mon gars !

— Je lui demandais juste si elle se sentait bien.

— Qu'est-ce que tu lui as fait, petit ?

— Mais rien du tout, bon sang !

C'était Whitney qui avait répondu, avec sa voix de reine offensée. Puis, les lèvres pincées, elle reprit sa posture initiale. Joey pria pour qu'elle ne pleure pas car il savait qu'une telle manifestation le plongerait dans le plus grand désarroi. Sa sœur Edie éclatait en sanglots pour une mauvaise note, une rupture avec son petit ami ou un ongle cassé… Peut-être que les larmes faisaient du bien, après tout, et que les filles y avaient recours pour se débarrasser d'une trop forte pression intérieure…

A son grand soulagement, Whitney ne se laissa pas aller. Elle resta impassible jusqu'au moment où ils franchirent le portail de ses parents, derrière lequel s'étendait une propriété digne de figurer dans un magazine. Tout y était historique : la villa, le parc, les nombreuses statues qui le peuplaient. Roger Williams en personne, le fondateur de Providence, avait vraisemblablement foulé ces terres ! Whitney lui avait raconté qu'en des temps très lointains, au cours de la bataille de Rhode Island, des coups de canon avaient été tirés depuis le terrain qui appartenait maintenant à sa famille. Mme Brooks en avait conçu un complexe de supériorité dont Whitney se moquait ouvertement.

Debout devant leur demeure, la mine sinistre, les parents de la jeune fille patientaient. On aurait pu s'attendre à les trouver désemparés, mais rien de tel ne transparaissait dans leur maintien et leur tenue vestimentaire des plus élégantes. On ne plaisantait pas avec les apparences chez les Brooks, même à 1 heure du matin !

Quand la portière du fourgon s'ouvrit, Whitney sortit timidement, suivie par Joey qui aurait donné cher pour pouvoir s'esquiver. La mère de Whitney s'anima alors et traversa d'un pas vif l'allée pavée.

— Peut-on savoir où vous étiez, jeune demoiselle ?

Whitney tourna la tête vers Joey et murmura à son intention :

— Nous étions morts d'inquiétude avec ton père... C'est ce qu'elle va dire maintenant !

Joey, dominant son envie de rire, se redressa, les épaules en arrière, le menton rentré, le regard braqué sur l'horizon, raide comme une nouvelle recrue.

— Madame Brooks, je vous prie d'accepter mes excuses pour ce qui s'est passé ce soir. Je suis le seul responsable.

— Je les ai trouvés au sommet de Watch Hill, intervint le shérif. Ils m'ont dit qu'ils observaient les étoiles.

— C'est effectivement ce que nous faisions, affirma Joey. Ou, plus exactement, nous observions une planète. C'était la nuit du passage de Mercure et nous ne voulions ni l'un ni l'autre manquer ce phénomène exceptionnel.

Tout en parlant, il vit l'Alfa se garer à côté du 4x4 de la police, et les narines de Mme Brooks frémirent quand Rosa en sortit. La jeune femme ne s'était pas changée : elle portait encore sa robe noire et ses hauts talons. Pour la première fois, le père de Whitney prit la parole.

— Vous êtes… ?

Joey remarqua que, sans en avoir l'air, ce type reluquait la poitrine de sa tante, et il le prit sur-le-champ en aversion, lui et son ton condescendant.

Il s'avança vers lui.

— Permettez-moi de me présenter, monsieur. Je m'appelle Joseph Capoletti et cette dame est ma tante, Rosa Capoletti.

M. Brooks l'examina des pieds à la tête, notant bien sûr avec une moue critique la couleur de ses cheveux, sa boucle d'oreille, ses vêtements…

— Va m'attendre dans ta chambre, Whitney.

— Mais…

— Ne discute pas, je te prie.

Tandis que Whitney s'éloignait, M. Brooks se tourna vers le shérif.

— Merci de nous avoir ramené notre fille. Vous avez fait du bon travail.

Le policier ne répliqua rien, vraisemblablement furieux d'être traité comme un chien qui aurait rapporté le gibier à son maître. Il remonta dans sa voiture, dit quelques mots dans son microphone et quitta les lieux.

Les Brooks, l'air menaçant, avaient maintenant les yeux rivés sur Rosa, tels des serpents cherchant à hypnotiser leur proie.

— Nous vous serions reconnaissants, mademoiselle Cappellini…

— Capoletti, si cela ne vous dérange pas.

Joey devina que sa tante n'allait pas tarder à s'énerver.

— Oui, bon. Nous vous serions reconnaissants de bien vouloir nous aider à éloigner Joseph de Whitney.

— Oh, je n'en doute pas un instant.

De toute évidence, l'ironie cinglante de Rosa échappa aux Brooks.

— Je me réjouis que nous soyons d'accord. Nous surveillons les fréquentations de Whitney, et elle n'a pas l'habitude de côtoyer des garçons comme votre neveu.

Joey n'en crut pas ses oreilles, lui qui savait que Whitney était la personne à qui tout le monde s'adressait pour se procurer des faux papiers ou des boissons alcoolisées ! En outre, à en juger par la façon dont elle l'avait dragué sur la colline, elle devait avoir accumulé une certaine expérience dans ce domaine… Mais, évidemment, ses parents préféraient se cacher la tête dans le sable.

— Joey va devoir rendre des comptes, affirma Rosa qui, de toute évidence, bouillonnait intérieurement. Néanmoins, nous sommes dans un pays libre et, à moins que vous n'enfermiez votre fille à double tour, je ne vois pas qui pourrait l'empêcher de se lier d'amitié avec des garçons dont vous ignorez tout. Autant vous y faire.

— Ecoutez, mademoiselle Cap...

M. Brooks s'éclaircit la voix.

— Nous ne souhaitons pas engager de poursuites...

— Et qui vous dit que moi, je n'ai pas envie de le faire ? coupa-t-elle sèchement en laissant éclater sa colère. Est-ce que cette idée t'a effleuré l'esprit, *asino sporco* ?

Tandis que Joey se mordait la joue pour ne pas éclater de rire, Alex, qui était descendu de l'Alfa pendant l'échange, s'avança.

— Excusez-moi, dit-il avec un salut de la tête. Je me présente : Alexander Montgomery. J'habite un peu plus bas dans la rue...

— Mais bien sûr ! Bonjour, Alexander ! s'écria Mme Brooks en reprenant instinctivement ses manières de femme du monde. Votre mère et la mienne étaient toutes deux étudiantes à Brown University. Ma mère était naturellement plus âgée que la vôtre, et la nouvelle de votre deuil l'a terriblement secouée.

« Oh non ! C'est pas vrai ! » songea Rosa.

— Monte dans la voiture, Joey. Je te ramène à la maison, dit-elle.

Puis elle se tourna vers Alex et lui lança :

— Je suppose que tu peux rentrer chez toi tout seul ?

Sans attendre de réponse, elle s'installa au volant et démarra sur les chapeaux de roues, laissant un Alex ahuri se dépêtrer des ronds de jambe des Brooks.

— Tu n'aurais pas dû lui fausser compagnie comme ça, reprocha Joey qui luttait toujours contre le fou rire.

— Il habite à même pas cinq cents mètres. De toute façon, il n'y a que deux places dans ma voiture.

— Au fait, pourquoi il était là ?

Ses pneus crissèrent quand elle tourna sur la route de Winslow.

— C'est lui qui a deviné où tu étais allé. Je n'aurais peut-être pas dû l'abandonner aux mains de ces gens, ajouta-t-elle en tambourinant sur le volant avec ses ongles. Pourquoi faut-il toujours que je me laisse emporter ?

— Ça lui est sûrement égal, dit Joey en espérant inciter sa tante à continuer de penser à Alex et à l'oublier, lui. Et puis peut-être qu'il avait envie d'un petit verre avant d'aller se coucher.

Erreur. Il aurait dû se taire.

— Ce qu'il préférerait, répliqua froidement Rosa, c'est se trouver dans un bon lit, en ce moment. C'est, d'ailleurs, ce que nous devrions tous être en train de faire. Mais ce n'est pas ça que vous aviez en tête, toi et ta petite amie, hein ?

— Ce n'est pas ma petite amie.

— Et moi, je ne suis pas la fille de ma mère. Figure-toi que je ne suis pas née de la dernière pluie, Joey ! Je sais reconnaître un couple d'ados. Mais écoute-moi bien, c'est pour ton bien que je te dis ça : ne donne pas ton cœur à une fille comme elle.

— Ça veut dire quoi *une fille comme elle* ?

— Une estivante.

— Moi aussi, je suis un estivant.

— Non. Toi, tu viens voir ton grand-père pendant l'été. Ce n'est pas du tout la même chose.

— Je ne comprends rien à ce que tu racontes. De toute façon, il ne s'est rien passé. Personne n'a donné son cœur à personne. N'extrapole pas. Et, surtout, ne fais pas de projection !

— Pardon ?

Joey aurait bien sauté de la voiture en marche… Quand donc apprendrait-il à fermer son clapet ? Mais maintenant que le débat était ouvert, il fallait aller jusqu'au bout.

— Tu sais très bien ce que je veux dire. Je parle de toi et Alex.

— Il n'y a pas de *moi et Alex*.

— Et je ne suis pas le fils de mon père.

— Tu n'es pas drôle, dit Rosa en accélérant pour avoir le feu vert au dernier carrefour avant d'arriver à la maison de Prospect Street. Et inutile de changer de sujet. Tu flirtais avec cette fille…

— Comme je l'ai déjà dit, nous voulions seulement observer un phénomène astronomique.

Il avait détaché chacune des syllabes, estimant que l'insolence constituait le plus sûr moyen de détourner le cours de la conversation.

— S'il ne s'agissait que de cela, pourquoi n'as-tu pas demandé la permission à ton grand-père ?

— Je lui ai dit où j'allais. Il était d'accord.

Rosa ralentit et jeta un coup d'œil à son neveu.

— Il ne me l'a pas dit.

— Ça a dû lui sortir de la tête, comme d'habitude.

Elle pila en plein milieu de la rue déserte.

— Qu'est-ce que tu sous-entends par là ?

A la lumière jaune d'un réverbère, Joey vit, outre la colère, un autre éclat dans les yeux de sa tante : celui de la peur. Il aurait dû choisir ses mots avec plus de soin. Comment réagirait-il lui-même si on lui annonçait de but en blanc que son père perdait la boule ? Il devait garder à l'esprit que Rosa était la fille de Grandpop !

— Joey ?

Il toussota.

— Parfois, Grandpop oublie certains trucs, dit-il avec autant de ménagement que possible.

— Ça arrive à tout le monde. J'ai laissé passer l'anniversaire de ta mère, le mois dernier, et je ne lui ai toujours pas envoyé de carte.

Il eut de la peine pour elle. Elle ne voulait surtout pas voir l'état de santé de son père. Lui aussi, d'ailleurs, avait refusé l'évidence, au début. Et pourtant, il avait bien remarqué que Grandpop laissait couler le robinet, qu'il oubliait d'éteindre son rasoir électrique ou qu'il ne ramassait pas le courrier. Mais il avait mis ces distractions sur le compte de la surdité. Sa tante avait-elle conscience de ces absences ?

— Je ne te parle pas de ce genre d'oublis. Une fois, il a laissé tourner le moteur de la camionnette alors qu'elle était à l'arrêt. Et ça jusqu'à ce qu'il n'y ait plus d'essence. Un autre jour, c'est une casserole de haricots qui a brûlé.

La maison a empesté pendant des heures, et maintenant il y a une grosse tache de fumée au plafond. Je suis obligé de lui répéter trente-six fois la même chose. La moitié du temps il m'appelle Roberto et, si je le corrige, il se met en rogne.

Rosa cligna plusieurs fois des paupières, comme pour chasser des larmes. « Oh non ! Pas ça ! » supplia Joey. Heureusement, sa prière fut exaucée.

— Tu as… abordé la question avec Grandpop ?

— Je n'arrête pas, mais il m'envoie balader. Alex…

— Quoi ? hurla Rosa. Tu as parlé de ça à Alex ?

A présent, ce n'étaient plus les larmes de sa tante que Joey devait redouter, mais sa fureur.

— Oui, avoua-t-il d'une petite voix. Je ne pensais pas qu'il fallait garder le secret. De toute façon, l'odeur des haricots brûlés avait imprégné mes vêtements, et quand je suis allé chez Alex, il m'a demandé…

— Tu es allé chez Alex ?

— Mais oui ! Il voulait me prêter des bouquins d'astronomie. On est dans un pays libre, quand même !

— Alors, tu en as parlé à Alex et pas à moi. Pourquoi ne pas publier un communiqué de presse, pendant que tu y es ? Et avec tes parents, tu en as discuté ?

— Non. Mon père aurait sûrement la même réaction que toi.

— C'est-à-dire ? Quelle réaction ?

— Bruyante.

A une fenêtre, ils virent une lumière s'allumer et des rideaux s'écarter. Rosa embraya et démarra. Elle ne prononça plus une parole jusqu'à la maison de Prospect Street.

34

— Allez, il faut s'y mettre ! déclara Linda en enfilant une paire de gants en caoutchouc, pendant que Rosa inspectait la maison de son père avec une moue de découragement.

— Maintenant, je comprends ce qu'a pu ressentir Hercule devant les écuries d'Augias.

— Ecoute, ce n'est pas aussi catastrophique que ça !

— Je trouve que si. Et j'avoue que tu m'as surprise en proposant de venir m'aider.

— Les amis, ça sert à quoi à ton avis ? répliqua Linda en s'emparant d'un flacon de détergent.

— En tout cas, tu es adorable d'être là.

— C'est normal, Rosa. D'ailleurs, de ton côté, tu m'as sortie de pas mal de pétrins… Dis-moi plutôt si tu as pu obtenir un rendez-vous chez le médecin pour ton père.

— Oui. A 11 heures.

N'ayant guère envie de s'appesantir sur ce sujet qui la mettait mal à l'aise, Rosa s'éloigna pour allumer un vieux poste de radio, installé sur la même étagère depuis des décennies. Après quelques grésillements, la musique de

Belle et Sébastien finit par s'échapper de l'appareil, et la jeune femme, satisfaite, se mit au travail.

Du seuil de la tanière de Pop, elle considéra cette pièce qui servait de bureau à son père. Chaque fois qu'elle lui rendait visite, elle venait ici et, chaque fois, elle enjambait des amoncellements de documents et d'objets divers, sans jamais réfléchir au dysfonctionnement que ce désordre dévoilait. Elle en aurait volontiers pleuré de honte, mais elle se refusa les facilités de l'apitoiement, alors qu'elle avait fait preuve d'un aveuglement parfaitement égoïste.

Au cours des dernières vingt-quatre heures, depuis que Joey l'avait forcée à affronter la réalité, elle s'était enfin rendue à l'évidence : l'état de son père se dégradait. Trop absorbée par le restaurant et sa vie personnelle, elle n'avait pas remarqué ce qui crevait pourtant les yeux.

Pour le moment, elle ne lui avait rien dit. Ce matin, en arrivant, elle lui avait annoncé qu'elle allait faire du ménage et du tri, ce qui l'avait laissé totalement indifférent. Bien sûr, elle aurait pu engager l'entreprise de nettoyage du restaurant, mais elle s'en était abstenue, comme pour se punir. En outre, Linda avait insisté pour venir l'aider.

Pour une fois, elle s'était libérée de ses obligations au restaurant pendant toute la journée, laissant les rênes à Vince. Joey était au travail et Pop s'occupait du jardin : les pieds de tomates ployaient sous les fruits, et les dahlias poussaient vers le ciel des éclats de couleurs joyeuses. Elle sentit son cœur se gonfler d'émotion en voyant Pop se pencher pour couper une fleur afin d'en décorer son chapeau de paille.

Il représentait tout pour elle.

Elle passa une bonne heure à jeter à la poubelle du courrier publicitaire, des feuilles de papier d'emballage, des sacs en plastique qu'il avait gardés Dieu sait pourquoi, des trombones rouillés, des bocaux vides… Au milieu du fatras de vieux papiers et de prospectus qui recouvraient la table de travail, Rosa découvrit des enveloppes non ouvertes contenant des relevés de banque, des lettres personnelles et… des factures dont certaines portaient la mention « dernier rappel ».

Son premier réflexe la poussa à s'asseoir pour régler sur-le-champ les dettes de son père. Mais cela ne résoudrait pas le problème de fond, bien entendu.

Elle sortit par la porte de derrière, notant au passage que la cuisine étincelait déjà de propreté, grâce à Linda.

Après avoir attiré l'attention de son père, Rosa lui montra les enveloppes.

— Pop, tu n'as pas payé tes factures.

Il jeta un coup d'œil à l'une des lettres qui datait de six semaines.

— Pose-les sur le bureau. Je m'en occuperai ce soir.

— C'est là que je les ai trouvées, Pop… Tu m'inquiètes, tu sais ? J'ai l'impression que tu es de plus en plus distrait.

— Qu'est-ce que tu racontes ? lança-t-il avec un geste agacé de la main. J'ai été occupé, c'est tout.

— Mais, Pop…

Rosa s'interrompit quand elle vit l'heure.

— On n'a pas le temps de discuter. Il faut qu'on aille à ton rendez-vous.

— Quel rendez-vous ? Je n'en ai pas.

— Mais si, voyons ! A 11 heures. Le Dr Chandler dit que tu n'es pas venu le voir depuis trois ans. Trois ans, Pop. C'est dingue !

— Il prend cent cinquante dollars pour une simple petite consultation dans son cabinet. Et puis, de toute façon, je vais très bien. Je n'ai pas besoin de médecin.

— Mais moi, j'ai besoin que tu en voies un. S'il te plaît, insista-t-elle en le prenant par le bras. Fais-le pour moi. Histoire de me clore le bec.

Il lui décocha un regard furibond et, un instant, elle eut peur qu'il ne refuse de la suivre… Mais, soudain, son visage se radoucit et s'éclaira d'un sourire.

— Tu t'inquiètes trop, dit-il en l'embrassant. Mais c'est d'accord, je vais y aller. Juste pour que tu arrêtes de me casser les pieds.

Rosa comprenait parfaitement les réticences de son père : le cabinet du Dr Chandler était contigu à l'hôpital de South County, là où Mamma avait été soignée. Le lieu ne pouvait évoquer pour les Capoletti que chagrin et désespoir. D'autant plus que, des années plus tard, c'est aux urgences de ce même établissement que Pop avait été transporté après son accident et, de cette période, Rosa conserverait à tout jamais le souvenir d'un effroyable cauchemar.

*
* *

Elle se trouvait actuellement dans la salle d'attente et la consultation s'éternisait. Elle lut *Rhode Island Magazine*, *Newsweek* et *Women's Day* et, tandis qu'elle hésitait entre *Parents* et *Highlights for Children*, elle s'aperçut qu'elle n'avait pas retenu un mot de tous les articles qu'elle avait parcourus. L'angoisse qui l'étreignait était trop forte. Elle se leva pour aller se poster à la fenêtre, et laissa son regard errer sur la pelouse ombragée et le parking bondé.

Elle se sentait tellement anxieuse qu'elle fut tentée à plusieurs reprises de téléphoner à Sal ou Rob, mais elle se ravisa chaque fois. Inutile de les alarmer tant qu'elle n'aurait pas d'informations précises à leur communiquer. Elle résista aussi à l'envie d'appeler le restaurant, consciente qu'elle n'avait pas à intervenir quand Vince prenait la direction des affaires.

Restait Alex, bien sûr… Depuis qu'il lui avait révélé ses soupçons concernant leurs parents, elle ne l'avait vu qu'une seule fois, la nuit précédente, quand il avait accouru pour l'aider à retrouver Joey. Il fallait absolument qu'elle lui dise qu'il s'était trompé, mais il était préférable de le faire de vive voix, décida-t-elle en rangeant son téléphone.

Quand enfin, Pop, de son pas traînant, sortit du cabinet du médecin, Rosa avait atteint le bord du désespoir.

— Alors ?

— Il faut qu'on attende.

— Qu'on attende quoi ?

— Il a envoyé des prélèvements au laboratoire, et il veut qu'on reste ici jusqu'à ce que les résultats arrivent.

« Voilà qui ne présage rien de bon », songea Rosa avec effroi. D'habitude, les résultats des analyses ne parvenaient qu'au bout de quelques jours. Qu'y avait-il de si urgent ? Son cœur battait à tout rompre, mais elle ne devait surtout pas s'effondrer devant Pop. Elle reprit donc place sur sa chaise et fit signe à son père de venir s'asseoir à côté d'elle.

— Comment tu te sens ?

— Bien. Comme avant que tu me traînes ici, d'ailleurs, maugréa-t-il. Il faut toujours que tu inventes une raison de t'inquiéter. Ta mère aussi faisait ça, ajouta-t-il avec un clin d'œil espiègle. Tu es exactement comme elle.

Elle posa la main sur la sienne.

— J'espère bien !

Obéissant alors à une impulsion, elle lui demanda :

— Pop, pourquoi tu ne t'es jamais remarié ?

— J'ai été un bon époux pour ta mère, répondit-il après un long moment de silence pendant lequel il avait semblé perdu dans ses pensées. Il ne serait pas honnête de faire croire à une autre femme que je suis encore capable d'aimer de cette façon. J'ai tout donné lors de mon premier mariage. Certaines personnes ne peuvent être amoureuses qu'une seule fois.

Quel romantisme merveilleux ! songea Rosa. Etait-ce héréditaire ? Ça expliquerait qu'elle n'eût jamais réussi à oublier Alex…

Le cours de ses pensées fut interrompu par le

Dr Chandler qui les priait de passer tous les deux dans son cabinet.

Rosa crut un instant qu'elle ne parviendrait pas à franchir les quelques mètres qui la séparaient du bureau du médecin.

Bien que la pièce fût accueillante, avec ses étagères en acajou et ses larges fauteuils, la jeune femme eut l'impression de pénétrer dans une cellule.

— Je me réjouis que vous ayez pris rendez-vous, dit le praticien en les invitant à s'asseoir. Si j'ai demandé au laboratoire de procéder aux analyses en urgence, c'est que j'espérais découvrir quelque chose de parfaitement bénin.

Il se cala dans son fauteuil en souriant.

— Et j'avais raison. Il s'agit d'une carence en vitamines. Sévère certes, mais qui se soigne très facilement.

Rosa se laissa aller contre le dossier de son siège, infiniment soulagée.

— Une carence en vitamines ? répéta-t-elle en se tournant vers son père. Tu as compris ?

Il fit signe que oui. Il avait les larmes aux yeux. Lui aussi avait craint le pire ! songea brusquement Rosa.

— Vos troubles neurologiques, tels que l'impression d'être ankylosé ou d'avoir des fourmillements dans les membres, les petites pertes d'équilibre, les désordres digestifs constituent des symptômes classiques d'un apport insuffisant en vitamine B 12. Votre fatigue, vos absences, vos pertes de mémoire sont aussi imputables à cette avitaminose.

Ce diagnostic décupla la culpabilité de Rosa. Comment avait-elle pu passer à côté de ces signaux ?

— Pourtant, mon père a une alimentation variée. N'est-ce pas, Pop ?

— Absolument, confirma-t-il.

— Ça n'a rien à voir, expliqua le médecin. Vous souffrez d'une infection à hélicobacter, une bactérie qui bloque l'assimilation de la vitamine B 12. Heureusement, la simple prise d'antibiotiques suffit à en venir à bout.

Rosa regarda son père pour s'assurer qu'il avait bien compris.

— Je vais vous prescrire un traitement qu'il faudra commencer dès ce soir. Dans dix jours, il n'y paraîtra plus.

A leur retour, Linda les accueillit dans la cuisine immaculée.

— J'ai reçu une décharge électrique en changeant une ampoule à l'étage, dit-elle.

— Tu avais promis de faire vérifier l'installation ! rappela Rosa à son père, après lui avoir secoué le bras pour attirer son attention.

— Je m'en occupe la semaine prochaine. Ça va ?

— Pop…

Elle s'arrêta en entendant une voiture dans l'allée.

— On a de la visite ! dit-elle à son père.

Ils se dirigèrent vers l'entrée et découvrirent, garés le long du trottoir, une Mazda argentée et un 4x4 Explorer blanc. Alex Montgomery remontait l'allée, accompagné d'une inconnue qui portait un petit chien dans les bras. Dès que Pop aperçut Alex, son visage se crispa.

— Petit salaud ! murmura-t-il entre ses dents.

Etant donné les soupçons qu'Alex entretenait, Rosa avait du mal à s'expliquer qu'il vienne dans cette maison. Elle crut reconnaître la femme un peu boulotte qui l'escortait, sans pouvoir se rappeler les circonstances de leur rencontre.

Aussitôt que le chien fut par terre, il se précipita vers Pop. C'était un genre de terrier, marron et blanc, avec une petite tête rigolote.

— Bonjour, Rosa, dit Alex avec une certaine raideur. Monsieur Capoletti, je vous présente Hollis Underwood et Jake. Hollis travaille pour « Paws for Ability », vous savez, cette association qui se charge de dresser des chiens à accomplir un certain nombre de tâches pour aider les gens qui en ont besoin.

Rosa comprit sur-le-champ ce dont il était question, et regarda son père pour voir si lui aussi avait reçu le message. Mais Pop était entièrement occupé à dévisager Alex, sans lui cacher son hostilité.

Hollis reprit le chien dans ses bras et se planta devant Pop pour lui parler.

— Je suis une très vieille amie des Montgomery. Alex a pensé que ça vous intéresserait peut-être de constater par vous-même les services que peut rendre un chien.

— Je n'en ai pas l'utilité, rétorqua Pop sans se laisser

amadouer par les manifestations exubérantes de Jake qui se tortillait désespérément pour essayer de le lécher.

— Jake est un chien abandonné, expliqua Hollis en libérant l'animal afin de pouvoir aussi communiquer avec ses mains. Nous l'avons trouvé quand il n'était qu'un tout petit chiot, et il vient de terminer sa période de formation comme chien d'assistance aux malentendants. Il est prêt pour l'adoption. Il ne reste plus qu'à lui trouver une famille d'accueil qui lui convienne.

Sans demander la permission, Hollis se dirigea vers l'arrière de la maison.

— Venez à l'intérieur. Je vais vous montrer un peu ce qu'il sait faire, dit-elle à Pop.

A sa grande surprise, Rosa vit son père suivre la visiteuse. Elle entendit Linda les saluer puis s'extasier sur le chien. Elle était abasourdie.

— Tu peux m'expliquer ce qui se passe ? demanda-t-elle alors à Alex.

— Qu'est-ce que tu dirais d'entamer la conversation par : « Bonjour, Alex » ? Ou : « Comment ça va, Alex ? » Ou : « Merci de m'avoir aidée à retrouver Joey, hier soir » ? Ou bien encore : « Pardonne-moi de t'avoir abandonné comme un malpropre après t'avoir tiré du lit » ?

— Ça y est ? Tu as fini ?

— Ce n'est qu'un début, répondit-il en riant.

— Qu'est-ce que tu fais ici ? Et cette femme, avec son chien, qu'est-ce qu'elle veut ?

— Joey m'a dit qu'un peu d'aide pourrait s'avérer utile pour ton père.

— De quoi il se mêle, Joey ? s'emporta Rosa, blessée dans son amour-propre.

— Il a cru bien faire.

— Mais ce ne sont pas vos affaires, bon sang !

— Peut-être. Est-ce que ce sont celles des voisins ? demanda-t-il en attirant d'un signe de tête l'attention de Rosa sur Mme Fortenski qui, comme par hasard, avait choisi ce moment-là pour arroser ses fleurs.

— Tu as une très mauvaise opinion de mon père, dit-elle en baissant la voix. Dans ces conditions, pourquoi veux-tu l'aider ?

— Je le fais pour toi. Si la présence d'un chien d'assistance lui facilite la vie, elle facilite la tienne par la même occasion.

Rosa détestait ce genre de raisonnement, comme d'ailleurs tous ceux qui n'allaient pas dans son sens à elle.

— Il n'acceptera pas. Il n'a jamais eu ni chien ni chat. Même pas un poisson rouge. Les animaux, ça n'est pas son truc.

Prenant conscience qu'elle tournait autour du pot, elle décida d'aborder de front le sujet qui les tracassait vraiment.

— Je lui ai dit ce dont tu l'accusais, Alex. Il dément catégoriquement toute liaison avec ta mère.

— Bien entendu !

— Apparemment, elle l'a appelé, ce soir-là, et il est allé chez elle parce qu'elle semblait… perturbée.

— Soûle, tu veux dire.

— Je suis désolée, Alex.

— Désolée ? Désolée de quoi ? rétorqua-t-il sur un ton amer.

— Ecoute, Alex. Peu importe les erreurs qu'elle a commises. Ce dont tu dois être sûr, c'est qu'elle n'a pas fait… ce que tu crois. Sa vie tournait autour de toi ; ton bonheur représentait son unique préoccupation. Et c'est la seule chose qui compte.

— Merci pour… pour ce que tu viens de dire, Rosa, murmura-t-il doucement, après un moment de silence.

Il lui avait beaucoup parlé du passé, cette nuit, dans son appartement, mais il lui avait tu ce qu'il y avait de plus important pour lui, et pour elle aussi peut-être : ses sentiments face au suicide de sa mère.

— Alex…

— Il faut que j'y aille. J'ai des dossiers à classer.

Et là, sur ces mots, l'inconcevable se produisit. Il se pencha, lui effleura la joue de ses lèvres et déclara :

— A bientôt, ma chérie.

Les joues de Rosa s'enflammèrent.

— Une petite minute, s'il te plaît ! lança-t-elle en le suivant vers son 4x4.

Il s'arrêta brusquement.

— Qu'est-ce qu'il y a encore ?

— Tu m'as embrassée alors que je n'étais pas prête.

— Et tu l'es, maintenant ? Voyons un peu ça.

Il l'embrassa alors à pleine bouche.

Et Mme Fortenski, faute de regarder ses plantes, arrosa copieusement le trottoir.

— Sache que ce n'est qu'un petit hors-d'œuvre, murmura Alex en libérant Rosa.

Là-dessus, il gagna sa voiture et fit un signe de la main en démarrant.

— Et voilà ! Alex le prince charmant a encore frappé ! s'exclama Linda, sortie pour déposer sur le trottoir un gros sac d'ordures.

— Il m'a embrassée.

— Sans blague ! Tu veux que j'appelle les pompiers ?

— Arrête, Linda !

— Quoi ? Ce type est dingue de toi. Pourquoi tu n'en profites pas, tout simplement ?

— Parce que je ne lui fais pas confiance.

— Je crois surtout que c'est à toi que tu ne fais pas confiance.

Rosa prit le temps de réfléchir avant de déclarer :

— Je ne vois pas l'utilité de renouer avec Alex Montgomery.

— Pourquoi faudrait-il que ça serve à quelque chose ? Contente-toi de prendre du bon temps avec lui, sans penser à rien d'autre. Tu verras bien où ça te mène.

— Je ne verrai rien du tout.

— Dans ce cas, tu es une imbécile.

— Pas du tout. Je me protège.

— Ça fait des années que ça dure. Tu ne crois pas qu'il est temps de lui ouvrir la porte ?

— Pour quoi faire ?

— Mais enfin, Rosa ! Pour le sexe, déjà ! Je t'assure que tu en as besoin !

— Qu'est-ce que tu en sais ?

— Tu devrais parler moins fort, conseilla Linda avec un mouvement du menton en direction de la fenêtre de la voisine.

Levant les bras au ciel, Rosa prit le chemin de la maison.

Au moment où elles pénétraient toutes les deux dans le vestibule, Jake était en train de renifler le courrier étalé par terre.

— Qu'est-ce qu'il fabrique ? lança Linda.

— Chut ! Regarde...

Après avoir levé la tête vers les deux femmes, le chien s'intéressa de nouveau aux lettres. Il en prit quelques-unes dans sa gueule, calées entre un prospectus et un catalogue, puis emporta le tout en trottinant.

Rosa et Linda le suivirent jusqu'au bureau.

Pop était installé dans son fauteuil, et Hollis, assise elle aussi, observait les événements. Elle ne dit rien quand les deux amies apparurent sur le seuil de la pièce, mais leur fit signe de ne pas bouger. Jake lâcha sa cargaison et repartit chercher une autre fournée. Il fit encore deux voyages et, au dernier, tout le contenu de la boîte aux lettres se trouvait à côté de Pop. Il s'assit alors sur son derrière et, avec sa patte antérieure, gratta doucement la jambe de Pop jusqu'à ce que celui-ci ramasse ce qu'il lui avait apporté.

— Il s'est bien débrouillé, dit Pop à Hollis.

— N'oubliez pas de le récompenser, comme je vous l'ai dit.

Pop se pencha pour tapoter gentiment la tête de l'animal.

— Tu es un bon chien. Bravo, Jake !

— Bravo à tous les deux ! dit Hollis.

— Comment faut-il que je procède pour qu'il paye mes factures ?

— Cette tâche n'est pas prévue dans le contrat d'apprentissage, répliqua la jeune femme dans un éclat de rire. Mais il sait faire beaucoup d'autres choses. Il peut remplir quarante missions au total. Il vous avertit s'il entend une sonnerie, quelle qu'elle soit — porte, téléphone, alarme, réveil — et également si un objet tombe. Si votre ordinateur est programmé pour émettre un son à l'arrivée d'un courriel, il vous prévient aussi.

— C'est incroyable ! s'exclama Pop.

Rosa n'en revenait pas. Son père avait toujours proclamé haut et fort son aversion pour la gent canine. Il avait subi trop de désagréments de la part des chiens mal éduqués de ses clients qui saccageaient les jardins et s'oubliaient sur les pelouses pour les apprécier.

— Alors, vous êtes amis, Jake et toi ? demanda Rosa en entrant dans le bureau.

— Oui, mais c'est une grosse responsabilité de s'occuper d'un chien.

— Nous n'attendons pas de réponse aujourd'hui même, intervint Hollis. Nous devons d'abord nous assurer que vous vous entendez bien, tous les deux. Il y a des formulaires à remplir, et il faut que l'assistante sociale vienne vous voir. C'est seulement après tout ça que l'adoption pourra avoir lieu. On vous apprendra alors comment vous comporter avec Jake.

Elle s'arrêta de parler et, à ce signal, Jake s'immobilisa, la tête penchée sur le côté, les yeux fixés sur Pop.

— Qu'en dites-vous, monsieur Capoletti ? Vous seriez prêt à tenter l'aventure ?

Pop regarda Jake droit dans les yeux.

— Je n'ai pas vraiment le choix.

— C'est aussi simple que ça ? demanda Rosa à Hollis.

— Oui, répondit Hollis en regardant d'un œil attendri Jake bondir sur les genoux de Pop et se lover dans le creux de son bras. C'est aussi simple que ça.

35

Un crissement de pneus sur le gravillon de l'allée réveilla Alex en sursaut. Quelle heure était-il donc ? La pendule indiquait 6 h 30.

Il se rappela soudain avec irritation que Portia van Deusen, son ex-fiancée, devait passer chez lui en se rendant au festival de jazz de Newport, pour lui restituer quelques affaires dont elle tenait à se débarrasser. Mais pourquoi se chargeait-elle de cette corvée au lieu d'envoyer quelqu'un ? Et pourquoi à une heure aussi matinale ?

A n'en pas douter, Hollis Underwood s'était empressée de lui parler de Rosa, et Portia devait bouillir de curiosité… peut-être même de jalousie. Tant pis pour elle ! D'ailleurs, elle n'avait pas à se plaindre : Alex s'était montré grand seigneur en acceptant de répandre le bruit que c'était elle qui avait décidé de rompre. Seule Gina Colombo, sa collaboratrice, connaissait le fin mot de l'histoire.

Tout en se frottant les yeux, il se dirigea vers la fenêtre.

La lumière blanche du matin l'éblouit.

Il s'immobilisa en plein bâillement, et son air renfrogné fit place à un large sourire quand il reconnut... Rosa, en train d'extirper du coffre de sa voiture un grand panier en osier recouvert d'une nappe à carreaux blancs et rouges.

Elle portait un corsage bain de soleil à pois rouges, un corsaire vermillon, des créoles en or aux oreilles, de grosses lunettes noires, et elle avait assorti son vernis à ongles à sa tenue. Une version pour adultes du *Petit Chaperon rouge*...

— Mince alors ! siffla-t-il en se précipitant dans la salle de bains.

D'une main, il attrapa sa brosse à dents, tout en s'aspergeant le visage.

Sans prendre le temps de se raser, il sauta dans un maillot de bain, le premier vêtement présentable qui s'offrait à lui, et dévala l'escalier.

Rosa était sur le perron, fraîche comme une rose, et elle lui souriait.

— J'espère que je ne t'ai pas sorti du lit.

— Oh non ! dit-il en étouffant un bâillement. Je me lève tous les matins à 6 h 30 quand je suis en vacances.

— Menteur ! lança-t-elle en le bousculant pour entrer.

Il la suivit jusqu'à la cuisine, attiré par les délicieuses senteurs qui s'échappaient de son panier.

— Dis donc, tu as bien travaillé ! s'exclama-t-elle en examinant le lambris et les placards fraîchement repeints, ainsi que le parquet qui avait été entièrement poncé et dont les lames branlantes avaient été solidement fixées.

— Oui, jusqu'à 1 heure du matin, tous les jours.

— J'aurais dû appeler avant de venir, mais il était trop tôt et je ne voulais pas te réveiller.

Il n'essaya même pas de comprendre son raisonnement.

— Rosa ? Tu peux me dire ce qui se passe ?

— Je t'apporte un brunch ! On va aller pique-niquer, comme quand on était jeunes. Tu te souviens ?

Oh ! oui, bien sûr qu'il s'en souvenait…

Il repéra dans le panier une Thermos de café et des petits pains encore fumants.

— Pourquoi on ne mangerait pas ici, tout simplement ?

— Parce que ce ne serait plus un pique-nique.

— Non, mais ce serait un petit déjeuner.

— Bon, tu es prêt ? lui demanda-t-elle gaiement.

Il était absolument incapable de résister à cette femme. En outre, il était curieux de savoir ce qu'elle manigançait. Le fait qu'elle ait apporté des victuailles était de bon augure : une façon de faire la paix, en quelque sorte.

— Oui, je suis prêt.

Elle sortit dans le jardin, et il la suivit.

Il était loin d'être insensible à la façon dont le pantalon moulant de Rosa, coupé juste au-dessous du genou, mettait en valeur une chute de reins à faire pâlir d'envie Jennifer Lopez en personne…

— Tu es bien silencieux.

— Je ne suis pas encore tout à fait réveillé, dit-il après s'être éclairci la voix. Ça t'arrive souvent ?

— Tu parles de l'heure à laquelle je me lève ? Oui, presque tous les jours. Je n'ai pas le choix si je veux profiter de la matinée avant d'aller au restaurant.

Il laissa son regard errer sur la silhouette de Rosa pendant encore quelques instants.

— En tout cas, le manque de sommeil te va plutôt bien.

Elle ralentit et le regarda par-dessus son épaule.

— Tu trouves ?

— Oh ! que oui !

Ils continuèrent leur progression le long du vieux sentier envahi par les ronces et les rosiers sauvages.

— Personne ne vient jamais ici, dit-elle. Comme autrefois. A part…

Elle s'interrompit pour écarter une branche qui lui barrait le chemin.

— A part nous, termina-t-il.

Les gens s'agglutinaient sur les plages qui disposaient d'un parking et d'un accès facile. Pour sa part, il avait toujours préféré ce petit coin de paradis, coupé du monde par une barrière de dunes que longeait une vieille clôture de bois branlante, à moitié ensevelie sous le sable.

Les rayons du soleil levant enveloppaient la mer d'un halo de lumière presque surnaturel. Au cours de ses nombreux voyages, Alex n'avait jamais trouvé de lieu capable de rivaliser avec la plage de son enfance. Ici, il éprouvait une sensation de calme et de sécurité qui lui permettait de se sentir en paix avec lui-même et avec l'univers qui l'entourait. Un univers dont Rosa faisait intégralement partie. Savait-elle à quel point elle avait contribué à la construction de sa personnalité actuelle ? Il ne le lui avait jamais dit, mais l'heure de la confession n'allait pas tarder à sonner…

— Ça te va, ici ? demanda-t-elle en lui indiquant une place sur le sable.

— J'ai une meilleure idée.

Il la dépassa pour s'arrêter un peu plus loin, à l'ombre d'un énorme rocher, près du bord de l'eau. C'était là, lui semblait-il, qu'ils avaient fait l'amour pour la première et la dernière fois.

— Qu'est-ce que tu en dis ?

— C'est parfait, répondit-elle en le regardant droit dans les yeux.

Ils installèrent sur la nappe à carreaux les différents plats de leur festin : mascarpone, petits pains frais — dont le parfum avait fait saliver Alex pendant tout le trajet —, tranches de melon. Il y avait aussi une boîte en plastique fermée.

— Café ? proposa la jeune femme en levant la Thermos.

— Oh oui ! Merci. Sans lait, s'il te plaît.

— Je sais. C'est ce que tu as commandé au restaurant.

— Quelle mémoire !

Elle lui sourit.

— Tu as faim ?

— Je dirais même que je suis affamé !

— Tu vas aimer ça, j'en suis sûre.

Elle sortit deux assiettes qu'elle remplit de *frittata*, un plat à base d'œufs agrémenté d'herbes et de fromage.

Alex en engloutit avec délices deux copieuses portions, accompagnées de la moitié du melon et de trois petits pains généreusement tartinés de mascarpone crémeux.

— Tu es un véritable cordon-bleu ! dit-il à Rosa.

— Je sais, répondit-elle en admirant le lever du soleil. C'est un don que m'a légué ma mère.

Elle leva sa tasse vers lui.

— Tu ne me demandes pas pourquoi je me suis donné tant de mal ?

— Parce que tu veux me séduire, bien sûr ! En tout cas, ça marche. Félicitations !

— Tu peux toujours rêver !

— Oh ! Mais je ne m'en prive pas… Non, sérieusement, je suis intrigué, mais je n'ose rien dire de peur de rompre le charme et de te voir repartir avec armes et bagages.

— Je t'aurais laissé les victuailles, de toute façon… Ecoute, je voulais te remercier pour le chien. Parce que mon père ne le fera jamais, ajouta-t-elle, la voix vibrante d'émotion.

— Alors, ça marche avec Jake ?

— Oui. Hollis est une vraie fée.

— C'est vrai. Elle est assez incroyable.

— Pourtant, c'était une vraie peste quand elle était plus jeune.

— Il faut croire que les êtres sont capables de changer.

Elle replia les genoux sur sa poitrine.

— En quelques jours à peine, elle a transformé la vie de mon père. J'ai honte de ne pas y avoir pensé moi-même.

— Avant, il aurait probablement refusé.

— J'étais très en colère quand j'ai découvert que Joey t'avait parlé des problèmes de Pop.

— J'aurais bien aimé que quelqu'un attire mon attention sur ceux de ma mère, lâcha-t-il malgré lui.

— Alex ! s'écria Rosa en lui caressant la joue d'une main tremblante.

Elle était la seule personne au monde à qui il pouvait vraiment dire ce qu'il ressentait. Et l'extrême émotion que suscitait en lui cette situation était nettement visible pour un observateur aussi attentif que Rosa.

Elle le regardait en silence.

— Aussi épouvantable que cela puisse paraître, d'une certaine façon, j'ai eu de la chance de perdre Mamma à ce moment-là de mon existence. Elle avait certainement ses défauts, comme n'importe qui, mais j'étais trop jeune pour les voir et, dans mon cœur, je ne garde d'elle que l'image d'une sainte.

— Qu'est-ce que tu essaies de me dire ? Que j'ai eu la malchance de connaître les faiblesses de ma mère ?

— Ne te moque pas de moi si mes mots sont maladroits. En fait, ce n'est pas de la malchance. C'est la vie, tout simplement. Je suppose que si j'avais côtoyé ma mère plus longtemps, je me serais fait d'elle une idée plus réaliste. Bon sang ! Qu'est-ce que je donnerais pour l'avoir encore à côté de moi, avec toutes ses imperfections ! Toi, tu as passé trente ans avec ta mère. Je t'envie.

— Et moi, je t'envie d'avoir gardé une image si idéalisée de la tienne, même si ça m'attriste qu'elle te manque autant.

Elle se tut. L'atmosphère entre eux était un peu tendue.

— Dis, Alex… Je me demandais… Est-ce que tu as déjà envisagé de consulter… un psychologue ?

Le visage d'Alex se durcit.

— Ce serait une perte de temps. Je connais parfaitement mes problèmes… La journée avait si bien commencé ! ajouta-t-il en s'efforçant d'adoucir son expression.

— Je n'avais pas l'intention de parler de ta mère, pourtant. Mais, qu'on le veuille ou non, elle resurgit toujours à un moment ou à un autre. Et ça ne cessera pas tant que tu refuseras d'affronter la réalité.

— Je t'en prie, Rosa, épargne-moi tes discours convenus ! Changeons de sujet, s'il te plaît.

Il vit un sourire furtif passer sur les lèvres de la jeune femme, et sentit la tension descendre d'un cran.

— Les choses ne prennent pas la tournure que j'avais prévue, dit-elle.

— C'est-à-dire ?

— Je voulais t'apporter un bon petit déjeuner et te remercier du fond du cœur d'avoir aidé mon père. Je ne cherchais certainement pas à te fâcher.

— Je te promets que je ne suis pas fâché.

Et, pour le prouver, il se servit une troisième fois de *frittata*.

— Je t'assure que je n'ai jamais dégusté un petit déjeuner aussi formidable que celui-là !

— Pour de bon ?

— Un lever de soleil magnifique, une femme splendide, un repas divin… Que demander de plus ?

« Faire l'amour avec elle », songea-t-il secrètement.

Il posa sa main sur celle de Rosa.

— Tu peux me passer le melon, s'il te plaît ?

Elle se dégagea en jouant la coquette.

— Oui, bien sûr.

— Quand tu me donnes à manger, j'ai l'impression que tu me courtises. C'est délicieux.

— Arrête ! Je sers cent quarante repas tous les soirs, figure-toi ! C'est mon métier.

Mais elle avait rougi, ce qui n'échappa nullement à Alex.

— Rien à voir avec ce petit déjeuner, dit-il en se calant sur les coudes et en croisant les jambes, détendu comme un fauve repu.

— Alex ?

— Mmm ?

— A quoi tu penses ?

— A faire l'amour avec toi, répondit-il en posant sa main sur la cuisse de sa compagne.

Elle s'écarta de lui.

— Inutile d'y songer.

— Enfin, Rosa ! C'est la chose la plus naturelle qu'il nous reste à faire après ce repas. Qu'est-ce qui pourrait nous en priver ?

— Nos consciences. Sans parler de nos amis, de nos familles, de nos modes de vie. Ça ne peut pas marcher entre nous pour les mêmes raisons que ça n'a pas marché la première fois. Le monde existe autour de nous, Alex, et il ne nous laissera pas tranquilles.

Il se rapprocha d'elle.

— Eh bien, dans ce cas, quittons ce monde imparfait.

— C'est justement là, le problème. Je n'ai pas envie de partir. Je me sens bien ici.

— Tu sais, Rosa, ce n'est pas parce que c'est compliqué qu'on ne doit pas s'aimer.

— Reprends donc du café, lui dit-elle pour se donner une contenance.

Elle remplit sa tasse d'un geste mal assuré.

— Redis-moi ça, Alex. Il est trop tôt pour que je comprenne les doubles ou triples négations.

— Je veux une deuxième chance, Rosa. Ce n'est pas plus compliqué que ça.

Il reposa sa tasse, lui effleura la joue et caressa doucement sa chevelure.

— Je croyais que tu parlais de faire l'amour.

— Oui, j'y pense très fort, avoua-t-il. Ça va de pair avec notre seconde chance.

Elle prit un dé de melon, qu'elle lécha de façon provocante avant de le mettre dans sa bouche.

— Qu'est-ce que tu cherches à me dire ? reprit-elle. Que tu veux coucher avec moi ?

— Evidemment ! Je me demande bien quel genre d'homme n'en aurait pas envie !

— Alex !

— Excuse-moi. C'était un compliment. Tu es extrêmement attirante.

— Et c'est uniquement ça qui te plaît ?

— Non, bien sûr, je… Oh ! Et puis zut !

Plutôt que de continuer à s'enferrer, il se tut et l'attira résolument contre lui. Avant qu'elle ne puisse le repousser, il s'empara de sa bouche et l'embrassa longuement, avec fougue, satisfaisant enfin le désir qui le consumait depuis l'instant où il l'avait retrouvée.

Les baisers ont été inventés pour des moments comme celui-là, où les mots manquent, alors qu'il reste tellement de choses à dire. Il goûta la fraîcheur sucrée du melon qui s'accrochait à ses lèvres, et se délecta de la façon dont elle épousait la forme de ses bras.

Quand il s'écarta pour observer son beau visage, elle avait l'air étourdi, le regard brouillé, les lèvres un peu gonflées.

— Je crois que l'idée me convient, murmura-t-elle.

— Quelle idée ?

— Faire l'amour. Ce n'est pas ce dont il était question ?

— Mais si, bien sûr ! s'écria-t-il en l'allongeant sous lui.

Elle se tortilla pour se dégager.

— Non, pas ici. On est en plein jour.

— Je croyais que Vatican II avait assoupli les règles.

Elle le fusilla du regard.

— Ce n'est pas drôle, Alex.

— Moi, ce que je ne trouve pas drôle, c'est que tu me fasses des avances et que tu te rétractes aussitôt après.

— Je n'ai rien proposé du tout. C'est toi qui as pris l'initiative.

— Et tu as accepté.

— Quand ça ?

— Enfin, pour être exact, tu as dit : « l'idée me convient ». J'en ai conclu que tu étais d'accord, jusqu'à ce que tu te mettes à poser des conditions…

— Evidemment que je pose des conditions ! C'est normal, ajouta-t-elle en commençant à ranger les affaires du pique-nique dans le panier. Notre histoire est terriblement compliquée. Après tout ce qui s'est passé, je ne vois pas à quoi elle pourrait aboutir.

— C'est très simple, au contraire, Rosa. Mais tu as peut-être peur d'essayer ?

— On vient de milieux tellement différents, Alex ! Nos amis ne s'entendent pas. Nos familles se détestent. Depuis toujours et pour toujours.

— Je m'en moque éperdument, Rosa. C'est toi qui m'intéresses, et personne d'autre.

Il fut récompensé par un tressaillement qui parcourut les lèvres de Rosa, une ébauche de sourire qu'il n'était vraisemblablement pas censé percevoir.

— Alors ? dit-il.

— Nous sommes adultes, à présent. Donc, capables de fixer des limites.

« Et de ne pas les respecter », ajouta-t-il pour lui-même.

— Comme madame voudra.

Sur ces paroles, il se leva pour l'aider à plier la nappe, certain qu'elle était de bonne foi quand elle pensait pouvoir dominer ses émotions et garder ses distances en toutes circonstances. Même maintenant. D'un certain côté, il la connaissait mieux qu'elle ne se connaissait elle-même, se dit-il en souriant intérieurement, tandis qu'ils longeaient le sentier pour regagner sa villa d'Ocean Road.

36

« Je ne l'ai jamais vu aussi pressé de rentrer chez lui », se dit Rosa, tandis qu'elle essayait de ne pas se laisser distancer par Alex qui avançait à grandes enjambées.

Une fois dans la cuisine, elle voulut faire la vaisselle du pique-nique, mais il la plaqua contre l'évier.

— Alex, je…

Il l'interrompit aussitôt avec un baiser ardent qui, comme sur la plage, la vida de toute volonté. Elle profita du moment où il dut reprendre son souffle pour tenter de se ressaisir.

— Je ferais mieux d'y aller, déclara-t-elle.

— Monte avec moi.

Elle essaya de le repousser, mais se heurta à un mur de muscles inébranlable.

— Non. Ce n'est pas une bonne idée, dit-elle.

— Mais tu as dit le contraire, tout à l'heure.

Mon Dieu ! Oui, c'était vrai !

— Je n'ai pas… précisé quand… Je parlais de plus tard… quand nous en aurons discuté.

— Maintenant, ça me paraît idéal, dit-il en lui souriant.

Comment résister à ses yeux bleu océan, à ses traits aristocratiques, à ses lèvres dont elle rêvait jour et nuit sans vouloir l'admettre ?

Bien que tout en elle lui adjurât de ne pas céder, quand elle recouvra l'usage de la parole, elle ne put prononcer qu'un seul mot :

— D'accord.

A l'étage de la vaste demeure, elle se tenait face à lui dans une pièce immense, inondée de soleil, au parquet impeccablement ciré, où trônait un lit à baldaquin dont les draps délicieusement froissés semblaient avoir conservé l'odeur d'Alex. Elle n'avait qu'une envie : y sombrer corps et âme.

Il mit les mains sur ses hanches et l'embrassa de nouveau.

— Ce n'est pas pour ça que je suis venue, murmura-t-elle.

— On ne sait pas toujours ce que l'on va trouver quelque part, répondit-il en lui prenant le menton pour ramener sa bouche vers la sienne.

Sous ses baisers, elle perdit la notion du temps, d'elle-même, de tout ce qui l'entourait. A la façon dont il la regarda lorsqu'il dénuda son buste, elle crut un instant s'être transformée en déesse. Et elle lâcha prise… Oui, depuis ce matin, elle attendait ce moment, s'avoua-t-elle.

Elle l'embrassa avec fièvre, avec voracité même, laissant enfin libre cours au désir qui s'était accumulé en elle au cours de l'été.

Ils se déshabillèrent en toute hâte, indifférents à leurs vêtements qui tombèrent pêle-mêle sur le parquet. Quand ils furent allongés sur le lit, sa chevelure étalée en éventail autour de sa tête, elle l'attira avec force contre elle. Malgré l'ivresse qui anéantissait ses facultés mentales, une chose lui apparaissait clairement : sa place dans ce monde se trouvait entre les bras d'Alex Montgomery. Et il en serait toujours ainsi.

Rosa ne s'endormit pas. Dans l'enchevêtrement des draps et la lumière du soleil qui baignait leurs corps enlacés, elle s'abandonna simplement à la douceur du corps d'Alex. La joue posée contre sa poitrine, elle écoutait les battements de son cœur, oubliant, pour une fois, de penser, de parler et de dresser des plans. Elle laissa le temps s'écouler, sans y prendre garde, jusqu'à ce qu'un léger changement de rythme dans la respiration d'Alex ne lui fasse dresser l'oreille. Elle souleva alors la tête pour le regarder.

— Ce n'est rien, dit-il en se penchant pour fouiller dans le tiroir de la table de nuit.

Il en sortit un inhalateur qu'il plaça devant sa bouche. Il prit trois profondes inspirations et sourit à sa compagne.

— Tu es sûr ?

— Certain. D'autres questions ? demanda-t-il en enroulant une mèche de ses cheveux autour de son doigt.

— Non, non.

Elle s'étira lascivement, admirant paresseusement les magnifiques lambris patinés par l'âge et les fenêtres dont les vitres présentaient la finesse et les irrégularités du vieux verre. Cette maison était vraiment splendide. Pourquoi voulait-il s'en séparer ? Si pareille demeure lui avait appartenu, elle y aurait vécu jusqu'à la fin de ses jours. Elle s'imagina en train de disposer des bouquets de fleurs fraîches dans toutes les pièces, de s'activer dans la cuisine tout en contemplant la mer par la fenêtre…

Puis ses pensées revinrent vers eux, vers… leur couple. Car c'était bien de cela qu'il s'agissait. Qu'elle le reconnaisse ouvertement ou non, c'était bien un couple qu'ils formaient tous deux. Et même un couple très uni. Comme seuls le font les amoureux, ils communiquaient sans parler, et chacun lisait dans les pensées de l'autre.

Un téléphone portable sonna, arrachant un grognement à Alex.

— Ne réponds pas.

— C'est peut-être mon père, objecta-t-elle en se redressant pour attraper son sac à main.

Alex tendit le bras vers la table de chevet.

— Ou le mien, plutôt… Bonjour, père.

Rosa remonta le drap sur son corps. Rien de tel qu'un coup de téléphone parental pour casser l'ambiance…

— Je comprends, dit Alex, le visage totalement impassible. Ce sera pour une autre fois.

Si seulement cet imbécile de M. Montgomery pouvait voir la déception qu'exprimait le visage de son fils ! songea Rosa, furieuse.

— Moi non plus je n'ai pas de nouvelles de Maddie. La semaine dernière, j'ai reçu un courriel de Taipei. Je suis sûr qu'elle te fera signe quand elle aura atteint une zone où son téléphone portable fonctionnera… Entendu. Au revoir.

Dès qu'il eut raccroché, il prit Rosa dans ses bras.

— Changement de programme pour ce soir. Je ne dîne plus avec lui.

— Ta sœur est à Taipei ?

— Elle y était, oui, mais elle doit se trouver en Mongolie à l'heure qu'il est. Elle a décidé de montrer l'Extrême-Orient à ses enfants. C'est sa façon à elle de surmonter le drame : dans le plus pur style Montgomery. Mon père agirait vraisemblablement de la même manière si la firme ne lui offrait pas la meilleure distraction possible.

— C'est dommage que vous ne soyez pas plus proches, tous les deux.

— Tu trouves ? Et pourquoi donc ?

— On se sent… Je ne sais pas exactement comment formuler ça. On se sent si riche quand on est entouré par l'affection de sa famille. Cette harmonie procure une telle impression de sécurité… En tout cas, c'est comme ça que je le vis, moi.

— Tu as de la chance. Les choses se passent différemment entre mon père et moi. Je ne pourrais pas te décrire notre relation mais une chose est sûre : elle ne nous donne pas le moindre sentiment de « sécurité », comme tu dis.

— Elle devrait.

— Depuis que je suis né, je n'ai fait que décevoir mon père. Quand j'étais petit, il se désintéressait de moi parce que j'étais malade. Par la suite, c'est moi qui ai pris mes distances.

— Pourtant, tu travailles dans son entreprise.

En lisant le trouble et la souffrance dans les yeux d'Alex, Rosa comprit que la discorde entre les deux hommes ne se limitait pas à un manque de considération mutuel.

— Tu devrais essayer de colmater les brèches, Alex. Je suis sérieuse, tu sais ? Je suis sûre que tu dramatises sans même t'en rendre compte. Tu lui as déjà demandé ce qu'il pensait de toi, des rapports qui vous unissent ?

Alex ne put s'empêcher de s'esclaffer devant tant de candeur.

— Jamais l'idée d'aborder pareil sujet ne nous effleurerait ni l'un ni l'autre. C'est tout bonnement impensable !

— Et tu trouves ça drôle ?

— C'est ta naïveté qui m'amuse.

— Eh bien, naïve ou pas, je pense que tu serais surpris de connaître le jugement qu'il porte sur toi.

— Dans ce cas, pourquoi en fait-il mystère ?

— Peut-être parce qu'il ignore comment extérioriser ses sentiments.

— Je t'assure qu'il n'a jamais eu aucun mal à me manifester sa désapprobation.

— Je parie qu'il t'admire énormément et qu'il n'a pas trouvé le moyen de te le dire.

Alex sourit et embrassa Rosa sur la tempe.

— Tu crois toujours que les gens sont bons.

— Tu devrais faire comme moi. Surtout quand il s'agit de ton père. Tu t'es imaginé des horreurs sur ta mère, et elles se sont révélées fausses, au bout du compte.

Elle scruta son visage sans pouvoir déterminer s'il croyait ou non à l'innocence de sa mère.

La pendule sonna quelque part dans la maison et, au neuvième coup, Rosa se redressa brusquement.

— Zut !

— Qu'est-ce qu'il y a ?

— Il faut que je parte.

Elle bondit hors du lit et commença à s'habiller en toute hâte.

— J'ai prévu une réunion qui doit débuter dans un quart d'heure.

— Allez, Rosa ! Reste avec moi !

— Je ne peux pas. On doit mettre au point le menu pour le mariage de Linda. Sa future belle-mère a fait le voyage spécialement.

— Qu'est-ce que je donnerais pour pouvoir t'enlever ! soupira-t-il en la rejoignant pour l'enlacer. Je t'emporterais loin, loin, loin.

Rosa céda à son étreinte.

— Je suis prête à te suivre n'importe où. Demande-moi de déménager à New York, Londres, Hong Kong, Taipei, en Mongolie… J'accepterais sans hésiter. Je quitterais sur-le-champ tout ce que j'aime parce que je t'aime, toi, encore bien plus.

A la fois effrayée et grisée par ces propos, elle attrapa son sac à main pour y chercher une brosse à cheveux et, dans sa précipitation, elle en renversa le contenu qui s'éparpilla sur le sol.

— Et zut ! s'écria-t-elle pour la deuxième fois.

— Attends, dit Alex. Je vais t'aider.

Il enfila son short et lui prit la brosse des mains.

— Le monde ne va pas s'arrêter de tourner si tu es en retard à une réunion.

Avec des mouvements lents et réguliers, il se mit à la peigner. Elle ferma les yeux et laissa aller sa tête en arrière, se délectant de ce contact brûlant d'intimité.

— C'est délicieux, dit-elle.

— Comme tout ce qui est arrivé depuis ce matin.

— Tu te rappelles le jour où tu m'as coupé les cheveux ?

Il se pencha pour lui déposer un baiser dans le cou.

— Je me souviens de tout.

Elle se serait volontiers attardée… Elle se dégagea, cependant, et entreprit de ranger ses affaires.

— Il faut vraiment que j'y aille.

A ce moment, leur parvint le bruit d'une portière qu'on claquait. Rosa fronça les sourcils.

— Tu attends quelqu'un ?

Alex avait un drôle d'air. Peut-être une crise d'asthme qui se préparait…

— En fait…, commença-t-il.

— Assieds-toi, lui ordonna-t-elle. Je vais prévenir ton visiteur que tu ne te sens pas bien.

Elle dévalait déjà l'escalier. Il la suivit pour essayer de la retenir.

— Je vais bien, Rosa. Je t'assure ! Mais il y a quelque chose…

La porte d'entrée s'ouvrit et une grande femme svelte apparut sur le seuil, une grosse boîte en carton dans les bras.

— Alex ! appela-t-elle. Alex, j'ai besoin d'aide pour… Oh !

Elle posa brutalement son fardeau sur le sol.

D'après des photographies parues dans la presse, Rosa reconnut Portia van Deusen, l'ex-fiancée d'Alex. C'était une jeune femme d'allure aristocratique, qui portait des vêtements de haute couture.

Elle jeta sur Rosa un regard autoritaire gris acier, tandis qu'Alex faisait des présentations hâtives.

— Portia est juste passée me rapporter quelques affaires, ajouta-t-il.

— Il les avait laissées dans mon appartement ! précisa l'intéressée. Nous étions fiancés.

— Je sais, murmura Rosa.

Jamais elle ne s'était sentie aussi mal à l'aise.

— Nous ne le sommes plus, affirma vivement Alex.

— Le reste de tes affaires est à l'arrière de la Land Rover. Tu y vas ?

Alex sortit en grommelant.

— Je partais, déclara Rosa.

Elle se dirigea vers la porte, pressée de se sauver.

— Il vous a dit pourquoi ? demanda brusquement Portia.

— Je vous demande pardon ?

Rosa s'était figée, la main sur la poignée de la porte.

— Pourquoi nous avons rompu. Il vous a donné la raison ?

— En fait, il ne m'a jamais parlé de vous.

Rosa regretta aussitôt sa méchanceté. Portia ne méritait pas d'être traitée ainsi.

— De toute façon, il aurait certainement menti, déclara-t-elle en rejetant en arrière ses cheveux soyeux d'un mouvement sec de la tête. La vérité, c'est qu'il m'a larguée quand j'étais enceinte de lui et que j'ai fait une fausse couche.

— Oh ! mon Dieu ! s'exclama Rosa, prise d'une soudaine nausée.

Elle tourna son regard vers Alex, qui déchargeait la Land Rover. Etait-il réellement capable de pareille ignominie ?

— Je ne sais pas quoi vous dire. Excusez-moi, dit-elle à Portia en regagnant sa voiture au pas de course.

— Rosa, je suis désolé. Je savais qu'elle devait venir, mais j'ignorais quand… Qu'est-ce qu'elle a bien pu te raconter ? ajouta-t-il en remarquant sa mine décomposée.

Rosa était quasiment incapable de parler.

— Je suis en retard, Alex.

Il lui ouvrit la portière de sa voiture.

— Je t'appellerai plus tard, dit-il.

— Il faut vraiment que je parte.

Elle se mordit la lèvre, cherchant ce qu'elle pourrait ajouter, mais elle était trop pressée pour tirer les choses au clair, sans compter qu'elle n'était pas sûre d'en avoir envie. Si elle faisait le point maintenant, elle devrait affronter la réalité : elle était en train de tomber de nouveau amoureuse d'un homme qui ne le méritait aucunement.

Elle tourna la clé de contact et démarra.

37

Alex regarda l'amour de sa vie s'éloigner dans sa décapotable rouge, sa belle chevelure noire s'échappant d'une écharpe blanche mal attachée. Oui, Rosa était bien l'amour de sa vie, et s'il avait jamais nourri des doutes à ce sujet, ils étaient à présent entièrement dissipés. Il savait, avec une certitude inébranlable, qu'ils étaient faits l'un pour l'autre.

Si seulement elle n'était pas partie aussi vite, il aurait pu lui expliquer la présence de Portia ! Il se fit le serment de régler le problème d'ici au coucher du soleil.

En jurant entre ses dents, il ramassa une caisse en carton remplie de bricoles hétéroclites : un ballon de basket, des livres de poche, des vieux CD…

— Tu aurais dû jeter tout ce bric-à-brac, dit-il à Portia en posant la caisse sur la terrasse. Ce n'était pas la peine de te donner tout ce mal.

— Je voulais te voir.

— Eh bien, vas-y ! Mets-t'en plein les yeux, dit-il, les bras écartés, en reprenant la phrase que Rosa lui avait lancée devant le salon de coiffure.

Puis il alla chercher la dernière caisse dans la Land Rover.

— Merci d'avoir apporté mes affaires. Mais maintenant, si tu veux bien me laisser, j'ai du travail.

— La moindre des choses serait de m'offrir un café.

— Non. Le mieux que je puisse faire pour toi, c'est de te mettre à la porte.

— Tu me manques, Alex, avoua-t-elle, les yeux brillant de larmes. On ne peut pas parler une minute ? On devrait peut-être réessayer, tous les deux.

Il sentit un tiraillement dans sa poitrine. Malgré l'antipathie qu'elle lui inspirait, il ne souhaitait pas la blesser.

— Non, dit-il simplement. C'est impossible… Allez, conduis prudemment.

Elle s'essuya les joues du revers de la main.

— Tu ne seras pas heureux avec cette femme, lui prédit-elle d'un ton sec. Ne fais pas l'étonné. Hollis m'a tout raconté.

« Merci, Hollis ! » Portia était comme une mauvaise fée venue jeter un sort sur son histoire d'amour avec Rosa.

— Vous n'avez rien à faire ensemble, Alex. Tu t'en apercevras vite.

« Comme je m'en suis aperçu pour toi ? » fut-il tenté de lui répliquer. Bien sûr, il reconnaissait sa part de responsabilité dans l'échec de leur relation. Il s'y était jeté sans réfléchir, sans se demander si Portia et lui pouvaient réellement s'entendre. Sa mère était aux anges, naturellement. Elle adorait les van Deusen, et elle avait attendu le mariage avec une grande impatience. Comme Portia, apparemment… Alex s'était sorti de ce mauvais pas d'extrême justesse.

Elle gagna sa voiture et démarra rageusement dans une gerbe de gravier.

Alex rentra dans la maison et ferma la porte. Comme la gêne qu'il avait précédemment ressentie dans la poitrine s'était accentuée, il aspira une dose supplémentaire de son médicament avant de prendre une douche bien chaude. Malgré le scepticisme des médecins quant aux vertus de la vapeur dans le traitement de l'asthme, Alex, lui, en avait constaté les effets bénéfiques.

Alors qu'il se séchait, un téléphone portable se mit à gazouiller. Ce n'était pas le sien. Guidé par la sonnerie, il découvrit l'appareil de Rosa dans le désordre des draps, et fronça les sourcils quand le nom de Sean Costello s'afficha à l'écran. C'était le shérif de South County, ce type avec qui elle était sortie… Par discrétion, il ne décrocha pas. Le dépit qu'il éprouva en prenant conscience qu'il ignorait encore bien des aspects de la vie de Rosa fut tempéré par sa joie de posséder un excellent prétexte pour lui rendre visite. Il avait absolument besoin de la voir, de lui expliquer l'intrusion de Portia, de lui certifier que rien ne pourrait entraver leur histoire à eux.

Il allait tout mettre en œuvre pour s'en assurer, se dit-il en envoyant un mini-message au père de Rosa.

Il faut que nous parlions. J'arrive. Alex M.

Alex savait pertinemment que Pete et Rosa formaient

un tout indissociable et que, pour gagner la fille, il devait impérativement régler son conflit avec le père.

Il termina de se préparer, empocha son inhalateur et, après avoir salué l'équipe d'ouvriers qui arrivait pour continuer les travaux de restauration, il s'installa au volant de son 4x4 et prit la direction de chez Pete.

« On dirait un gamin qui quête l'approbation du père de sa petite amie ! » ironisa-t-il. Mais il lui était impossible de se dispenser de cette démarche s'il voulait être heureux avec Rosa.

En s'engageant dans Prospect Street, Alex sentit que quelque chose n'était pas normal. Quoi exactement ? Il n'aurait su le dire. Soudain, son sang se glaça dans ses veines : une épaisse fumée noire s'échappait d'une des fenêtres du premier étage de la maison de Pete.

Il se gara en toute hâte dans un crissement de pneus.

— J'ai prévenu les pompiers ! dit une femme d'un certain âge qui se tenait devant la maison. Ils arrivent.

En effet, Alex entendit des sirènes dans le lointain.

— Est-ce qu'il y a quelqu'un dans la maison ? demanda-t-il à la voisine.

— Je ne sais pas. Je n'ai pas osé entrer.

Alex monta les marches du perron quatre à quatre et constata que la porte d'entrée n'était pas fermée à clé. A travers l'épais nuage gris qui envahissait le vestibule, il perçut le clignotement et le hurlement inutile d'une alarme. Une fumée âcre et brûlante le prit à la gorge.

— Pete ! hurla-t-il. Pete !

Pete ne pouvait pas l'entendre, bien sûr. Mais le chien… Oui ! Un aboiement assourdi lui parvint de l'étage.

Aveuglé, suffoquant, il vérifia que les pièces du rez-de-chaussée étaient vides, et s'engagea dans l'escalier.

L'ancienne chambre de Rosa flambait en dégageant une chaleur et une lumière si violentes qu'il fut contraint de reculer. C'est alors qu'il vit Pete, à genoux dans le couloir, le visage rougeoyant, les yeux hagards, une serviette de toilette à la main, en train de se battre contre les flammes.

— Pete ! s'écria Alex en saisissant le vieil homme par le bras. Où est Joey ? Est-ce qu'il est à la maison ? *Joey !* répéta-t-il en articulant exagérément.

— Il est au travail.

— Bon. Alors, allons-y, ordonna Alex en tirant Pete par la manche.

— Pas question ! Jake est encore là.

« Oh ! Non ! » soupira Alex, tandis que les explosions et les sifflements s'amplifiaient.

— Sauvez-vous ! hurla-t-il.

Puis il prit le visage de Pete entre ses mains et ajouta :

— Je m'occupe du chien.

— Non !

— Partez, je vous dis !

A bout de patience, il poussa le vieil homme dans l'escalier. Il lui semblait entendre les sirènes se rapprocher. « Dépêchez-vous, les gars ! supplia-t-il. Vite ! Vite ! »

Le chien, terrorisé, s'était réfugié dans un coin de la chambre de Rosa et aboyait. Les yeux ruisselant de larmes, les poumons tordus de spasmes, Alex plongea pour l'attraper.

— Je te tiens, dit-il. Viens avec papa.

Il s'empara de l'animal, comme s'il s'était agi d'un ballon, et se retourna, prêt à s'élancer vers la sortie. Mais la porte de la chambre s'était maintenant embrasée et le couloir était transformé en un torrent de feu.

Depuis quand retenait-il sa respiration ? Alex n'aurait su le dire. Il se dirigea en chancelant vers la fenêtre, et aperçut à travers le brasier les photographies de Rosa, ses livres, sa collection de coquillages sur une étagère.

Comme il ne parvenait pas, d'une seule main, à ouvrir la fenêtre et qu'il était hors de question de lâcher le chien, il prit son élan et brisa la vitre avec son pied, en espérant que le bruit attirerait l'attention des sauveteurs.

Avec l'apport d'air frais, le feu reprit de plus belle derrière lui. Il grimpa alors sur le rebord de la fenêtre d'où il vit, un peu en contre-bas, le toit goudronné de la véranda qui lui sembla onduler. Vacillant, il ferma les yeux et tenta de gonfler ses poumons d'air. Il sentit un liquide chaud lui couler dans le dos. Il s'était probablement écorché sur un morceau de vitre.

Quand il ouvrit les paupières, une échelle s'élevait vers le bord du toit. Un soldat du feu, en tenue de combat, avec masque et gants, apparut. Jake grogna.

— Je suis content de vous voir, hoqueta Alex en se rapprochant.

La tête lui tournait. Il avait la respiration sifflante, les jambes flageolantes… Il allait tomber…

— Attention, m'sieur ! Ne bougez pas : on va vous descendre.

— Prenez le chien, dit Alex en le tendant à l'homme. Je ne me sens pas très bien.

Dès que Jake fut blotti, en sécurité, entre les bras du pompier, une vague invisible s'abattit sur Alex…

Ses yeux se révulsèrent, ses jambes cédèrent et il se sentit tomber.

38

Rosa entendit des sirènes au loin, mais elle n'y prêta pas attention : elle tentait de se concentrer sur le sujet de la réunion : le repas de noces de Linda. Maquereaux à la Saint-Nicolas, penne aux tomates, roquette et mozzarella, *arancini*, pâtes aux œufs accompagnées de homard et d'asperges, pintade farcie aux légumes et un énorme gâteau italien à la crème : tel fut le menu finalement retenu avant que le groupe ne se sépare.

— Tout se passe exactement comme nous l'avions imaginé quand nous étions petites, dit Rosa en escortant Mme Aspoll et Mme Lipschitz jusqu'à la porte.

— Je vous revois toutes les deux, déguisées avec mes chemises de nuit et les fleurs du jardin de ton père dans les cheveux, en train de défiler dans la maison, dit Mme Lipschitz avec un sourire attendri. Tu sais que Linda a pour consigne de jeter le bouquet de la mariée dans ta direction ?

— Si j'avais dû me fiancer chaque fois que j'ai attrapé le bouquet de la mariée… Ça ne marche pas avec moi, ajouta-t-elle avec un rire nerveux.

— Tu verras que si ! dit Mme Lipschitz en serrant la jeune femme dans ses bras.

Quand elle eut quitté le restaurant, Rosa partit à la recherche de Linda, qu'elle découvrit en grand conciliabule avec Vince.

— Qu'est-ce que vous manigancez encore tous les deux ? leur demanda-t-elle d'un ton sec.

Les deux comploteurs se turent aussitôt et, visiblement mal à l'aise, s'absorbèrent dans la contemplation de leurs chaussures.

— Alors ?

— On parlait seulement de ta vie amoureuse, confessa Vince.

— Je vois... Et puis-je connaître la conclusion de cette discussion, très relevée, je n'en doute pas ?

— Eh bien... nous sommes heureux que tu aies de nouveau une sexualité.

Rosa en resta bouche bée. Comment s'étonner que les gens fuient leur petite ville natale ? Il n'existait pas d'autre solution pour protéger sa vie privée.

— Et comment le savez-vous ?

— Hou hou ! Rosa ! Reviens sur terre ! Tu sortais du lit quand tu es arrivée, tout à l'heure. Même ma mère l'a remarqué.

Rosa porta fébrilement la main à ses cheveux. Alex y avait-il laissé un indice visible ?

— Et en quoi cela vous regarde-t-il ?

— On t'aime, Rosa, répondit Linda. On veut juste

s'assurer que tu n'es pas en train de commettre une erreur monumentale.

— Que je sois ou non en train de...

Rosa hésita. Ses yeux s'embuèrent de larmes brûlantes.

— Il est trop tard, de toute façon. Cette erreur, je l'ai déjà commise, sanglota-t-elle, le visage enfoui dans ses mains.

Ses deux amis l'entourèrent aussitôt en lui murmurant des paroles de réconfort.

— Qu'est-ce qui t'arrive, ma chérie ? demanda Vince. Tu peux nous le dire. Ne garde pas ça pour toi.

— J'ai croisé son ex par hasard, commença Rosa d'un air malheureux, en acceptant le mouchoir en papier que lui tendait Linda. Figurez-vous qu'il l'a laissée tomber quand il a appris qu'elle était enceinte de lui.

— Ils ont eu un enfant ? s'exclama Linda, médusée.

— Non, elle a fait une fausse couche.

— Je suis certain qu'elle ment, déclara Vince. Je le sens.

— Tu en as parlé à Alex ? s'informa Linda.

— Pas encore. Les gens comme Alex et Portia van Deusen forment une espèce à part. Ils essaient leurs relations sentimentales comme s'il s'agissait de vêtements, et ils les mettent au rancart quand ils en sont lassés.

— Tout le monde fait ça, non ?

— Pas moi, déclara Rosa. Vous devriez voir cette Portia van Deusen. Elle est... parfaite. Oui, absolument parfaite : belle, cultivée, élégante. Elle a tout ce dont un homme comme Alex peut rêver. Et pourtant, il l'a larguée du jour au lendemain, alors même qu'elle attendait un enfant de lui ! Dans ces conditions, je me demande combien de temps il va s'intéresser à ma petite personne.

— Elle et toi, ce n'est pas pareil.

— Tu as raison. Je suis moins élancée, j'ai une voix moins pointue.

— Ta voix aussi entre en ligne de compte ? demanda Linda en éclatant de rire.

— Enfin, Linda, tu sais très bien que, pour appartenir à ce milieu, il faut correspondre à des critères très précis !

— Tu ne devrais pas juger sa relation avec toi en fonction de ses aventures précédentes.

— Tous les traités de psychologie te diront que le passé d'un homme constitue un indicateur très fiable de sa conduite à venir.

— Et tout le monde ici te dira que tu ne poses jamais la question essentielle.

— Qui est ?

— Est-ce que tu l'aimes, Rosa ?

— Je l'ai toujours aimé, et je l'aimerai toujours.

— Eh bien, dans ce cas…

— Ça ne veut pas dire que je peux faire ma vie avec lui. Comment lui donner mon cœur si je ne lui fais pas confiance ?

— Il faut que tu détermines ce que tu redoutes le plus : essuyer un autre chagrin d'amour ou renoncer à une belle histoire par crainte qu'elle n'échoue.

— Je vous remercie, docteur Lipschitz, mais aucune des deux solutions ne me convient. J'aime ma vie comme elle est. Pourquoi est-ce que tout le monde refuse de le comprendre, nom d'un chien ?

— Ma pauvre Rosa, s'apitoya Linda, les larmes aux yeux. Tu crois mener une existence épanouie et comblée, alors qu'il te manque l'essentiel.

Rosa regarda tour à tour ses deux amis.

— Vous ne l'avez jamais porté dans votre cœur. Qu'est-ce qui vous prend, maintenant, de me pousser dans ses bras ?

— C'est parce que tu as prononcé la formule magique, répondit Vince avec attendrissement : « Je l'aime et je l'aimerai toujours. » Et puis il n'est pas si épouvantable que ça, finalement. Il est prêt, Rosa. Il est enfin devenu assez bien pour toi.

Une sonnerie étouffée retentit, et plusieurs personnes cherchèrent aussitôt leur portable. Rosa s'étonna de ne pas trouver le sien dans son sac. Peut-être l'avait-elle laissé dans son bureau ou dans la voiture ? De toute façon, l'appel était pour Teddy : il s'éloigna poliment pour répondre.

Rosa fixa longuement le nautile derrière le comptoir.

— Ah ! Pourquoi le monde ne ressemble-t-il pas aux contes de fées ? soupira-t-elle. « Ils vécurent heureux jusqu'à la fin de leurs jours… »

— Le bonheur t'attend peut-être au bout du chemin,

lui dit Linda. A condition que tu acceptes de prendre des risques.

— Les raisonnements de ce genre peuvent aussi déboucher sur des catastrophes.

— Exact. C'est pourquoi j'utilise le mot « risques ».

— Mais je ne peux pas…

— Rosa, il faut qu'on parte ! Il y a un incendie chez ton père.

Teddy avait traversé la salle en courant. Il ouvrait déjà la porte.

Rosa le rejoignit en toute hâte et, dès qu'ils eurent atteint la jeep de Teddy, ils démarrèrent en trombe.

Jamais le trajet jusqu'à Prospect Street n'avait paru si long à Rosa, qui s'était calé le dos contre le dossier du siège pour ne pas s'effondrer. Elle essaya de joindre son père avec le téléphone de Teddy, sans résultat. Ce qui pouvait s'expliquer de mille manières différentes…

— Tu es sûr qu'il va bien ?

— L'employé du centre de régulation me l'a affirmé.

— Qu'est-ce qui s'est passé exactement ?

— On ne m'a pas donné beaucoup de précisions. Je crois que le feu a démarré à l'étage.

— Oh ! mon Dieu ! Joey !

— Tu sais bien qu'il est à son travail.

— Peut-être qu'il y a eu un court-circuit. Bon sang ! Je l'avais pourtant prévenu. J'aurais dû m'en occuper moi-même… Tu es certain que Pop va bien ? C'est ce que tu as compris ?

— Ecoute, c'est ce que j'ai entendu, oui.

Le spectacle qu'ils découvrirent en s'engageant dans Prospect Street n'augurait rien de bon. Un camion de pompiers barrait la rue. La grande échelle était déployée. Le trottoir d'en face était envahi par des voisins et des badauds. Des flammes s'échappaient encore des fenêtres situées à l'étage.

Le plus terrifiant, dans toute cette scène, était la présence d'une ambulance rouge et blanc du service médical d'urgence, gyrophare allumé, portes arrière grandes ouvertes.

— Il est blessé, bredouilla Rosa.

— C'est peut-être une simple mesure de précaution, avança Teddy pour la rassurer.

Soudain, elle aperçut, devant la maison de son père, un Ford Explorer blanc.

— C'est le 4x4 d'Alex... Qu'est-ce que... ?

Sans attendre que Teddy se fût garé, elle bondit hors du véhicule et, en jouant des coudes, se fraya un chemin à travers la foule des curieux.

— Pop ! hurla-t-elle comme s'il pouvait l'entendre. Pop !

C'est alors qu'elle le repéra, debout à côté de l'ambulance, hagard mais vivant, avec Jake dans ses bras et un masque à oxygène sur le visage.

Avec un cri de soulagement, elle se précipita vers eux.

— Dieu soit loué, tu n'as rien ! s'écria-t-elle en les serrant dans ses bras, le chien et lui. Que s'est-il passé ?

Tout en reformulant sa question en langage des signes,

elle se rendit compte que quelque chose n'allait pas. Pop ne semblait pas blessé, mais son regard était empreint d'une profonde détresse.

— C'est juste une maison. On en achètera une autre, lui dit-elle en s'efforçant de le consoler.

— Rosa, ce n'est pas la maison qui m'inquiète. Ce n'est pas ça. C'est…

— Ecartez-vous, s'il vous plaît ! cria un pompier. Laissez le passage !

— Rosina. Je ne me le pardonnerai jamais…

— Je ne comprends pas.

Elle se tourna alors vers la voiture d'Alex et se figea d'épouvante. Cette forme étendue sur le brancard, attachée à une planche, le cou emprisonné dans une minerve et le corps enveloppé dans une couverture ignifugée… Non ! Ça ne pouvait pas être Alex ! Non !

Elle avait dû vaciller sur ses jambes, car elle sentit Pop lui attraper la main et la serrer très fort. A travers un brouillard de larmes, elle vit une équipe de brancardiers dégager le chemin vers l'ambulance, tandis qu'un infirmier courait à côté de la civière en tenant en l'air une poche à perfusion, et qu'un autre préparait un défibrillateur. Elle entendit quelqu'un hurler des instructions trop techniques pour être compréhensibles dans un émetteur. Et soudain l'horreur de ce qui était en train de se dérouler sous ses yeux la frappa de plein fouet.

Alors, avec un hurlement, elle s'arracha à l'étreinte de son père et se précipita vers l'ambulance. Là, avant que les portes ne se ferment, elle eut le temps d'entrevoir la victime. Son instinct ne l'avait pas trompée…

39

Rosa ne fut pas autorisée à monter dans l'ambulance avec Alex, et cela parce qu'elle n'appartenait pas à sa famille. En revanche, en l'absence d'autre source d'informations, c'est vers elle que se tourna l'équipe de secours pour recueillir des renseignements sur la victime. Tandis qu'elle répondait d'une voix blanche à toutes les questions qu'on lui posait — âge, poids, allergies ou maladies connues, état de santé général, assurance —, elle se rendit compte qu'elle savait bien peu de choses sur cet homme qui venait de sauver la vie de son père et qu'elle avait peur d'aimer.

Submergée par l'angoisse, elle pénétra dans cet hôpital qu'elle ne connaissait que trop bien.

— Je cherche Alex Montgomery, dit-elle à une aide-soignante. On vient de l'amener.

— Je vous envoie quelqu'un.

— C'est vous qui accompagnez M. Montgomery ? lui demanda une infirmière tout en consultant un dossier qui visiblement lui causait du souci.

— Oui, je… Nous… Comment va-t-il ?

— Les médecins l'examinent en ce moment même, madame.

Elle tourna une page du rapport qu'elle tenait entre les mains.

— Que faisait-il avant l'incendie ?

Rosa se sentit tituber, près de basculer dans un abîme de culpabilité. Une heure avant l'incendie, il la tenait dans ses bras…

— Il a mangé, commença-t-elle à voix basse. Il a pris un petit déjeuner normal. Des œufs, des fruits et du café.

Puis, décidée à ne rien cacher, elle ajouta :

— Nous étions ensemble…

Elle sut, à l'expression de l'infirmière, qu'elle n'avait pas besoin de s'expliquer davantage.

— Il semblait en pleine forme… Enfin, il a quand même utilisé son inhalateur, ce matin, parce qu'il a ressenti une gêne au niveau des poumons. Il souffre d'asthme, comme je l'ai dit à l'équipe de secours.

— Quelle heure était-il ?

— Tôt. Je l'ai quitté vers 9 heures. Est-ce que je peux le voir ? Je vous en prie !

— Je vous tiendrai au courant, madame.

Là-dessus, l'infirmière inscrivit quelques notes dans son dossier et disparut derrière de lourdes portes battantes pour aller faire son rapport aux médecins.

*
* *

Pop, le visage blême, l'air abattu et honteux, était assis dans un box fermé par des rideaux, et tenait toujours Jake dans ses bras. A son côté, un homme prenait sa déposition.

— C'est un accident qui n'aurait jamais dû se produire. Je savais que l'installation électrique était défectueuse. J'avais promis de demander à Rudy de venir vérifier, et puis ça m'est complètement sorti de l'esprit.

Rosa se remémora la nuit où Joey lui avait parlé des absences de son père. Un chien ne suffisait évidemment pas à régler tous les problèmes. A quoi avait-elle donc pensé ?

— Au début, le feu n'avait pas l'air bien méchant, poursuivit Pop. J'ai essayé de l'éteindre tout seul. J'étais loin d'imaginer qu'il prendrait aussi rapidement. Je n'ai commencé à évaluer le danger à sa juste mesure que lorsque les rideaux se sont enflammés. Alors, là, j'ai appelé les secours. Le chien était paniqué, et il s'est sauvé. Je ne pouvais pas l'abandonner dans la maison. Si Alexander n'était pas arrivé, nous y serions vraisemblablement restés, Jake et moi.

Rosa ferma les yeux pendant que Pop terminait sa déclaration.

— Quand Alexander et Jake sont apparus à la fenêtre, tout le monde les a acclamés. Alexander a tendu le chien au pompier, et puis…

Rosa ouvrit les yeux. Son père s'était remis à pleurer.

— Et puis il est tombé, comme s'il avait reçu une balle.

Il s'est effondré et il a basculé dans le vide. Je m'en veux tellement. Tellement !

Malgré les réticences de Pop, qui tenait à attendre sur place des nouvelles d'Alex, Rosa le confia à Teddy en les chargeant tous les deux d'aller chercher Joey à la sortie de son travail, puis de retourner dans la maison récupérer ce qui pouvait l'être. Ils s'installeraient chez elle jusqu'à ce que la situation s'éclaircisse.

— Et toi ? demanda Pop en la regardant avec des yeux ravagés d'inquiétude.

— Je reste ici.

— Oui, bien sûr.

Le ton avec lequel il prononça ces trois mots ainsi que l'expression de son visage indiquèrent à Rosa qu'il avait changé d'opinion sur Alex.

— Je t'appellerai dès que je saurai quelque chose.

— D'accord. Et, Rosina…

Il hésita.

— Rien. On en parlera plus tard.

— De quoi ?

Mais il ne l'entendit pas. Il se dirigeait déjà vers la sortie.

Rosa ne parvenait pas à obtenir le moindre détail concernant l'état d'Alex. La surveillante générale jeta un coup d'œil à la porte vitrée de la salle de réanimation dans laquelle se pressaient un si grand nombre de médecins et de soignants qu'il était impossible d'apercevoir Alex.

— Ils n'ont pas fini. Je vous promets qu'ils font tout ce qu'ils peuvent.

L'infirmière se rendait-elle compte que ses propos et son comportement étaient plus angoissants que rassurants ?

— Est-ce que vous pouvez au moins me dire si vous avez réussi à joindre son père ?

— J'ai cru comprendre que quelqu'un était en route.

Dans un état d'extrême agitation, Rosa se mit à faire les cent pas. Elle s'interrompit un instant pour boire un verre d'eau, puis reprit ses déambulations mécaniques. En cherchant son téléphone, elle se rappela au dernier moment qu'elle l'avait égaré. Les questions se bousculaient dans sa tête. Qui faisait route vers l'hôpital ? M. Montgomery, probablement. La sœur d'Alex, Madison, était en Asie, et il n'avait pas d'autre famille. A moins qu'il ne s'agisse de Portia ? Avait-elle été prévenue ? Peut-être une ex-fiancée pourrait-elle se faire admettre comme membre de la famille ?

En tout cas, Alex avait besoin d'une présence...

A mesure que les minutes s'égrenaient, le nombre de visiteurs augmentait. Ils arrivaient par petits groupes, comme ils l'avaient fait la nuit de l'accident de son père : Shelly, accompagnée des autres employés du restaurant, Mario et sa famille, Linda et Jason. Inspirés par l'affection qu'ils vouaient à Rosa, ils venaient témoigner leur soutien à celui qui avait bravé l'incendie pour sauver son père.

La jeune femme avait pleinement conscience que tous ces gens formaient les pièces maîtresses de son monde à elle. Ils l'avaient épaulée dans les périodes difficiles, et avaient fêté avec elle les moments de bonheur retrouvé.

Elle repensa au serment qu'elle avait fait à Alex le matin même, de le suivre à l'autre bout de la terre s'il le fallait. Comment avait-elle pu envisager, même un instant, de quitter Winslow, le seul endroit où la vie avait un sens pour elle ?

Bien que Vince à lui seul ne suffît pas à dissiper l'atmosphère de veillée funèbre, Rosa lui sut gré de venir s'asseoir à côté d'elle. Alors qu'ils se blottissaient l'un contre l'autre, en proie à la même anxiété, les portes automatiques de l'entrée laissèrent passer un homme de haute stature, tiré à quatre épingles, qui traversa le hall à grandes enjambées, suivi de près par Gina Colombo, la collaboratrice d'Alex. On les conduisit aussitôt dans la salle de réanimation, et ni l'un ni l'autre ne parurent remarquer la présence de Rosa.

A travers la cloison de verre, la jeune femme ne distinguait de M. Montgomery que sa large carrure et son allure sportive. « Il a la prestance froide et figée d'un androïde », songea-t-elle alors. Mais elle s'aperçut bien vite de son erreur en voyant les solides épaules de M. Montgomery se voûter… puis être secouées par de violents spasmes.

Rosa en demeura muette de stupéfaction.

— C'est le père d'Alex, dit-elle à Vince.

Il glissa un bras autour d'elle, sans prononcer un mot ni tenter de la rassurer. Il se rappelait qu'elle avait déjà attendu de longues heures dans cette même salle, douze années plus tôt, à se demander si son père survivrait. Vince préférait donc se taire tant qu'on ne leur aurait pas communiqué un pronostic fiable.

M. Montgomery signait des papiers quand Gina sortit. Dans son tailleur sombre et strictement professionnel de secrétaire exemplaire, elle avait une mine livide et les traits décomposés.

— Il paraît que vous l'avez accompagné jusqu'ici ? dit-elle en s'approchant de Rosa.

— C'est exact. Comment va-t-il ?

— On le transfère à l'unité de soins intensifs : voilà comment il va, répondit-elle sur un ton agressif.

Comme Vince semblait vouloir répliquer, Rosa l'arrêta d'un geste de la main. Les yeux emplis d'effroi de Gina indiquaient clairement que sa fureur servait de masque à l'angoisse abominable qui l'étreignait et que Rosa ne comprenait que trop bien.

— Qu'est-ce qu'il a exactement ? Dites-le-moi, je vous en supplie !

Gina parut se radoucir quelque peu.

— Les brûlures sont superficielles. Par contre, il doit subir des examens pour vérifier s'il souffre d'un traumatisme crânien. Les médecins craignent une hémorragie cérébrale. Pour le moment, ils ont procédé à un tubage de la trachée, et il n'a pas encore repris connaissance.

Rosa eut l'impression qu'un étau glacé se refermait autour d'elle. Son père avait mis deux ans à se remettre d'un traumatisme crânien.

— Je veux le voir.

— C'est impossible.

Rosa se leva et alla coller son visage contre la paroi de verre. Bien qu'un écran cachât presque intégralement la civière, elle resta à observer l'équipe médicale qui se préparait à transférer Alex.

M. Montgomery tournait en rond, les bras ballants, impuissant. Enfin, quelqu'un écarta le paravent, et Rosa aperçut Alex. Il avait perdu une chaussure, et son front était barbouillé de suie. Le reste de son visage était masqué par un laryngoscope et la potence de la perfusion, mais elle discerna cependant une entaille sur sa pommette, à l'endroit même où elle l'avait embrassé, ce matin.

« Ce matin… C'était il y a si longtemps ! » songea-t-elle.

Le front appuyé contre la paroi de verre, elle était incapable de bouger, malgré le regard insistant de M. Montgomery qu'elle sentait posé sur elle.

Il se détourna enfin, et elle vit alors ce mari absent, ce père froid et insensible se pencher pour embrasser son fils et lui prendre tendrement la main. Quand il se redressa, Rosa devina, aux mouvements rapides et désespérés de ses lèvres, qu'il priait avec ferveur.

Sans prêter attention à Vince et Gina qui, tels des conspirateurs, échangeaient des messes basses derrière elle, elle observa deux aides-soignants qui sortaient le lit à roulettes de la salle de réanimation, puis le poussaient dans un interminable couloir étincelant de propreté, entraînant dans leur sillage une nuée d'infirmières chargées d'ustensiles et d'appareils divers. A l'avant, un médecin dégageait le passage en lançant des ordres brefs et précis. M. Montgomery fermait le cortège, tête baissée.

La salle, maintenant déserte, était sens dessus dessous, comme après un cambriolage : des tubes pendaient ici et là, le sol était jonché d'emballages bleu et blanc, des plateaux bourrés d'instruments traînaient un peu partout...

Vince tapota l'épaule de Rosa.

— Gina a quelque chose à te dire.

Elle hocha la tête, se résignant à écouter les confidences de cette femme cassante et hostile mais, de toute évidence, entièrement dévouée à Alex.

— C'est au sujet d'Alex et de Portia van Deusen, déclara Gina sans préambule.

Portia... Sa grossesse... Sa rupture avec Alex... Tout cela paraissait si loin...

Rosa jeta à Vince un bref coup d'œil qui signifiait : « Tu es décidément incapable de tenir ta langue. »

De toute façon, il était trop tard pour revenir en arrière. Elle croisa donc les bras sur sa poitrine en attendant la suite.

— Je ne sais pas si Alex s'en sortira ou non. Quoi qu'il en soit, vous ne devez pas croire ce que Portia vous a dit.

Rosa prit vivement Vince à partie.

— De quel droit as-tu…

— Il a bien fait, coupa Gina. Portia vous a menti. Je ne suis pas censée être au courant, mais… comment dire… Je suis très proche d'Alex.

Elle s'assura qu'ils étaient seuls dans la salle d'attente avant de poursuivre :

— Portia n'a jamais été enceinte. Elle a inventé cette histoire pour obliger Alex à l'épouser.

Rosa en resta pantoise.

— C'est la plus vieille ruse du monde, murmura-t-elle.

— Oui, et elle continue à marcher. Surtout avec un homme honnête qui s'obstine à croire en la bonté du genre humain. Alex n'avait jamais envisagé de se marier avec elle, mais quand elle lui a annoncé qu'elle portait son enfant, pas un instant il n'a fui ses responsabilités.

— C'est diabolique, commenta Vince. Après avoir mis le grappin sur le riche mari qu'elle convoitait, il lui suffisait d'invoquer une fausse couche. Le scénario est classique mais terriblement efficace.

— Quand Alex a compris ce qu'elle manigançait, poursuivit Gina, il a rompu les fiançailles et, pour lui éviter de perdre la face, il l'a laissée dire que la décision venait d'elle.

— Comment a-t-il découvert son stratagème ?

— C'est moi qui l'ai découvert. Je pourrais vous expliquer comment, mais ça me gêne de le faire devant monsieur.

— Pourquoi vous me racontez tout ça, Gina ?

— Alex est l'homme le plus loyal que je connaisse et je ne veux pas que l'on puisse douter de son intégrité. S'il lui arrive quelque chose… S'il ne…

La fin de sa phrase se perdit dans un sanglot qu'elle s'efforça de refouler.

— Même s'il est beaucoup trop gentleman pour révéler la vérité, j'ai pensé que vous deviez la connaître.

Plusieurs heures plus tard, alors que la plupart de ses amis étaient partis, Rosa aperçut M. Montgomery qui feuilletait machinalement le dernier exemplaire d'un journal financier dans la petite librairie du hall. Prenant son courage à deux mains, elle se dirigea vers lui.

— Monsieur Montgomery ? dit-elle d'une voix hésitante qui la surprit elle-même.

Il replaça le quotidien dans le présentoir et se tourna vers elle avec raideur.

— Oui ?

— Je suis Rosa…

— Je sais qui vous êtes.

Elle inspira profondément pour ne pas céder à la panique. Cet homme en imposait tellement ! A tel point d'ailleurs que, depuis le temps qu'elle connaissait Alex, elle n'avait jamais vraiment parlé avec lui.

— Je voulais que vous sachiez à quel point nous sommes reconnaissants à Alex.

— Vous avez toutes les raisons de l'être.

— J'ai attendu toute la journée dans l'espoir d'obtenir des nouvelles. Je sais que je ne fais pas partie de la famille, mais je…

Elle prit une seconde inspiration, encore plus profonde que la précédente.

— Je ne partirai pas d'ici avant de savoir à quoi m'en tenir sur son état de santé.

Il l'examina comme il aurait étudié une grosseur anormale sur un rat de laboratoire. Elle retrouva Alex dans la forme de son visage, sa mâchoire carrée, ses yeux bleus, l'abondance de ses cheveux blond pâle, sa carrure. Mais l'expression était celle d'un inconnu, hostile de surcroît. Le corsaire rouge moulant, la chemisette échancrée à pois et les sandales rouges à talons aiguilles qu'elle portait ne contribuaient certainement pas à gagner ses bonnes grâces ! regretta-t-elle fugacement.

Sans cesser de la dévisager, il ramassa son attaché-case et prit la direction de la sortie.

— Suivez-moi.

Une fois dehors, il alluma un cigare.

— A la suite d'une violente crise d'asthme provoquée par la fumée, il a perdu connaissance alors qu'il se tenait sur le rebord de la fenêtre. Il est tombé et il a eu un arrêt cardiaque. Il a quelques côtes cassées mais c'est l'hémorragie cérébrale qui inquiète les médecins. S'il ne reprend pas conscience…

Comme devenu trop faible pour en supporter le poids, il lâcha sa mallette qui s'ouvrit sous le choc, libérant des dossiers. Rosa s'accroupit pour les ramasser.

— Je m’en occupe ! lança-t-il aussitôt.

Et, avec une rapidité qui aurait même surpris chez un homme deux fois plus jeune, il rassembla prestement les papiers et les photographies éparpillés dans l’allée.

Rosa avait cependant eu le temps de distinguer un document à en-tête du commissariat de South County, avec des clichés en gros plan et en couleurs. Elle en fut intriguée au plus haut point, mais n’osa poser la moindre question.

Il fit claquer avec détermination les fermoirs de son attaché-case, et enfouit sa tête dans ses mains, oubliant qu’il tenait un cigare entre ses doigts.

— Je peux faire quelque chose ? demanda Rosa qui luttait pour ne pas se laisser contaminer par son désespoir. Est-ce que Gina est encore là ?

— Non. Je lui ai dit que je l’appellerais.

— Voulez-vous que je téléphone à votre fille ?

— Elle est en Asie et son portable ne fonctionne pas, là-bas. Je lui ai envoyé un courriel.

Rosa eut brusquement envie de lui prendre la main, en signe de compassion, tellement elle trouvait déchirant le spectacle de cet homme complètement seul, qui venait de perdre sa femme, dont la fille se trouvait à l’autre bout du monde et dont le fils gisait sur un lit d’hôpital avec un pronostic vital réservé… Mais la timidité fut la plus forte.

Elle s’assit sur le banc, lui prit des doigts son cigare à moitié consumé, puis s’arma de courage et… posa la main sur son bras.

— Je vais rester ici avec vous jusqu'à ce qu'Alex aille mieux.

— Je n'ai pas les moyens de vous en empêcher.

Rosa serra les dents devant cette rebuffade.

— Pourquoi me parlez-vous sur ce ton ? Comme vous, j'attends de savoir si l'être que j'aime le plus au monde va s'en sortir ou pas.

M. Montgomery baissa la tête.

— Je n'aurais jamais dû le laisser venir à la maison d'Ocean Road après que sa mère…

Sa voix s'étrangla sous le coup de l'émotion.

— Il est adulte. Vous n'avez pas à décider à sa place. Il est responsable de ses choix.

— Je n'ai jamais compris ce qui l'attire ici, pourquoi il y revient sans cesse, alors qu'il peut aller où bon lui semble dans le monde.

— Il n'existe pas un lieu qui compte autant pour vous ?

Il se tourna vers elle et la considéra comme si elle parlait une langue étrangère.

— Je ne suis pas sentimental, mademoiselle Capoletti.

— Là n'est pas la question. Je vous parle d'un endroit où vous vous sentiriez vraiment chez vous.

— Alexander est un Montgomery. Sa place n'est pas dans une petite station balnéaire perdue. S'il était resté dans le monde auquel il appartient, rien de tout cela ne serait arrivé, déclara-t-il en désignant d'un geste furieux l'imposante façade de l'hôpital.

— C'est sûr qu'à ne jamais se lever de son lit, on ne court aucun risque. Mais la perspective de vivre ainsi n'est guère attrayante.

Devant son regard furibond, elle fit le dos rond, prête à essuyer une nouvelle salve de reproches… qui ne vint pas.

— Je vois ce que mon fils aime en vous, dit-il.

Elle ne sut que répliquer à cette remarque qui tenait davantage de l'accusation que du compliment.

40

L'ensemble des richesses que Grandpop possédait désormais tenait à l'arrière de son vieux pick-up, constata Joey en réglant le rétroviseur extérieur du passager pour examiner d'un œil triste le peu qui avait été sauvé des flammes et de la neige carbonique. Son grand-père les conduisait à l'autre bout de la ville, chez tante Rosa, et Jake, installé entre eux deux, surveillait chaque voiture qu'ils croisaient avec des petits jappements.

Joey avait tout perdu, lui aussi. Ce qui, finalement, se bornait à assez peu de choses. Bien sûr, ses vêtements et son ordinateur portable lui manqueraient, mais il avait eu la bonne idée d'entreposer dans le garage le télescope qu'Alex lui avait rendu après l'incident de Watch Hill. Malgré tout, le souvenir du spectacle qu'il avait découvert en rentrant de son travail, avec la rue bloquée par des véhicules de pompiers et le premier étage de la maison entièrement noirci, lui faisait encore froid dans le dos.

Son portable sonna. Après avoir vérifié de qui venait l'appel, il se pencha pour entrer dans le champ de vision de son grand-père.

— Encore mes parents ! Ça fait au moins cinq fois qu'ils téléphonent.

Puis il prit la communication.

— Est-ce que tout va bien ? lui demanda son père.

— Rien n'a changé depuis ton dernier coup de fil, il y a cinq minutes.

— Ne compte pas sur moi pour m'excuser, mon coco. C'est grave, tout ça. Comment va Grandpop ?

— Il va aussi bien que tout à l'heure, je t'assure, papa. On emporte ses affaires chez tante Rosa. On s'arrêtera à l'hôpital, sur le chemin, pour prendre des nouvelles d'Alex, et ensuite on ira dîner chez Celesta.

« Purée ! Combien de fois fallait-il répéter les mêmes choses ! » songea Joey.

— J'ai demandé une permission. Dis à Grandpop que je serai là ce week-end. Je viens de parler à oncle Sal : il viendra, lui aussi.

— Génial ! Tu as déjà vu l'appartement de tante Rosa ? Il n'y a que trois pièces !

— On s'arrangera sur place.

— Comme tu veux. Bon, je te quitte, papa. On vient d'arriver à l'hôpital.

— D'accord. Attends ! N'oublie pas de remercier Alex un million de fois de ma part.

— Entendu, papa. Tu peux compter sur moi.

Grandpop se gara et mit Jake en laisse.

— Si on t'autorise à le voir, il faut que tu le remercies, lui dit Joey.

— Il sait déjà que je lui suis reconnaissant.

Joey regarda son grand-père avec un air de reproche. Pourquoi Grandpop refusait-il de reconnaître les qualités pourtant incontestables d'Alex ?

— Tu as la *vecchia anima*, Giuseppe, dit le vieil homme. Tu es très adulte pour ton âge.

— Il faut bien que quelqu'un le soit dans cette famille.

Ils trouvèrent tante Rosa en conversation avec un imposant individu en costume trois pièces. Elle parut nerveuse en leur présentant son interlocuteur : M. Montgomery, le père d'Alex.

— J'espère que votre fils va mieux, dit Grandpop.

— Il est en soins intensifs. On attend des nouvelles.

« Quel pisse-froid ! » songea Joey.

Comme la plupart des gens, M. Montgomery n'avait pas l'habitude de s'adresser à des gens qui ne pouvaient pas l'entendre, et Joey s'aperçut que son grand-père n'avait pas saisi ce qui s'était dit. Il le poussa donc du coude pour attirer son attention et lui traduire la réponse de M. Montgomery.

— Bien, commença le père d'Alex, manifestement mal à l'aise et désorienté, en jetant un coup d'œil à la mallette qu'il tenait à la main. Je ne sais pas encore quoi vous dire à ce stade, mais il y a quelque chose que vous devriez…

— Monsieur Montgomery ? le héla une femme vêtue d'une blouse rose, en hâtant le pas vers lui.

— Oui ? répondit-il avec l'expression d'un condamné à mort devant le peloton d'exécution.

— Vous pouvez venir avec moi, s'il vous plaît ? On a besoin de vous tout de suite au service des soins intensifs.

41

Etourdi par le hurlement des sirènes, les lumières aveuglantes, le rugissement des jets d'eau, le crépitement des flammes, la chaleur suffocante, Alex gisait, pétrifié, incapable de remuer, comme s'il était emprisonné dans une chape de béton.

— Vous m'entendez, Alexander ? Si oui, serrez ma main.

— Pourquoi ? voulut-il demander.

Mais aucun son ne sortit de sa bouche. Sa gorge lui faisait atrocement mal, et il essaya d'y porter la main, mais quelqu'un lui maintenait fermement les bras.

— Ouvrez les yeux.

Cette voix trop forte lui crevait les tympans. Il souleva péniblement les paupières… Un violent éclat blanc lui vrilla le crâne, l'obligeant à les rabaisser aussitôt.

— Alexander, est-ce que vous savez où vous êtes ?

Pourquoi ne le laissait-on pas tranquille, à la fin ?

A force de volonté, il ouvrit de nouveau les yeux et fusilla du regard sa tortionnaire avant de s'apercevoir qu'ils étaient quatre, peut-être même davantage, autour de lui.

— Mais bon sang…, voulut-il protester.

Hélas, il était toujours muet.

— Vous êtes à l'hôpital, Alexander, expliqua la femme d'une voix discordante. On a placé un tube dans votre trachée pour vous aider à respirer, mais maintenant que vous êtes réveillé, nous allons l'enlever.

Elle étala sur lui un film en plastique et posa un haricot émaillé sur sa poitrine. Puis quelqu'un lui immobilisa la tête.

— A trois, on sort le tuyau. Un, deux, trois…

Alex eut un haut-le-cœur en sentant un objet étranger bouger subrepticement dans sa gorge, avant d'être violemment arraché.

Il fut alors pris d'une nausée foudroyante et se mit à vomir sous l'œil impassible de l'infirmière. Elle retira ensuite le haricot, puis essuya le visage du patient avec un gant humide.

Allongé sur le dos, respirant difficilement, il leva la main en un geste de supplication. Ses doigts étaient emmaillotés dans des bandelettes de Velcro blanc, et un petit tuyau transparent émergeait du dos de sa main.

Il ne se sentait vraiment pas bien. Il prit une profonde inspiration, et eut l'impression qu'une lame le coupait en deux.

— Je suis le Dr Turabian. Nous nous réjouissons que vous ayez décidé de revenir parmi nous. La douleur que vous ressentez provient de quelques côtes cassées. Malgré l'arrêt cardiaque dont vous avez été victime et votre blessure à la tête, on peut dire que vous avez eu énormément de chance. Vous allez rester aphone pendant un jour ou deux.

« Tu parles d'une chance ! »

Le médecin lui tendit une ardoise blanche munie d'un feutre.

— Il se peut que vous ne parveniez pas à vous rappeler certains événements du passé récent. Pour vérifier si vous souffrez ou non de troubles de la mémoire, nous vous poserons quelques questions quand nous aurons terminé votre toilette.

Le médecin s'affaira autour d'un moniteur pendant que l'infirmière passait un baume sur les lèvres du patient, tout en lui faisant la conversation.

— L'équipe de secours dit que vous vous êtes comporté en véritable héros. Vous avez été la seule victime de l'incendie. Le vieux monsieur et son chien sont sains et saufs.

« Dieu soit loué ! » se dit Alex en éprouvant une délicieuse sensation de soulagement. Pete était indemne et le chien avait survécu au drame.

Quand l'infirmière et le médecin eurent achevé leurs tâches respectives, elles sortirent en laissant la porte entrouverte.

Combien de temps passa ensuite ? Alex n'en avait aucune idée. Il examina les moniteurs, écouta leurs mystérieux chuchotis mécaniques, sans y dénicher d'horloge. Quel jour était-on ? Etait-ce aujourd'hui que Rosa et lui avaient fait l'amour ?

— Alexander ?

Il vit la haute silhouette de son père s'encadrer dans la porte de la chambre, s'approcher du lit et enfin se pencher au-dessus de lui, le protégeant ainsi de la lumière crue des néons.

— Dieu merci, tu vas bien, fiston !

Alex mit un certain temps à assimiler ce qui se passait, tellement la présence de son père — et surtout le fait qu'il lui tienne la main — lui paraissait irréelle. Peut-être lui avait-on administré des médicaments ou des hallucinogènes…

Il gribouilla alors sur l'ardoise : « Merci d'être venu. »

En cet instant, quelque chose de plus inimaginable encore se produisit. Alex crut d'abord que son père étouffait ou qu'il avait envie de vomir. Mais, soudain, il se rendit à l'évidence : son père pleurait ! Aussi loin qu'Alex s'en souvienne, il n'avait jamais assisté à pareille manifestation de sentiments, même lors de l'enterrement de sa mère.

« Ça va ? » écrivit-il sur son ardoise.

— Oui, répondit M. Montgomery en s'emparant de sa pochette de soie pour s'essuyer les yeux. Tu m'as fait très peur, tu sais ? J'ai complètement perdu les pédales. Cet accident m'a ramené des années en arrière et m'a fait revivre des épisodes atroces.

Devant le regard d'incompréhension d'Alex, il poursuivit :

— J'ai eu l'impression d'être retourné à l'époque de

ton enfance. Nous sommes allés aux urgences tellement souvent !

« Pour moi, c'était la routine », écrivit Alex.

— Pas pour ta mère. Ni pour moi. Chaque fois, c'était la même angoisse. Je mourais un peu à chaque crise. Toute cette période, marquée par la peur panique de te perdre, m'est revenue à l'esprit.

Alex était abasourdi. Malgré ses lèvres sèches qui lui faisaient mal, il esquissa un sourire qu'il espéra rassurant.

« Je vais bien, à présent », griffonna-t-il.

Ils demeurèrent ainsi à se regarder, totalement détendus. Jamais Alex n'avait partagé avec son père un silence aussi léger et dépourvu de toute menace. C'était un étrange dénouement après une étrange journée. Contrairement à ce que la doctoresse lui avait prédit, il se rappelait tous les détails. Le matin avait débuté sous d'heureux auspices, se souvint-il en pensant à Rosa…

Son père lui tendit une bouteille d'eau et une paille.

— D'après le Dr Turabian, on t'installera dans une vraie chambre dès demain matin si tes fonctions vitales fonctionnent de nouveau normalement. Dans ce cas, les visites seront autorisées, et il y a plein de gens qui ont hâte de te voir.

Alex fronça les sourcils.

— Rosa Capoletti, en premier lieu. Elle est charmante, mais je suppose que je ne t'apprends rien. Il y a aussi un jeune homme qui arbore une superbe chevelure rose. Gina est venue également. Et puis, bien sûr, Pete

Capoletti. Si tu te sens en état, tu pourras les recevoir dès que tu seras dans ta chambre.

« Bien sûr que je me sens en état de recevoir Rosa ! » écrivit-il.

— J'espère que tu auras meilleure mine demain matin, et surtout qu'on t'aura débarrassé de cette épouvantable odeur de brûlé, dit M. Montgomery sans mâcher ses mots.

« Voilà les paroles d'un père comme je les aime ! » songea Alex en essayant de sourire.

— Je vais t'apporter des vêtements propres, un rasoir et une brosse à dents.

Alex but une gorgée d'eau et opina de la tête comme il le put. Il se saisit de nouveau de l'ardoise.

« Rosa ? »

— J'ai longuement parlé avec elle. C'est une jeune femme délicieuse. Je l'ai toujours pensé, d'ailleurs.

« N'importe quoi ! »

— Si, c'est vrai.

M. Montgomery semblait agité et même fébrile.

— C'était ta mère qui ne l'appréciait pas. D'ailleurs, à propos de ta mère, il y a plusieurs choses dont il faut que nous discutions.

« Maman ? Elle n'a rien à voir avec ce qui s'est passé aujourd'hui. »

— Détrompe-toi !

M. Montgomery s'interrompit. L'air désemparé, il contempla ses mains.

Alex tapota avec son feutre sur le mot « maman »

pour marquer son impatience d'être mis au courant de ces révélations.

Alors, la mine sombre, son père sortit un épais dossier de son attaché-case.

42

— Hé ! Attends un peu, ne va pas si vite ! s'écria Rosa. J'ai perdu le fil ! J'en suis encore aux dégâts causés par la tempête.

Elle était seule avec Alex dans sa chambre d'hôpital, au milieu d'une débauche de bouquets de fleurs dont l'éclat était exalté par les flots de lumière qui pénétraient à travers les stores vénitiens.

Alex lui sourit. Il était assis dans son lit, vêtu d'un étrange pyjama à l'effigie du lapin Playboy. « Un cadeau de mon père », avait-il fièrement proclamé. Son sourcil droit, roussi par le feu, lui conférait une moue de surprise un rien ironique et, séquelle provisoire de son intubation, sa voix n'était qu'un chuchotis rauque.

— Après que l'arbre s'est abattu sur la remise en entraînant avec lui la ligne à haute tension, il a fallu remorquer la vieille Ford bleue de ma mère qui était garée là depuis des lustres. A l'issue de ces manipulations, ton ami Sean Costello a relevé un détail suspect sur la voiture.

Il tendit à Rosa une photographie de l'aile avant droite balafrée d'une longue rayure jaune.

— Le shérif Costello a une excellente mémoire. Il débutait dans la police, à l'époque de l'accident, et il ne s'occupait pas directement de l'enquête. Pourtant, il s'est rappelé que la bicyclette de ton père était jaune. En outre, les marques de pneus relevées sur le lieu du sinistre correspondent. Il pense que ses conclusions seront confirmées par le laboratoire, mais ce n'est pas une affaire prioritaire dans la mesure où la suspecte n'est plus…

La lumière se fit enfin dans l'esprit de Rosa. Une vague de nausée la secoua.

— Oh non ! D'après Sean, ta mère aurait…

Elle ne put achever sa phrase.

— Sean est parti d'une intuition, reprit Alex. Il s'est alors rendu chez ma mère, à Providence. Elle a déclaré qu'elle n'était au courant de rien. Et puis, le lendemain, elle mettait fin à ses jours.

— Oh ! Alex ! Dis-moi que ce n'est pas vrai !

Rosa était effondrée. Assise dans le fauteuil pivotant, à côté du lit, elle ferma les yeux dans l'espoir d'endiguer la douleur atroce qui commençait à l'envahir. Mais mille questions l'assaillaient. Mme Montgomery avait bu, cette nuit-là, et Pop s'était rendu chez elle pour lui porter secours. Elle l'avait vraisemblablement suivi après son départ. Pour quelle raison ? Le mystère demeurait entier. A quoi attribuer sa crise d'hystérie ? Dieu seul le savait. Même si elle n'avait pas renversé Pop volontairement — ce qui était très certainement le cas —, qu'avait-elle bien pu éprouver, alors qu'elle se savait responsable de ce terrible accident ? Comment vivre ensuite avec le poids d'une telle culpabilité ? Rosa en avait le vertige.

Son suicide témoignait du calvaire qu'elle avait dû endurer.

— Alex, je te promets que j'ignorais tout.

— Comme tout le monde. Elle a voulu donner le change pour sauver les apparences envers et contre tout, quitte à vivre un véritable enfer le restant de ses jours.

Rosa sursauta.

— Alex, tu n'as pas le droit de lui en vouloir. Tous ses actes ont été dictés par l'amour qu'elle te portait. Si ses choix ont été épouvantables, tu ne dois pas oublier qu'ils ont été inspirés par les intentions les plus louables qui soient.

— Elle a gâché la vie de ton père, elle s'est détruite elle-même, et tu voudrais que je lui pardonne ?

Il avait les yeux pleins de fureur mais, soudain, des larmes en jaillirent.

Rosa lui prit doucement les mains.

— Oui, tu dois lui pardonner, déclara-t-elle résolument.

En découvrant que Rosa pouvait éprouver de la compassion envers sa mère, Alex fut si troublé qu'il dégagea brutalement ses mains des siennes. Dans le même temps, la calme détermination avec laquelle elle avait parlé ouvrit en lui une brèche par laquelle son chagrin, demeuré captif jusqu'alors, put enfin se déverser. Pour la première fois depuis l'effroyable nouvelle du suicide, au début de l'été, Alex craqua. La rage et la douleur qui avaient couvé en lui explosèrent alors en sanglots déchirants.

Sa mère n'était plus, elle qui lui avait rendu la vie impossible et dont la mort le hanterait à jamais. Il était tout entier secoué de violents hoquets qui lui lacéraient la gorge. Il versa des larmes en souvenir de sa mère, des larmes de regret pour le bonheur qu'elle n'avait pas su retenir, des larmes de remords d'avoir été impuissant à lui venir en aide et à changer le cours de sa vie.

Il se détourna pour dissimuler sa souffrance à Rosa.

— Excuse-moi, dit-il quand il put parler. Je ne m'attendais pas à ça. C'est terriblement gênant.

Rosa resta assise, sans tenter de le réconforter, sans l'abandonner non plus.

— Ça va ? lui demanda-t-elle au bout d'un moment.

Il s'essuya le visage avec le drap.

— C'est la première fois que je pleure ma mère, avoua-t-il.

— Ça fait longtemps que tu aurais dû le faire, répliqua-t-elle posément, sans paraître le moins du monde choquée par l'émotion qu'il exprimait.

Il s'appuya contre son oreiller. Sa tête le lançait et il se sentait épuisé, vidé. Cependant, depuis la disparition de sa mère, jamais il n'avait éprouvé pareille sérénité.

Rosa posa sa main sur la sienne et, cette fois-ci, il ne refusa pas le contact.

— Il faut que je parle à ton père, Rosa. Mais je ne sais pas encore ce que je vais lui dire.

Mme Montgomery avait laissé à son mari et à son fils le soin de recoller les morceaux de ce qu'elle avait brisé, et il ne savait pas par où commencer.

Bien qu'il eût découvert la vérité sur la présence du père de Rosa dans la chambre de sa mère, cette nuit-là, son sentiment de culpabilité ne s'était pas dissipé. Il rangea les clichés et les dossiers dans la grosse enveloppe d'un geste las.

— Il faut que je m'excuse auprès de ton père, même si ça paraît dérisoire. Quand je les ai entendus, j'ai imaginé le pire, et je me suis sauvé. Si j'étais resté, ils auraient…

— Arrête, Alex. Tout ça, c'est fini. On ne peut pas reconstruire le passé.

Il souleva la main de Rosa et la pressa brièvement mais farouchement contre ses lèvres.

— Alors, parlons d'autre chose. De l'avenir, par exemple.

— Pas maintenant ! objecta-t-elle en essayant de se dégager. Il faut d'abord que tu te rétablisses. Alex…

Il ne desserra pas son étreinte. Quand il s'était effondré et qu'il avait fondu en larmes devant elle, elle avait respecté sa souffrance. Il avait alors compris ce qu'exprimaient ses yeux : le regret, le chagrin, l'espoir et… l'amour.

— Je te demande seulement de m'écouter. J'ai quelque chose à te demander.

SIXIÈME PARTIE

43

Le marié allait s'évanouir, Rosa en avait la certitude. Sur son visage attendrissant, dont l'expression trahissait tour à tour exaltation et appréhension, perlaient de fines gouttes de sueur. Rosa crut entendre toutes les questions qui bourdonnaient dans sa tête. « Faut-il que je sourie pendant l'échange des vœux ? Est-ce que je serai ridicule si j'ajoute quelques mots après ? »

« Lance-toi ! l'exhorta-t-elle intérieurement en retenant sa respiration. N'aie pas peur. Le véritable amour n'est jamais ridicule. »

Il s'efforça de maîtriser sa panique, mais sa main tremblait légèrement quand il saisit l'alliance posée sur le coussinet de satin.

« Quel idiot ! » Il n'avait aucune raison de s'inquiéter puisque leur amour allait durer éternellement !

Bien qu'elle fût censée porter toute son attention sur la cérémonie, Rosa embrassa l'assemblée d'un coup d'œil furtif. « Que peut-on souhaiter de mieux, songea-t-elle, que d'être entouré par tous ceux que l'on aime, lors du plus beau jour de sa vie ? »

Rob et Gloria, tous deux en uniforme d'apparat, encadraient Pop et Joey qui les observaient, elle et Alex, avec un large sourire. Quant à Sal, c'était lui qui officiait, et sa voix grave emplissait toute l'église.

« Allez ! s'impatienta Rosa. Vas-y ! Tu as juste à dire *oui* ! »

Un mot. Un seul petit mot, si simple et pourtant chargé de mystère et de magie, de foi et d'incertitude.

Une fraction de seconde, elle craignit que Jason manque de courage… C'est alors qu'elle le vit articuler le « oui » qui scellait son destin. Elle lut dans ses yeux qu'il en avait accepté les enjeux avec toute la force de la passion, et entendit les invités, émus, s'agiter sur leur chaise.

A côté d'elle, la sœur de la mariée laissa échapper un sanglot.

— Rachel, je t'en prie, murmura Rosa sans bouger les lèvres, pas si fort ! Ecoute…

— … déclare mari et femme, termina Sal d'une voix triomphante.

La musique s'amplifia et le couple, rayonnant, se tourna vers l'assistance pour se présenter dans tout l'éclat de son nouveau bonheur. En voyant l'amour étinceler dans leurs yeux, Rosa se serait volontiers jetée à leur cou.

« Tout est bien qui finit bien », conclut-elle en perdant à son tour le contrôle de ses émotions.

Elle se mit à pleurer de joie pour Linda, sa meilleure amie, et pour Jason. Puis elle recouvra ses esprits, à défaut de sa dignité, et rendit à Linda son bouquet pour la sortie de l'église. Elle prit ensuite le bras du frère du marié, et le cortège s'ébranla le long de la travée centrale, au son majestueux des grandes orgues.

Quand elle passa devant Alex, Rosa eut conscience qu'il lisait à livre ouvert dans son cœur.

En deux semaines, il avait formidablement bien récupéré de ses blessures, et l'entaille sur sa joue était quasiment cicatrisée. Mais elle ne parvenait toujours pas à prendre au sérieux la proposition qu'il lui avait faite sur son lit d'hôpital, au lendemain de son retour du pays des morts. « Ton père avait-il souscrit une assurance pour la maison ? » lui avait-il demandé. Comme la réponse était négative, avec une générosité inouïe, il avait suggéré que Pop s'installe dans la partie reconstruite de la magnifique bâtisse qui avait servi de garage.

— Tu ne trouves pas ça malsain ? avait commenté Rob. C'est quand même là qu'était garée la voiture qui l'a renversé !

Sal, lui, envisageait les choses différemment. Après avoir pris connaissance de la nouvelle et écouté les divers points de vue, il avait déclaré :

— C'est à Pop de décider. Lui et Alex ont du pain sur la planche avant que leurs relations ne soient au beau fixe.

En cette journée ensoleillée du mois d'août, les mariés furent accueillis sur le parvis de l'église par une pluie de grains de riz. Le photographe s'évertuait à chercher les meilleurs angles pour que chacun parût à son avantage, jusque dans les limousines qui s'ébranlèrent en procession pour gagner le restaurant.

*
* *

Lorsque Rosa descendit de la luxueuse voiture, son cœur battait follement. La terrasse de « Chez Celesta » était envahie de fanions blancs et enguirlandée de rubans de satin et de filets de pêche, blancs eux aussi. A l'entrée, sur le panneau patiné par les intempéries, le menu habituel avait été remplacé par une affichette : « Fermeture pour raisons personnelles ».

— C'est la première fois que nous organisons un repas de mariage, apprit-elle à Alex.

— Ne t'inquiète pas, tout va être parfait, lui assura Vince. Pourquoi le « Paradis des Fiancés » ne deviendrait-il pas le « Paradis des Jeunes Mariés » ?

Le regard rayonnant de fierté dont Alex la couvait faillit déclencher en elle des larmes de joie. « Voilà exactement ce que j'ai attendu toute ma vie », songea-t-elle en étreignant la main d'Alex avant de pénétrer dans son établissement.

Elle avait cru posséder tout ce dont un être humain peut rêver, masquant d'un écran de fumée ses aspirations fondamentales aux joies que seul l'amour peut procurer.

Elle s'arrêta dans le hall, fleuri d'une myriade de petites roses blanches de soie, pour s'adresser silencieusement au portrait de sa mère, qu'on avait également orné d'une magnifique guirlande. « Bonjour, Mamma. Aujourd'hui débute une nouvelle vie. »

Puis elle se tourna vers Alex.

— Je t'aime. Tu le sais, n'est-ce pas ?

— Oui, bien sûr. Dis-moi, Rosa…

— Ah ! Te voilà ! s'écria Leo en surgissant de la cuisine. On n'a plus de polenta, et les bougies n'ont pas été allumées sur les tables. Butch est en train de devenir fou.

Rosa serra les dents, mais prit soin de dissimuler son dépit. Elle devait montrer l'exemple et garder son sang-froid pour éviter que son personnel ne cède à l'affolement. Elle lâcha la main d'Alex.

— J'en ai pour une minute.

— Oui, oui, pas de problème.

Comme les invités commençaient à envahir les lieux, Rosa s'empressa de gagner la cuisine. Tout en nouant un tablier par-dessus sa robe de demoiselle d'honneur, elle chargea un commis de s'occuper des bougies avant de s'atteler elle-même à la tâche : puisant dans un sac de farine de maïs, elle entreprit de préparer la polenta de ses propres mains. Puis, lorsqu'elle se fut assurée que les opérations se déroulaient normalement, elle retira son tablier.

La fête battait son plein quand elle entra de nouveau dans la salle à manger. L'orchestre se démenait et les convives se régalaient d'un festin de légende qui resterait dans les mémoires pendant des générations.

Rosa s'assit avec les mariés, mais ne fit que picorer tant elle était occupée à surveiller chaque table, chaque plat, à vérifier que le champagne ne manquait pas, que tout le monde était satisfait. Les convives portaient toast sur toast. Linda et Jason débordaient de bonheur.

L'atmosphère décontractée qui régnait à la table où

Alex était assis en compagnie de Pop, de ses frères et de Joey, la transportait d'aise. Quant à Jake, il dormait aux pieds de son maître. Comme Linda s'était montrée intraitable sur ce point, Gina Colombo, Hollis Underwood et M. Montgomery participaient également à la fête. Ce mélange de personnalités si contrastées issues de milieux tellement différents, impensable quelques semaines plus tôt, allait de soi, à présent.

Rosa se sentait portée par la force d'une vérité toute simple. Peu importe qui l'on est et d'où l'on vient : l'amour et le respect mutuel placent tous les êtres sur un pied d'égalité.

Après le repas et d'innombrables discours, les mariés ouvrirent le bal, bientôt imités par le reste de la noce. Le témoin de Jason entraîna Rosa qui, libérée des soucis du banquet, put enfin profiter des festivités.

L'heure qui suivit fut pleine de rires et de danses, de retrouvailles et de présentations. Rosa aperçut Alex, de loin en loin, sans réussir à communiquer avec lui. Chaque fois qu'ils tentaient de se rejoindre, quelqu'un interceptait l'un ou l'autre, si bien qu'une heure passa avant qu'enfin Rosa ne se sente enlacée par des bras vigoureux.

— Jamais depuis que mon père m'emmenait à la pêche à la mouche dans le Vermont, je n'ai eu autant de difficultés à attraper une proie, dit Alex avec un sourire débordant de tendresse.

— Tu ne m'avais pas dit que tu pêchais avec ton père.

— J'ajoute ça à la liste de tout ce que j'ai à te raconter. Est-ce que le moment est enfin venu de m'accorder une danse ?

— J'ai horriblement mal aux pieds, dit Rosa en riant.

— Dans ce cas, je peux t'emmener directement au lit, si tu préfères.

— Ta proposition est alléchante, dit-elle avec un sourire mutin, mais je vais essayer de résister à la tentation. Surtout que l'orchestre joue *Fly Me to the Moon*. On ne peut pas manquer ça !

Elle soupira de plaisir lorsqu'il posa les mains sur ses épaules nues pour la guider doucement vers la piste, puis la serrer dans ses bras.

— Est-ce que je dois prendre rendez-vous quand je veux te parler ? plaisanta-t-il.

— De quoi veux-tu me parler ? lui demanda-t-elle en s'enivrant de l'odeur de sa peau.

Elle se sentait tellement légère qu'elle avait l'impression que ses pieds ne touchaient pas le sol.

— Je crois que tu le sais très bien, ma chérie.

Elle dissimula son sourire en enfouissant son visage contre sa poitrine. « S'il vous plaît, mon Dieu, faites que mon instinct ne me trompe pas ! » pria-t-elle avec ferveur. Toute sa vie, elle avait attendu ce moment. C'était l'aboutissement de leur histoire.

Quand, à la fin de la chanson, ils essayèrent de s'éclipser, Ariel agrippa Rosa par le bras et l'entraîna avec elle.

— C'est le moment.

— Le moment de quoi ?

La réponse d'Ariel fut étouffée par les cris d'excitation poussés par toutes les femmes présentes. Mais où avait-elle donc la tête ? C'était l'heure du bouquet de la mariée !

Tandis qu'Ariel l'entraînait vers le podium, Rosa se tourna vers Alex avec un regard d'impuissance auquel il répondit par un sourire bon enfant, tout en reculant pour mieux observer la scène.

— Je vous préviens, j'ai toujours été nulle en lancer ! annonça Linda. Je vous souhaite à toutes de connaître le bonheur que Jason et moi avons partagé aujourd'hui, ajouta-t-elle, radieuse, en s'adressant aux jeunes filles qui s'étaient regroupées autour d'elle.

Elle porta alors son joli bouquet rose et blanc à ses lèvres, pivota sur elle-même, et le jeta en l'air par-dessus son épaule.

Bien que Rosa ne fût pas superstitieuse, elle n'avait nullement l'intention de laisser quiconque la priver de ces fleurs. Bras tendu, elle sauta en l'air si énergiquement que les coutures du corsage de sa robe faillirent céder. Mais elle réussit à s'emparer du bouquet, et le brandit triomphalement au milieu des rires et des sifflets.

Puis elle le leva de nouveau, en direction du portrait de Celesta. « Alors, Mamma, comment je me débrouille ? » lui demanda-t-elle silencieusement.

— Bravo, Rosa ! la félicita Linda en se précipitant pour l'embrasser. Je voulais tellement que ce soit toi qui l'attrapes ! Vous voyez ce que j'avais prédit ? lança-t-elle à la cantonade.

— Nous avions tous prédit la même chose, intervint Vince. Et j'ai comme l'impression que nous ne nous sommes pas trompés… Si ?

Rosa serra le fragile bouquet contre son cœur, puis se tourna pour chercher Alex des yeux. Il la rejoignait déjà en se faufilant entre les tables.

— Non, dit-elle avec un sourire de pur bonheur. Vous ne vous êtes pas trompés.

DANS LA MÊME COLLECTION

Par ordre alphabétique d'auteur

MARY LYNN BAXTER	*La femme secrète*
MARY LYNN BAXTER	*Un été dans le Mississippi*
JENNIFER BLAKE	*Une liaison scandaleuse*
BARBARA BRETTON	*Le lien brisé*
MEGAN BROWNLEY	*La maison des brumes*
CANDACE CAMP	*Le bal de l'orchidée*
CANDACE CAMP	*Le manoir des secrets*
CANDACE CAMP	*Le château des ombres*
CANDACE CAMP	*La maison des masques*
ELAINE COFFMAN	*Le seigneur des Highlands*
ELAINE COFFMAN	*La dame des Hautes-Terres*
JACKIE COLLINS	*Le voile des illusions*
PATRICIA COUGHLIN	*Le secret d'une vie*
MARGOT DALTON	*Une femme sans passé*
EMMA DARCY	*Souviens-toi de cet été*
WINSLOW ELIOT	*L'innocence du mal*
SALLY FAIRCHILD	*L'héritière sans passé*
ELIZABETH FLOCK	*Moi & Emma*
GINNA GRAY	*Le voile du secret*
KATHRYN HARVEY	*La clé du passé*
FIONA HOOD-STEWART	*Les années volées*
FIONA HOOD-STEWART	*A l'ombre des magnolias*
FIONA HOOD-STEWART	*Le testament des Carstairs*
RONA JAFFE	*Le destin de Rose Smith Carson*
PENNY JORDAN	*Silver*
PENNY JORDAN	*L'amour blessé*
PENNY JORDAN	*L'honneur des Crighton*
PENNY JORDAN	*L'héritage*
PENNY JORDAN	*Le choix d'une vie*
PENNY JORDAN	*Maintenant ou jamais*
PENNY JORDAN	*Les secrets de Brighton House*
PENNY JORDAN	*La femme bafouée*
HELEN KIRKMAN	*Esclave et prince*
ELAINE KNIGHTON	*La citadelle des brumes*

... / ...

DANS LA MÊME COLLECTION

Par ordre alphabétique d'auteur

CATHERINE LANIGAN	*Parfum de jasmin*
RACHEL LEE	*Neige de septembre*
RACHEL LEE	*La brûlure du passé*
LYNN LESLIE	*Le choix de vivre*
MERLINE LOVELACE	*La maîtresse du capitaine*
MARGO MAGUIRE	*Seigneur et maître*
ANN MAJOR	*La brûlure du mensonge*
ANN MAJOR	*Le prix du scandale**
CURTISS ANN MATLOCK	*Sur la route de Houston*
CURTISS ANN MATLOCK	*Une nouvelle vie*
MARY ALICE MONROE	*Le masque des apparences*
EMILIE RICHARDS	*Le temps d'un été*
EMILIE RICHARDS	*Mémoires de Louisiane*
NORA ROBERTS	*Retour au Maryland*
NORA ROBERTS	*La saga des Stanislaski*
NORA ROBERTS	*Le destin des Stanislaski*
NORA ROBERTS	*L'héritage des Cordina*
NORA ROBERTS	*Love*
NORA ROBERTS	*La saga des MacGregor*
NORA ROBERTS	*L'orgueil des MacGregor*
NORA ROBERTS	*L'héritage des MacGregor*
NORA ROBERTS	*La vallée des promesses*
NORA ROBERTS	*Le clan des MacGregor*
NORA ROBERTS	*Le secret des émeraudes*
NORA ROBERTS	*Un homme à aimer**
NORA ROBERTS	*Sur les rives de la passion*
NORA ROBERTS	*La saga des O'Hurley*
NORA ROBERTS	*Le destin des O'Hurley*
ROSEMARY ROGERS	*Le sabre et la soie*
ROSEMARY ROGERS	*Le masque et l'éventail*
JOANN ROSS	*Magnolia*
JOANN ROSS	*Cœur d'Irlande*
EVA RUTLAND	*Tourments d'ébène*

... / ...

DANS LA MÊME COLLECTION

Par ordre alphabétique d'auteur

DALLAS SCHULZE	*Un amour interdit*
DALLAS SCHULZE	*Les vendanges du cœur*
JUNE FLAUM SINGER	*Une mystérieuse passagère*
ERICA SPINDLER	*L'ombre pourpre*
ERICA SPINDLER	*Le fruit défendu*
ERICA SPINDLER	*Trahison*
ERICA SPINDLER	*Le venin*
CHARLOTTE VALE ALLEN	*Le destin d'une autre*
CHARLOTTE VALE ALLEN	*L'enfance volée*
CHARLOTTE VALE ALLEN	*L'enfant de l'aube*
LAURA VAN WORMER	*Intimes révélations*
SUSAN WIGGS	*Un printemps en Virginie*
SUSAN WIGGS	*Les amants de l'été*
BRONWYN WILLIAMS	*L'île aux tempêtes*
SHERRYL WOODS	*Refuge à Trinity*
SHERRYL WOODS	*Le testament du cœur*
KAREN YOUNG	*Le passé meurtri*

* *titres réunis dans un volume double*

6 NOUVEAUTÉS À PARAÎTRE EN OCTOBRE 2007

Composé et édité par les
éditions Harlequin
Achevé d'imprimer en juillet 2007
par
LIBERDÚPLEX

Dépôt légal : août 2007
N° d'éditeur : 12939

Imprimé en Espagne